赞 誉

《身边的博弈》……用浅显易懂的语言和近百个故事，讲述了博弈论的基本原理及其在现实世界的运用，使读者能在轻松愉快之中，掌握自20世纪七八十年代以来在国际上蓬勃发展且不断推进着的博弈论知识……在国人中普及博弈论知识，岂不是一件很有意义的工作？

——韦 森

复旦大学教授（载《南方周末》）

它（《身边的博弈》）值得放在床头上，每天入睡前读上半小时；也可以放在衣兜里，乘公共汽车时打开看一看。当然，如果你被迫参加一些无聊的会议时，也可以拿出来在桌下翻一翻，把本来要被浪费的时间夺回来……

——蒲勇健

重庆大学教授（载《中华读书报》）

《身边的博弈》充分体现了“差异化”的竞争策略，特别适合作为非专业人士了解博弈论的入门读物，也是不错的本科生博弈论课程的辅助教材。

——聂辉华

中国人民大学博士

博弈论的高手也是能向不通数学的人讲清楚什么是博弈论的人。董志强这本《身边的博弈》就展现了博弈论高手这样的风采。

——李华芳

上海法律与金融研究院研究员（载《上海证券报》）

董先生尽力满足爱妻的愿望，后来干脆写了一本没有数学门槛的博弈论科普书——当爱照进博弈论，就有了《身边的博弈》……或许，用”当爱照进博弈论”来形容这本书的写作初衷，更为贴切。

——宋晋韬略

媒体评论人（载《新京报》）

一本好的博弈论通俗读物是能让不懂数学的人也明白什么是博弈，董志强做到了。

——李峥嵘

媒体评论人（载《北京晚报》）

书中一些内容能给人们带来启发，如何在错综复杂的社会当中应对“身边的博弈”，从而游刃有余地处理各种事务……对于那些有着远大志向，孜孜不倦探求事物背后规律的人，《身边的博弈》是一本必读的教材。

——臧海平

媒体评论人（载《文汇读书周报》）

《身边的博弈》，从恋人的电话开始，全书一直贯穿着这种平易近人的风格，以故事的方式来讲述理论和理论的运用，让每一个对博弈论感兴趣的人都能避免理论的枯燥，找到博弈生活的乐趣所在。找到快乐的学习，找到快乐的博弈生活。

——程　凯

媒体评论人（载《中国证券报》）

《身边的博弈》……没有数学门槛，读者不需要研究晦涩的数学模型就可以掌握博弈论思想的精髓。

——毕　先

媒体评论人（载《21世纪经济报道》）

身边的博弈

董志强 著

机械工业出版社
China Machine Press

本书用浅显易懂的语言、近百个故事讲述了博弈论的基本原理及其在现实世界的运用，使你通过快乐地学习生活中无时不在的博弈掌握竞争的技巧。让我们在遍及古今中外人文、历史、政治、军事、经济、管理、心理行为等领域的故事长廊里酣畅淋漓地感受博弈的精巧和运筹帷幄的快感！

图书在版编目（CIP）数据

身边的博弈／董志强著. —北京：机械工业出版社，2007.1
ISBN 7-111-19585-X

I. 身…　II. 董…　III. 对策论－普及读物　IV. O225-49

中国版本图书馆CIP数据核字（2006）第078139号

机械工业出版社（北京市西城区百万庄大街22号　邮政编码　100037）
责任编辑：张竞余　　　版式设计：刘永青
北京瑞德印刷有限公司印刷 · 新华书店北京发行所发行
2008年5月第1版第12次印刷
165mm×205mm · 14.5印张
定价：28.00元

凡购本书，如有缺页、倒页、脱页，由本社发行部调换
本社购书热线：（010）68326294
投稿热线：（010）88379007

献给小汤

她数学很差，却很想了解博弈论。

推荐序

快乐地学习博弈论

（一）

在人世间，人与人之间的对抗和较量是一个不容回避的话题，只有直面这些问题，个人才更有可能获得成功的机会。在所有的对抗和较量中，其胜负成败常常取决于三个基本的因素：机会（或者说运气）、体能和智能。通过抛硬币来赌输赢是纯粹依赖于个人运气的游戏；百米赛跑的胜负基本上取决于个人的身体技能；而足球赛、战争等对抗，虽然也会受到运气的影响，体能也很重要，但决定胜负的更重要的因素是头脑技能的较量。

头脑技能是一种策略技巧，或者说是在谋略方面的造诣。既然世间大多数对抗都与头脑技能有关，因此人们试图获得成功，就有必要研究在对抗局势中如何策略性地选择自己的行动。而今，已有一门专门研究互动局势下人们的策略行为的学问，叫做博弈论（game theory）。事实上，每个人每天都在与他人打交道，或竞争或合作。身处这样高度互动的环境之中，无论一个人是否知道博弈论，实际上他都不断地在与他人进行博弈，无论是他的父母、亲人、兄弟、老师还是商场对手、政治敌人……一个人可能不知道博弈论为何物，但是他的确常常在与他人进行着对抗和较量，在进行着一场又一场的game；而生存本能，也让人们在不知不觉中学会了不少game的技巧。

然而，通过本能所学习的game技巧，是既不系统也相当费时的。因此，人们有必要以一种最为节省的方式来学习策略技巧。而最节省的方式，莫过于直接学习博弈论的知识了。难怪经济学家萨缪尔森这样说道："要在现代社会做一个有文化的人，你必须对博弈论有一个大致的了解。"事实上，不单一般人应该了解博弈论，各个领域的专家更应该了解博弈论——20世纪后半叶的历史表明，博弈论在军事、政治、商业、法律、经济学、生物学、心理学、社会学、历史学等诸多领域都已有非常成功的运用。其中，在经济学、生物学、政治和军事中的运用取得了相当大的成就。1994年和2005年，诺贝尔经济学奖两度眷顾博弈论，不是没有原因的。

不过，对于大多数人来说，学习博弈论并不是一件轻松的事情。因为正式的博弈理论往往是用数学语言表达出来的，而社会中的大多数人都有数学恐惧症，虽然对于少数人来说数学的形式是那么优美，但大多数人把博弈论的学习看做是一件艰难而痛苦的事情。其实，博弈论是如此有趣的学问，把博弈论的学习当成一件痛苦之事，实在是不应该的。

所以，我们主张快乐地学习，快乐地学习博弈论。这一点，我们事实上是可以做到的，而本书写作的目的，显然也是为了让更多的人更轻松、快乐地学习博弈论。

（二）

快乐地学习，其思想本源至少可以上溯到英国近代哲学家边沁。他认为，人们的行为是按照最大化其快乐的原则来支配的。这样一种观念后来又成为现代经济学最基本的“效用最大化”假定。是的，至少按照我自己的想法来说，寻求快乐是我们进行决策的出发点，只不过有些是直接地实现，而另外一些是间接地实现快乐而已。因此，在学习方面，也应该按照快乐的原则来选择学习的方式与方法。

快乐地学习，是我自少年时代就身体力行的。在我的少年时光里，由于性格内向，不太合群，就在书海里寻找快乐。于是，快乐学习就无师自通了。现在，我将这种原则已经扩展到更加广泛的“快乐地学习，快乐地工作，快乐地生活”，我太太将其概括为“3H”原则（learning happily, working happily, living happily）。我本人曾经在不同的专业里获得不同的学位。本科念数学，研究生读的是物理，而博士学的是经济，都有一个共同的原因，就是快乐原则。在不同时期产生了不同的兴趣，于是便从学习不同领域里的知识中获得不同的快乐。

博弈论是数学家发明的，而数学又往往给人以艰深晦涩的感觉，好像与快乐不搭界。其实不然，博弈论非常有趣，也很好玩。博弈论的英文名称是“game theory”，一般认为在这里不能把“game”理解为“游戏”，但我却认为不妨把“game”就看成是游戏——博弈就是玩游戏！所以game theory也就是玩游戏的理论，因而也就是一种制造快乐的理论啊！数学家其实在数学研究中是十分快乐的，这一点我可用本人曾经学习和研究数学的经历来保证。只不过数学家是用数学语言表达出博弈论的快乐，他们就像高雅音乐的爱好者那样从欣赏交响乐中获得快乐。同样，博弈论也完全可以不使用复杂的数学来加以表述，这就是讲故事。就像我们不一定要欣赏交响乐，从通俗音乐中也可以感受到音乐之美并由此获得快乐。

不仅如此，其实科学本身在一定程度上就是从寻求快乐中产生的。这么说有何依据呢？我们知道，人类科学的雏形基本上是在古希腊产生的（中国古代在技术上有很大贡献，但在纯粹科学上的贡献是要让位于古希腊的），而古希腊人生性乐天，豪放快乐，是他们最早在纯粹科学的探索上为后世建立了基本的规范。法国哲学家丹纳在其名著《艺术哲学》中曾经描述古希腊人对于科学的探索，特别讲到："希腊人不断地推进科学，从不考虑实用。他们对于圆锥曲线特性的研究，直到1700年后开普勒探求行星运动的规律时，才得到应用……他们为思想而思想，为思想而创造科学。我们今天建立的科学没有一门不是建立在他们所奠定的基础之上……在希腊，人叫制度隶属于人，而不是人隶属于制度。他们把制度作为手段而非目的……他们可以成为士兵而不变做机器；成为舞蹈家、歌唱家而不成为舞台上的跑龙套；成为思想家和文人而不变做图书馆和书斋中的学究……为神明举行赛会而不受教条束缚，不向一种超人的无穷的威力低头，不为了一个渺茫而无所不在的神灵冥思苦想。仿佛他们对于人与人生刻画了一个感觉得到的分明的轮廓……这才是真实的人，一个有思想，有意志，又活泼敏感的身体；这才是真正的人生，在呱呱而啼的童年与静寂的坟墓之间的六七十年寿命。我们要使这个身体尽量的敏捷、强壮、健全、美丽，要在一切坚强的行动中发展这个头脑这个意志，要用精细的感官，敏捷的才智，豪迈活跃的心灵所能创造和欣赏的一切的美，点缀这个人生。"（丹纳：《艺术哲学》(下)，傅雷译，天津社会科学院出版社，358~350，361~362。）

丹纳这长长的几段话足以证明科学、艺术以及快乐原本是一家的，只不过由于近代以来对学问的分工，人的发展才被局限在狭窄的领域内，不同学科、不同领域之间才造成"隔行如隔山"，所谓"鸡犬之声相闻，老死不相往来"的局面！所以我们需要返璞归真，重新追寻古希腊人的全面发展和快乐做学问的精神。

（三）

要快乐地学习博弈论，那么在这里，我向广大读者推荐一本通过讲故事来介绍博弈论的通俗读物——《身边的博弈》。作者董志强博士是我的学生，我曾在他读硕士和博士5年的学习生涯中担任他的指导教师。他的特点是全面发展，不仅深谙经济学和博弈论的真谛，而且在经济学文献的掌握和文学写作方面都有着很深的功底，知识面也很广。他在十分紧张的博士论文写作和答辩期间，仍接受出版社邀请而完成的本书是特别为非专业研究需要而创作的，创作时间长达一年半。在大量非常有趣的故事里，他为我们娓娓道出博弈论的精彩应用。20世纪初的大数学家希尔伯特教授曾说过，真正的数学大师是能够在乡间小道上向偶然遇见的农夫讲清楚什么是微分几何的人。现在我们也可以说，博弈论圈中真正的高手，是能够通过讲故事把博弈论的基本道理向没有多少高等数学知识背景的读者说明白的家伙，我们找到他了。董志强博士的这部博弈论科普读物，内容涵盖了完全信息博弈论的基本范围，共有13章、近百个故事，加上在恰当的时机用恰当的篇幅给出博弈论的基本概念，让我们在遍及古今中外人文、历史、政治、军事、经济、管理、心理行为等领域的故事长廊里酣畅淋漓地感受博弈的精巧和运筹帷幄的快感！给我们带来不少的快乐！我知道，许多博弈论爱好者正在寻找这样一部著作，而我在此慎重向大家推荐本书——它正是我们所需要的这样一部书。它值得放在床头上，每天入睡前读上半小时；也可以放在衣兜里，乘公共汽车时打开看一看。当然，如果你被迫参加一些无聊的会议，也可以拿出来在桌下翻一翻，把本来要被浪费的时间夺回来……

好了，我在这里的长篇大论已经耽误你不少工夫了，在你可能就要开始难以容忍的时刻，我在此立即打住——请进入后面马上就开始的精彩故事吧。

是为序！

重庆大学教授　博士生导师

博弈论专家

2006年3月28日

目录

（注：前面标有“*”的章节建议不要跳过，以免影响理解全书内容）

1 关于博弈论

想一想

假如你正跟恋人用手机通电话，突然信号断了。这时，你会立即拨电话过去，还是等你的恋人拨电话过来？

很显然，你是否应拨电话过去，取决于你的恋人是否会拨过来。如果你们其中一方要拨，那么另一方最好是等待；如果一方等待，那么另一方就最好是拨过去。因为如果双方都拨，那么就会出现线路忙；如果双方都等待，那么时间就会在等待中流逝。

这，就是博弈!

在一场博弈中，你必须考虑对方的选择以确定你自己的最优选择，而对方也必须考虑你的选择来确定他的最优选择。你从博弈中得到的——在博弈论中称为赢利（payoffs）——不仅取决于你自己的行动，也取决于对方的行动；同样，对方从博弈中得到的赢利，不仅取决于对方的行动，也将取决于你所采取的行动。而你们当中的每一方，都试图尽可能地最大化自己的赢利。

在这场电话博弈中，如果你知道恋人不会拨过来（比如以前断线时就是她在等待电话），那么你的最优行动就是拨过去；当然也可能相反，比如她打给你的电话免费，而你也知道这点，那么你的最优行动就是等待对方拨过来。总之，你们的行动相互影响又相互依赖。这正是博弈最本质的特征。

博弈的要素

因利益而发生冲突或对抗是人类社会的一个普遍现象。大到国家政治、生死之地、存亡之道，小到人生棋局、日常生活、赌博游戏，谋略性对抗都是最为常见的局势。

从前面的例子中，读者朋友大概已经形成了对博弈的一些粗略认识。如果现在要给博弈一个规范性的定义，那么我们可以借用2005年因博弈论而获得诺贝尔经济学奖的罗伯特·奥曼教授的看法：所谓博弈，就是策略性的互动决策。任何一个博弈，至少都包括三个要素：

- 一组局中人（一个局中人集合）；
- 局中人可以采取的行动（出招）；
- 局中人可能得到的赢利。

当然，一个博弈至少包括这三个要素并不是说只包括这三个要素。对于动态博弈，还需要定义局中人的行动顺序；对于那些强调信息不对称的博弈，还需要定义每个局中人的信息结构。不过，最基本的要素，是这三个。

在任何一场博弈中，每个局中人的目标都是最大化其赢利。标准的博弈论，假设人们不会有道德、良心和情感上的考虑，所有的一切都惟一以是否符合自身的利益作为行动选择的标准。本书也会始终坚持这个假设，不过有时候我们也会提到目前来自心理学、行为博弈理论对这一假设的挑战和修正。尽管如此，大家仍然有必要认为，这个假设在绝大多数情况下都是成立的。

任何一个博弈中，每个人的赢利不仅取决于自己如何“出招”，也取决于别人如何“出招”。正是这种战术上的互动，使得博弈充满了趣味、新奇，甚至惊险、刺激。

而所谓博弈论，就是一套研究互动决策行为的理论。它实际上也可以看做是一种思维方式，即谋略性思考问题的方式。对博弈论的通俗理解就是，关于人与人的斗争中“老谋深算”的学问。

谁应该学习博弈论

看看下面这些问题：

想一想

- 当我们做一项决策的时候，考虑的仅仅是自己吗？
- 当我们做决策的时候，拥有的信息越多越好吗？
- 拥有越多的选择机会对我们越好吗？
- 因为有些物品可以方便他人，我们却享受不到，我们就不应去提供吗？
- 我们在思考问题时应该从现在向将来推理吗？
- 不留退路会使自己的处境变得更糟糕吗？
- 精神病人比谈判专家更不可能在谈判中获得更大的好处吗？
- 人们的合作是出于道德和高尚的情感吗？
- 我们的信念不会影响世界发展的结果吗？
- 选举中多数派一定会获胜吗？

如果你对这些问题理所当然地持肯定观点，请参与博弈论的学习。

因为博弈论会告诉你，这些你习以为常的“传统智慧”其实是很不明智的。就好像一个在夜间行走的盲人，打着一盏灯笼，在我们习以为常的“传统智慧”看来，他是“瞎子点灯白费蜡”。可是有一个盲眼的犹太人就是这样做的，有人问他：“你又看不见灯光，提着灯笼干吗？”他的回答是：“我是看不到，但是我提着灯笼别人就可以看到我，就不会撞着我了。”

思维和策略技巧

博弈论研究互动决策行为，大多数时候是研究对抗行为，但并不是所有的对抗行为。现实中有很多对抗局势，其胜负主要取决于身体技能，比如百米赛跑、跳远比赛、公平决斗（即决斗之后不再寻仇）等。要在这些对抗局势中获胜，你需要锻炼的是身体技能。这样的对抗局势虽然也可纳入博弈论的研究范畴，但是博弈论研究者对此并没有太大的兴趣。在更多的对抗局势中，其胜负很大程度甚至完全依赖于谋略技能。一场战争的胜负，往往取决于双方的战略和战术，而不是人数的多寡；一场足球赛的胜负，固然跟球队的实力有关，但也很大程度上取决于队伍攻防的组织和调度。胜利并不一定属于强者。要在这些对抗局势中获胜，你需要锻炼的是谋略技能。博弈论研究者深深感兴趣的，正是此类需要谋略较量的博弈。

每个人一出生，就进入了人生的竞技场。渴望成功，是人类的天性。所以，从亘古以来的漫长岁月中，人们一直努力磨砺竞争的技巧，并希望寻找到成功的法则。但是，人们也必须接受这样一个事实：没有什么法则可以确保人们绝对成功——既然这个社会上一定要有成功者和失败者之分，那么就不可能每个人都成为常胜将军。不过，竞争的技巧的确是可以磨砺出来的，也可以从学习中掌握。竞争的技巧虽不能保证一个人所向披靡——因为你的对手同样可以磨砺其竞争技巧，但是却可以改善一个人在竞争中的处境，使其不至于太过糟糕。即使是失败，一败涂地和损兵折将其严重程度并不相同。因此，诸位读者不要寄希望本书可以使你所向无敌，但阅读本书确实可以增强你对某些局势的洞察力。

最后，博弈论初学者也应当意识到：在历史和现实中，人与人的智慧较量一直是人类社会的突出现象，设局、破局、对局的例子比比皆是，但是，博弈论虽然有趣，却不是探索性的论据、经验法则、趣闻的根据、荒诞故事的集锦。它之所以被称为理论，是因为它有自己独特但又保持逻辑内在一致性的思考方法。当然，对于大多数人来说，策略博弈也是一种颠覆传统的思维方式。

本书是将博弈理论运用于考察真实世界的策略行为的科普著作。目前的博弈论著作主要有两类：一类是博弈论学者写的教科书和专著，其中理论和知识是系统的，但是需要读者有较好的数学功底；另一类是一些博弈论的圈外人士写的故事性质的通俗书籍，集中于讲述策略故事，但忽略了理论本身的系统性，也没有凸显出博弈论的思维方式和分析方法，甚至有时还存在一些容易误导读者的错误。本书所走的路线，是介于两类著作之间的中间路线。

读者和我之间的博弈

聪明的读者会发现，你与我之间也正在进行着一场博弈。

正如标准博弈论对参与人的基本假设：他们都惟一以自身的利益作为选择行动的标准，而不会考虑怜悯、仁慈、奉献精神之类。所以我写本书，绝对不是出于什么高尚情感或奉献精神要来帮助你学习博弈论，我的目的当然是希望它能有一个好的销量，能卖个好价钱。

但是，问题就在这里。如同本书第8章将提到的绑匪和人质的家人之间缺乏信任一样，现在的我特别像一个绑匪，而握在我手中的“人质”就是本书的质量。你就像“人质”的家人，如果人质安全（本书质量高），你当然愿意付出赎金（付钱购买）。但是，我却可以拿了赎金之后杀掉人质，使你购买的是一本糟糕不过的书。

是的，我的确可以欺骗读者。大多数读者也许只是看了封面、目录或前言和后记中几段话就做出购买的决定。既然如此，我完全可以多花点时间将目录、前言和后记写得漂亮些，再让出版社设计一个非常诱人的封面，而在书的其他地方就随意填一些文字敷衍了事。只要你的钱落入我的腰包，等你发现本书原来是粗制滥造的时候，实际上也已经对我毫无办法了。

对于绑匪来说，收到赎金而杀害人质并不是一个好的策略，因为这将使他失去信用而在以后很难成功地勒索人质的家人。所以，职业绑匪常常会树立起讲信用的声誉。同样的道理，对我来说，如果希望能长期得到读者的认可，那么欺骗读者显然不是一个好的策略。原因很简单，首先，如果我欺骗了一个读者，那么这个欺骗信息就会传给他的朋友、朋友的朋友、朋友的朋友的朋友……最后我这本书被贴上垃圾的标签而卖不出几本；而如果我认真地写好本书，得到读者欣赏，那么也就会得到他的朋友、朋友的朋友、朋友的朋友的朋友的欣赏，这显然是一个不错的结果。其次，我是一个大学教授，如果我不负责任地敷衍了事，失去的不仅是读者，也可能让人怀疑我对于学术研究的态度；既然我希望长期在学术市场待下去，我就不能像一些不负学术责任的写手那样信手随意。第三，出版本书的机械工业出版社华章分社，在国内以出版经济学普及著作和教材而在读者中享有美誉，既然她好不容易积累起自己的声誉，并且希望自己的基业常青，则断然不会出版“金玉其外、败絮其

中”的作品来损害自己的声誉。如果我在本书里确实没写什么像样的东西，那么出版社就会成为一个最大的受害者。当然，这也说明出版社的策划编辑和责任编辑非常积极地跟我讨论书稿的写作和修订意见，并不是出于真正关心我个人的利益，而只不过是出于对出版社利益的关心而导致我的利益也得到了改善。同样，我也没有心思关心读者的权益和利益，但是在市场至上的环境和出版制度下，我仅仅为了自己的利益而写好本书，客观上的确给读者带来了好处。难道不是吗？

2 博弈范例

为了更好地理解人际之间的博弈互动行为，我们先来看几个小故事。

别人的红包更诱人

如果你与对手的行为相互影响，那么你们之间就构成一个博弈局势。身处博弈之中，你需要运用策略思维来选择行动。若无策略思维，结果几乎等于失败。且看下面一个例子。

故事模型

话说一地主家有两个长工——张三和李四。转眼到了年关，地主给了张三、李四每人一个红包。两个人都看到自己红包里装的是1 000元钱，但不知道对方红包里装的是多少。这时地主发话了："你们拿的红包里，每个红包的钱可能是以下两个数字之一：1 000元和3 000元。现在你们如果愿意跟对方换红包的话，可以由我来公证，但你们每人要支付100元公证费给我。"

张三心想：假定我跟李四交换红包，若他是1 000元，我就相当于亏损100元公证费，这种可能性是50%；若他是3 000元，则扣除公证费

100元，我还净赚3 000－1 000－100 =1 900元，这种可能性也是50%，所以，我的预期净赚价值是50%×(－100) + 50%×1 900 = 900元。这样看来，我跟李四交换是很划算的。

李四心里的想法跟张三一样。他也觉得跟张三换红包是很划算的。

于是张三、李四异口同声地对财主说："我们愿意换。"

地主露出了一丝狡诈的微笑："真愿意换？"

"愿意！"张三、李四毫不犹豫。

结果，正如读者诸君所料，张三、李四各自亏损了100元收入，未得到任何好处。只有地主用他小小的伎俩骗到了200元钱。

有的读者会问：张三和李四的推理究竟在哪个环节发生了错误呢？其实他们先前的推理都没错，而且他们都提出愿意跟对方交换也没错。错，就错在当地主再次询问是否愿意交换时，他们仍然同意交换——这就是缺乏策略思维的后果。如果张三和李四懂得策略思维，那么在地主再次询问时，他们就会拒绝交换。为什么呢？原因在于：地主第一次问大家是否愿意交换，既然张三表示愿意，那么李四就应该想到："如果张三是3 000块，他肯定不会同意跟我换，现在他同意跟我换，说明他也是1 000块，因此我不应跟他换。"同样，既然张三看到李四同意交换，也应该做相同的推理，得到不换的结论。所以地主再次询问时，策略思维之后的答案应该是不换，这样他们就不会损失一笔所谓的公证费了。

这个例子说明，在互动情形中，缺乏策略思维，难免会犯错误。

三方对决：弱者的生存之道

人们在利益争夺中向来习惯于奋勇争先，所谓"天下熙熙，皆为利来；天下攘攘，皆为利往”。红尘俗世，万头攒动，追名逐利，争先恐后，皆不退让。然而博弈的思想却告诉我们，有时“退一步，便海阔天空”。刘伯温因为退一步，辞官归田，终免遭杀身之祸，就是例子。金庸小说中的珍珑棋局，多少高手未曾解破；而棋艺浅陋的虚竹“退一步”，闭了眼睛乱下一子，杀死自己白棋一片，反而天地一宽，破解迷局。

现在我们来看另外一个“退一步”的例子[㊀]。

故事模型

这是一个假想例子，并且需要一点概率计算。假设有A、B、C三人决斗，每人有两粒子弹，每次可发射一枪。由于A的技术最差（射中概率为0.3），让A先发射；B的技术次之（射中概率为0.8），因此B第二发射；C是一位神枪手（射中概率为1.0），因此他第三发射。如此依序发射，两轮后对决结束。每次轮到某位发射时，他可以选择向两个对手之一开枪，或者对空放枪（因此不会伤害任何人）。死亡的射手不能对人发射也不能对空发射。另假定，任何射手一旦被其他射手射中便会立即毙命。在这样一场博弈中，A的最优策略是什么？

要问A的最优行动是什么，首先需要考虑A有哪些可供选择的行动。根据博弈中的设定，A的行动不外有三种：（1）对空发射；（2）向C发射；（3）向B发射。何种行动是其最优选择，需要考虑三个行动对于A来说各自的预期赢利（这里以活命概率来衡量）大小。

假设A采取行动一，对空发射，则接下来B有80%的可能性杀死C[㊁]，

㊀ 出自Gadner(1972, 1973)，迪克西特和奈尔巴夫（2003）。

㊁ 注意，此时B必然射C，因为若B不射C，则接下来C一定选择射B（则B必死），因此B必射C。

然后A有30%可能射杀B，若未能射杀B，则B向A发射（A存活概率为0.2），然后对局结束——此种情况下A的存活概率为0.8 × (0.3 + 0.7 × 0.2) = 0.352。若B未射杀C，则C射杀B，然后A要么成功射杀C，要么被C射杀，存活概率为0.2 × 0.3=0.06。因此，A先选择“射空”的存活概率为41.2%。

假设A采取行动二，向C发射，则A有30%的可能性使C毙命，接下来就是B将向A开枪，A幸存的概率为20%，于是A又向B开枪，若未中，则B向A开枪，对决结束——此种情况下A的存活概率仅为0.3 × 0.2 × (0.3 + 0.7 × 0.2) = 0.026 4。若A未能射杀C，则情况转化为与采取射空行动一样，其存活概率为0.7 × 41.2% = 0.288 4。总的来说，选择“射C”行动下A的存活概率为0.026 4 + 0.288 4 = 31.48%。看来这个行动不如选择“射空”好。

假如A采取行动三，向B发射，那么他有30%的可能性会射死B，但同时A也就等于签署了死亡保证书，因为B毙命后就该C向A射击了，而C是神枪手（必定使A毙命）。当然，A也有70%的可能射不中B，但射不中B与不射B没有什么差异，就等于选择了不向B射击。因此看来，向B射击是严格劣于“射空”的选择。

所以，对于A来说，最优的行动选择是“对空发射”。

在这个例子中，一个弱者A通过选择“退一步”而获得更大的生存空间。这样的例子在现实生活中有很多版本，尤其是在涉及到参与博弈的个体有强有弱的时候。比如总统竞选，实力最弱的竞选者总是在开始时表现得很低调，而实力强劲的竞选者和实力中等者之间反而互相攻击，搞得狼狈不堪，这个时候最弱的竞选者才粉墨登场获得一个有利的形势。

这个例子揭示了一个非常重要的博弈思想：一个人，在社会上的生存不仅取决其能力的大小，还要看其威胁到的人。

中国有句俗话叫“功高震主”，一个人能力可能很高，成绩可能非常辉煌，但是这恰恰可能也是这个人走向悲剧的原因，因为这种高能力和高成就威胁到了其上司的地位和安全，上司必欲除之而后快。大到历史上普遍存在的“皇帝杀功臣”，小到一个组织里面的互相倾轧，都是因为一个人的能力威胁到了另一个人的利益。一个对他人的利益从不构成威胁的人，自然不会是他人意欲除掉的对象，反而能够在各种政治风云中幸存下来。而能力最强、本事最大的人，反而是最可能走向悲剧结果的人。在前面的对决例子中，C（神枪手）是最厉害的，但是也是最难以活命的，可以计算出他的活命概率仅有14%。能力处于中间状态的，是最可能存活的，例子中的B将有56%的活命概率。能力最弱的，由于对他人威胁很小，也可以比最强的人得到更大的生存机会，例子中的A可以用30%的精确度换取41.2%的活命概率。“木秀于林，风必摧之”，这就是强者的悲哀。惟其如此，大智者才需要表现出大愚，无他耳，自保而已。

三国风云：一段历史的重新解说

在前面的对决例子中，我们发现弱者可以通过退却一步以便争取更大的生存空间。其实不仅如此，如果将这个例子中B（次强者）的枪法改得差一点，比如它的命中概率为0.4而不是0.8，那么按照同样的计算方法，大家将不难发现，弱者的最优行动将不是对空射击，而是对C射击。这其中的道理在于：在一个弱者、次强者、强者的三方对决中，如果次强者水平较高，则弱者最好是挑起次强者和强者之间的争斗，而自己就袖手旁观坐收渔翁之利；如果次强者水平也较低，那么弱者为了争取更大的生存机会，就应当先帮助次强者一起对付强者——否则，次强者难以对强者构成足够的威胁，那么弱者也将难以自保。这些思想，是弱者在夹缝中的生存之道。

诸葛亮显然深谙上述道理，所以在他对刘备说：“今（曹）操已拥百万之众，挟天子而令诸侯，此诚不可与争锋。孙权据有江东，已历三世，国险而民附，贤能为之用，此可以为援而不可图也。……若跨有荆、益，保其岩阻……外结好孙权，内修政理；天下有变，则命一上将将荆州之军以向宛、洛，将军身率益州之众出于秦川，百姓孰敢不箪食壶浆以迎将军者乎？诚如是，则霸业可成，汉室可兴矣。”这就是著名的“隆中对”。

简单地说，诸葛亮提出了“跨有荆益、东和孙权、北图中原”的宏伟战略。当时曹操为强者，孙权为次弱者，刘备为最弱者。如果孙、刘不进行联合，那么曹操就可以分别灭之。于是诸葛亮才舌战群儒，力劝东吴孙权与刘备联盟。而孙权也意识到若不与刘备联盟，则必为曹操所灭，于是联盟就形成了。

但是，对于一个弱者刘备而言，若能够与次强者孙权联盟对抗强者曹操，那么将曹操灭掉是否就是最佳的呢？恐怕不是。可以想像，当刘备与孙权一起灭掉曹操，那么接下来的历史很可能就是孙权灭掉刘备。所以，弱者总是有动力去维持一个稳定的三角形结构：与次强者联盟，但是却并不愿真正消灭强者。

上述这个道理可以解释三国时代一段看来不可思议的历史⊖。著名的火烧赤壁一战，孙刘联军大败曹操，曹操北逃。而诸葛亮早已在曹操归逃的路上布下三重防范：前有赵云，中有张飞，后有关羽。然而诸葛亮的军令要求赵云和张飞的主要任务是放火骚扰，真正的捉曹任务降落在了关羽头上。后来在华容道上，关羽念旧情而放走了曹操。这里就有一个值得深思的问题：诸葛亮明明知道关羽重义气，必然放走曹操，为何还要将捉曹的重任交给关羽？从我们前面对弱者的博弈分析可以得到的结论是：诸葛亮并不想杀掉曹

⊖ 对这一段历史的博弈论解读，也可参见蒲勇健：《是谁在华容道放走了曹操：博弈论破解“三国”中的千古之谜》，见http://www.cnobel.com/pyj/。

操。原因很简单，杀掉曹操，北方必乱，东吴必定北图中原。当东吴平定中原之时，刘备的末日也就降临了。所以，诸葛亮要放走曹操。

读者也许会问，既然要放走曹操，为什么还要设置三重拦截呢？设置拦截固然是为了给曹操一个教训，但更重要的也许是为了维持孙刘联盟。因为如果孙权知道诸葛亮放走曹操，那么孙刘联盟就会彻底瓦解。所以，诸葛亮必须既要放走曹操，又不能让孙权看出是有意放走曹操。历史中的对局，就是如此的生动!

如今，我们从博弈论角度再看“隆中对”，不得不佩服诸葛亮的深谋远虑。如果“东联孙吴、北抗曹魏”的战略能够得到始终如一的贯彻，也许历史就不是现在这样记载的了。可惜，从关羽镇守荆州开始，东联孙吴的战略就开始被抛弃。诸葛亮在离开荆州的时候嘱咐关羽切记“东联孙吴、北抗曹魏”，但关羽未能彻底贯彻这一战略（当然，这可能本身也与荆州的产权纠纷有关，因为荆州是刘备向东吴“借”来的），以致败走麦城为东吴所杀。刘备怨恨在心，调兵遣将要为关羽报仇，其间张飞也被部属所害，更令刘备伤心，不顾诸葛亮再三劝阻，立誓讨伐东吴。从此，“东联孙吴”的战略被彻底破坏了。后来的历史大家都很熟悉，蜀、吴两个弱者皆被魏所灭。三国历史上几颗闪亮的明星就此落幕。

是否应置敌人于死地

博弈不仅有助于我们理解历史悬疑，也可以让我们学到更多的生存智慧。人们常常认为“对待敌人应该像秋风扫落叶那样残酷无情”，但在某些博弈中，最好的策略反而可能是放敌人一条生路。

仍然是三国时期——这个时代实在是一本很好的博弈论教材，它非常生动地表达了博弈对局中的策略互动和相互依存——在那个时代，不仅在

国家战略上体现出高度策略互动，即使是一次小小的战役，也充满了智慧。

“空城计”，大家耳熟能详。虽然对这一故事的真实性仍有争议，但是其中的对局却令人感慨万千。有许多人认为，诸葛亮利用司马懿多疑的性格而大胆摆下空城计，司马懿果然中计。但是，也有一种博弈论的解读认为：并非司马懿不敢攻城（以其卓越的军事才能也不至于看不出空城计），而是司马懿并不想过早地除掉诸葛亮。为什么呢？因为司马懿一直受曹真等人的排挤，曾经被贬为平民。只因诸葛亮伐魏无人可挡，最后曹魏又不得不请司马懿出山。可以说，正是因为诸葛亮的存在，才使得曹魏对司马懿有所依赖。司马懿自己可能也很清楚，在自己未能掌握军国大权的时期，一旦诸葛亮倒下，也就是他自己被逐出朝廷甚至遭迫害的日子。于是，司马懿在空城计前面退却了。后来，司马懿不断扩充军权，大权独揽——那是为了自己和家族不致在诸葛亮死后被曹魏挟制和迫害。这也许是一些曲解，大家姑且当做讲笑话吧。但是，其中的道理是成立的。既然兔死狗烹，那么猎狗最好就不要让兔子全部死掉。

为什么只要1美元不要10美元

人类的策略行为，并不仅仅体现在战争这样的大事件中。很多聪明的博弈可能并没有一个像三国这样宏大的斗争背景，反而，它们可能只是日常生活的细屑琐事。

故事模型

曾经有一个小孩子，家境贫寒，只好上街乞讨。令人奇怪的是，对路人的施舍，他只接受1美元，而不要路人给的10美元。

世界上居然有这样的傻瓜，10美元不要而只要1美元！这个消息传开了，更多的人都想见识这个傻瓜，他们纷纷掏出10美元和1美元来给

小乞丐。小乞丐总是选择接受1美元。更多人都觉得很好奇，总是不断有路人来做“实验”。

后来，有人问这个小乞丐为什么那么笨不要10美元的钞票。小乞丐的解释是：如果我拿了10美元的钞票，那我就是一个智力正常的人，也就不会再有那么多的人用1美元来做实验看我傻不傻了。

原来，小乞丐不但不傻，简直就是聪明绝顶。因为他非常清楚自己面临的是一个长期重复博弈。在目前的一个单期中，对他来说最好的行动是接受10美元而放弃1美元。不过，既然一旦接受10美元就不会有人再出于“好奇”给他1美元，那么，接受10美元虽然可算是短期内发一笔小财，但是却损失了细水长流的许许多多的1美元。为了眼前的一点小财而放弃长远的利益，显然是不划算的。

故事中的小乞丐通过装傻的策略性行为，树立起了“傻”的声誉，获得了长期接受他人施舍的好处。这个故事也说明了长期关系对于博弈行为的重要影响。在单次的博弈中，人们没有未来的交手机会，因此都会完全按照自己在当期的利益选择行动；而在长期关系的博弈中，人们往往可能会因为长期的利益而宁愿在本期付出一些代价。譬如，我们以后会在第10章讲到合作，促使合作产生的一个重要因素就是人与人之间的长期关系。厂商为什么愿意花费代价去建立“声誉”？因为短期付出的声誉成本可以由长期的声誉收益来补偿。员工为什么愿意忘我工作？因为这样的努力付出可以使他得到老板的认可而获得晋升或加薪等长期的收益。可以想像，如果一个员工没有了未来（比如他明天就要退休了），他今天还会忘我地工作吗？

教授为什么这般狠心

大教授有时会面临与小乞丐类似的问题。比如，学生可能经常会有缓考、缓交作业或论文之类的请求，而教授不得不树立起一个概不留情的形象来回绝学生的这些请求。

迪克西特和斯凯思在《策略的博弈》一书中曾讲道：许多教授都立有铁规，拒绝给学生补考机会，拒绝接受迟交的作业或学年论文。学生们认为教授这样做简直就是铁石心肠。而真正策略上的原因其实恰恰相反。绝大多数教授都颇为仁慈，也愿意给学生合理的喘息机会，并接受学生所有的合理借口，问题在于判断何为“合理”。要区分类似的借口是很困难的，要一一确认真相也是不大可能的。教授很清楚自己可以给学生一次方便，但他也清楚这样做很危险。一旦学生发现教授“心太软”，他们就会拖得更久，编造更荒唐的借口。截止日期将失去意义，考试也会被缓考和补考弄得一团糟。

避免危险的办法通常只有一个，那就是绝不越雷池半步——拒绝接受任何借口是接受所有借口之外的惟一可行方法。教授可通过事先承诺“借口免谈”的策略，树立起概不留情的形象，避免做出让步。事实上念过大学的读者都知道，每一所大学都会有些教授被冠之以“四大名捕”之类的称号。我想问你的是，当你选修这些老师的课程时，有想过通过向老师求情来增加考试过关的概率吗？答案大概是显然的。既然你知道他概不留情，也就不会指望去游说这个教授，还是自己努力吧。

不过，如果一个教授真正是慈悲为怀的，他又如何能维护这样一个铁石心肠的承诺？这也是一个策略问题。他必须找到某些方法使其坚实可信。可置信的承诺是本书第8章的主题之一。在这里，教授们最简单的承诺机制就是拿管理办法或学校政策做挡箭牌：“我也想接受你的理由，但是学校不允许我接受。”这样既充当了好人，也使自己摆脱了无可选择只好破例的情况。当然，这些规则也可能是教授们集体定立的，一旦制定规则个别教授就不能在任何特殊情况下破例。

如果学校没有这方面的措施，教授也可以自己来做这样一个承诺。例如，一开课就明确而坚定地宣布政策，一旦有个别学生请求破例，教授就可以运用公平原则，即“如果我对你破例，那我就得对所有的学生破例”。或者，教授也可以通过几次毫不让步建立起严厉的声誉。对他来说，这可能不是令人愉快的事，也可能违背他的本意，但这在其漫长的教学生涯中是有好处的。如果一个教授被认为非常严厉，就没有学生想用借口搪塞他，而他也就减少了拒绝学生的不愉快。

教授的圈套

在迪克西特和斯凯思的著作中，教授不但“狠心”，而且还很会设圈套。

故事模型

话说有两个大学生，选修了博弈论教授的课程。这两个学生的平时成绩很好，成绩总是得“A”。转眼到了期末，考试前一个周末正是应紧张复习的时候，而这两个学生却到外地参加了另一个大学举行的舞会。他们本打算周日早上一早赶回，这样就可以利用周日的下午复习第二天的考试。但是，由于玩得太尽兴，结果周日睡过了头。

当他们返回学校的时候，已经到了晚上，要准备第二天的考试已经来不及了。于是他们打电话给教授，谎称自己在赶回学校时所乘坐的汽车的轮胎爆了，而自己一直被耽误在路上没有时间复习功课，希望可以缓一天参加考试。

对教授而言，如果这两个学生说的是事实，他的确想体谅他们并准予缓考；如果这两个学生说的仅仅是编造的借口，那么显然应拒绝他们这种不合理的要求，或者让他们为其谎言付出代价。问题是，教授不知道这两个学生的缓考理由是真是假，那他该怎么办呢？

专事博弈论的教授自然足智多谋，他爽快地答应了这两个学生的缓考申请。

到了星期二，两个学生如约来参加缓考。教授安排他们分别在两个教室做答。试卷第一页只有10分的题目，由于已经争取到一天时间准备考试，加上平时成绩不错，所以两位大学生很轻松地写出了正确答案。然后，他们心情舒畅地将试卷翻到第2页。第2页只有一个90分的题目："请问爆的是哪只轮胎？"

故事的结果，自然是学生们为自己的谎言付出了代价。一个学生填了左前轮，一个学生填了右前轮。教授轻松地发现了他们的说谎行为，学生们失去了宝贵的90分。

在这里，教授面临的问题是不知道学生是否说了真话，他试图惩罚说谎的学生，而又不能伤害说实话的学生。教授设下的"局"的确起到了这样的作用。因为，如果的确是轮胎爆了，那么这两位学生就会准确一致地填出爆了哪一只，得到题目的90分。而如果这两个学生在对教授撒谎，那么他们就很难填出一致的答案——如果每个学生随机在四个轮胎之间选一个填上，那么出现一致答案的概率仅为0.25。

当然，读者朋友可能认为右前轮更容易爆，因此大家都选择右前轮可能是更好的答案——但这不是问题的关键。问题的关键是大家的选择要一致，而并非答案是不是更好、更合理。当你选择右前轮的时候，你

需要考虑到对方是不是也像你这样认为选右前轮更好呢？即便你相信对方认为选右前轮更好，但是你还得考虑对方是不是认为你也倾向于选右前轮呢？即使对方也已相信你倾向选右前轮，但是他还需要考虑你是不是认为他已相信你倾向选右前轮……这样的问题实际上可以无穷地追问下去。最后，大家的选择也许仍是一个随机的结果；或者，就只能依靠两位学生在生活中的“心有灵犀”来解决了。这一段论述，涉及到本书第5、6章的内容。

这场教授与学生之间的博弈，在生活中亦有广泛的代表性。教授是规则的制定者，所以他可以通过制定规则来尽可能使自己在博弈中处于有利地位。两位学生则可怜得多，因为从博弈一开始，实际上他们就已经输掉了。而学生要避免输掉博弈的办法，就是最好在博弈之前就洞悉教授的“圈套”并早做准备。事实上，现实中有许多博弈，其参与方并不是处于平等地位的，往往是一方掌握着制定博弈规则的主动权，而另一方则只能被动地接受规则。比如本书将在第12章提到委员会主席常常根据其自身利益安排提案表决程序，就是这样的博弈规则的博弈。此外，一些企业率先将自己的产品条款转化为市场标准，等等，也是这样的博弈。在这类博弈中避免失败的最好办法，就是洞悉“圈套”并安排好破局之策。

赵高设局

听了教授对两个撒谎的学生设下圈套，大家也许是淡淡一笑。因为给学生一个小小的惩罚而又显示出教授的智慧，颇有点喜剧色彩。与此相比，秦朝奸臣赵高设下的局，则充满了血雨腥风，更体现出对抗博弈之残酷。

《史记》中载：“赵高欲为乱，恐群臣不听，乃先设验，持鹿献于二世，曰：‘马也。’二世笑曰：‘丞相误耶？谓鹿为马。’问左右，左右或默，或言马以阿顺赵高。或言鹿者，高因阴中诸言鹿者以法。”

这其中的关键词是“设验”——乃刻意设置的局也。从博弈论的角度来说，这是不完全信息的博弈。与教授不知道学生是否撒谎一样，赵高也不知道群臣中哪些会跟随自己哪些会反对自己。教授设下圈套要诱导学生显示出其说谎的事实，而赵高也设下“指鹿为马”局诱导出群臣的真实派别。因为，忠臣们不愿意黑白颠倒附和赵高，而其他有意追随赵高的人则会阿谀赵高。敌我立辨，为下一步肃清对手奠定了基础，才有“高因阴中诸言鹿者以法”。

通过这样的设局来诱导信息在不对称信息博弈中很常见。

故事模型

话说有一位国王，他要找到全国最勇敢的人做小公主的丈夫。许许多多的青年前来报名应征，他们都声称自己很勇敢。但是，这种宣称是很廉价的，因为最懦弱的人也可以宣称自己很勇敢。那国王有什么办法把他们区分出来呢？其实办法很简单：在王国内有一个异常恐怖的城堡，从来没有人敢在那里待上一个晚上，于是国王宣布谁在那里待上一个晚上谁就有资格成为自己的女婿。结果，那些谎称勇敢的人都悻悻而去。有几个胆大的青年留了下来，可是他们中大多数未能待到一夜就逃离了，只有最后坚持待满一整夜的那个青年，得到了国王的赐婚。

上述这两个设局的例子，实际上是来自于博弈论的应用领域——信息经济学。它们的基本模型是逆向选择和信息甄别。不过，本书不会太多地涉及此类问题，因为这些问题将在本人正创作的另外一本高级博弈论的科普著作《信息与策略——有限信息下的生存博弈和智慧较量》中详细讨论。

分而治之：合谋与组织中的歧视

博弈论还可以帮助我们理解生活中一些常见的令人费解的现象。比如，组织中常常并不是每个成员都得到平等地对待，而是有些成员受到歧视。这是为什么呢？

组织经济学家Ishiguro[㊀]以及青年学者陈志俊、邱敬渊[㊁]对这个问题给予了一种可行的解释。原因在于，组织中的成员可能进行合谋（collusion）从组织中骗取好处。我们可以假想这样一个简单例子：

故事模型

一个经理，让两个员工进行工作比赛，并且决定对其中的胜利者支付一笔奖金。当然，如果这两个员工都拼命工作，那么每人都有1/2的概率拿到奖金，但是每个人也都会承受艰苦劳动竞争的负效用。经理自然可以从员工的努力工作中获得好处（因为预期的产量提高了）。但是，这两个员工实际上也可以合谋皆不努力，这时他们每个人获得奖励的概率仍是1/2，但是谁也不需要付出艰苦的劳动来竞争，因此预期的奖励没变但每个员工都减少了劳动的负效用，这使得每个员工都从这样的合谋中得到了好处。不过，经理可遭殃了，因为预期的产量下降了。

经理有什么办法来防止员工之间的合谋呢？读者也许会想到对合谋行为进行监督。监督的确可以防范合谋，但有时进行有效的监督是很困难的：一是监督者也可能与被监督者合谋，二是对于隐性的默契合谋，则监督对此将无能为力（即使你发现合谋也提供不出合谋的证据）。那

㊀ Shingo Ishiguro, Collusion and Discrimination in Organizations, JET, 116(2004) 357-369。

㊁ 陈志俊，邱敬渊. 分而治之——防范合谋的不对称机制. 经济学(季刊)，2003(1)，195-216。

么，还有什么其他的方法来防范合谋呢？当然有！一个办法就是对员工进行歧视。Ishiguro研究的是显性的歧视，即根据两名员工的外在特征进行歧视。比如，两名员工是一男一女，那么一个歧视性的奖励方案是，如果男员工在竞赛中胜出则可获得奖金100元，女员工胜出则只能获得奖金0元。这样的一个歧视方案会导致女员工不努力，而男员工为了在比赛中胜出，则不会与女员工合谋，并且会努力。实际上可以说组织正是通过打击某些员工而拉拢另一些员工的歧视方案，来瓦解员工之间的合谋行为。

不过，Ishiguro的显性歧视方案有一个问题，就是它使得被歧视的员工不再愿意努力。另外。许多国家在法律上有同工同酬的平等就业规定，所以这样的显性歧视方案倒不见得会被广泛采用。使用更广泛的，也许是陈志俊和邱敬渊提出的隐性歧视理论。他们的理论可以转化成如下一个小故事——在一个官僚组织中，两名员工为争夺一个高级职位而竞争。显然，高级职位更高的薪水和福利待遇就如同奖金一样。尽管两个员工也可以合谋不努力，让老天爷来决定谁将担任高级职位，并且约定无论谁担任了高级职位，都需要对对方进行补偿。那么这个问题仍可以归结为一个竞赛问题，相当于高级职位的奖金为100元，谁胜谁得到。如果两个人都努力，那么每人得到奖金的概率是1/2，即预期奖金为$(1/2) \times 100 = 50$；若大家都不努力而平分奖金，那么各自也可得到50元且不必那么辛劳。因此，合谋利益的可能性是存在的。那么组织中上层的官僚如何可以避免这两个下属合谋呢？一种最常见的办法就是分而治之：上层官僚会内定其中一个员工晋升，这个员工自己知道但另外一个员工不知道。这样，被偏爱的员工知道自己获胜的概率会大于1/2，因此如果要合谋，他就会要求得到超过50元的利益才会答应；而被歧视的员工（因为歧视是隐性的），他并不知道自己胜出的概率小于1/2，他仍要求按照50对50的比率得到利益，这样，最后双方就不可能达成合谋协议——因为双方要求的利益之总和超过了合谋利益（奖金）的总和。可能有读者会问，如果那个被偏爱的员工告诉被歧视的员工，自己是内定人选，那么岂不就会导致被歧视的员工不努力，而被偏爱的员工只需要稍微努力就行了吗？对这个问题的回答是，一般来说这样的情况并不会发生，一是因为被偏爱的员工一般并不愿透露自己是依靠某种不正当的“关系”照顾上去的，他们更希望别人认为他是凭能力晋升的；另一方面，一个员工向另一员工说自己被内定，另一个员工会简单地相信他吗？他会认为对手不管是不是内定对象都总是有动力说自己是内定的来诱导他放弃努力，那么他的策略最好是不要相信。此外，现实中隐性歧视可以做得更复杂微妙。比如，高层官僚把这两个下属分别在不同时间叫到办公室，跟他们都讲了如下的话语：“小×啊，你要努力呀，你们两个候选人中，我是比较看好你的，同等条件下，我一定建议领导班子首先考虑提拔你，你不要辜负我的期望。”结果，两个员工对取胜的主观概率都超过了1/2，合谋更不能达成，而高层官僚所需要的两个人的最优努力水平也实现了。

理性的昏君

分而治之的思想也体现在国家政权的控制者为保住政权而采取的策略行动上。

故事模型

历史剧《大脚马皇后》中有一段情节，说的是朱元璋初定天下，根基尚浅，而朝中已分化成以刘伯温和马皇后为代表的江浙派，以及以李善长和胡惟庸为代表的淮西派。马皇后建议朱元璋亲刘伯温而疏胡惟庸，而朱元璋的回答是：他当然知道两个人不和，而且他也知道胡惟庸只擅长溜须拍马，但是他之所以不疏远胡惟庸是因为胡可以牵制刘伯温，否则以刘伯温之盖世高功，没人掣肘恐怕将来不易管理。所以，他就是要利用两个人的不和来控制局面。

这是一种典型的分而治之的思想。在历史上，我们曾看到许多的昏君，他们亲小人、远贤臣。他们真的是非常昏庸吗？也许，其中确有一些傻瓜型的昏庸者，比如刘阿斗。但是，大多数的昏君也许都是理性的昏君。贤臣往往建功立业，深得人心。而一个深得人心的人，在缺乏民主基础的社会中，很可能成为王权的挑战者，甚至是皇帝的替代者。因此，在位的皇帝不得不亲小人，以小人之力量掣肘贤臣。除非，皇帝本人就是功高盖世、深孚众望之辈，他就不必惧怕任何贤臣的挑战，他也才有信心和能力去疏远小人。如果皇帝本人并无太大功绩，那么他就可能压不住功臣的光环，为了平衡力量他不得不亲小人。所以，我们在整个中国历史上都可以发现，开国皇帝或者扩疆辟土而武功显赫的皇帝一般是比较英明的，那是因为他本人就是最大功臣，无所畏惧来自臣子的挑战，因此也少亲小人；而不少仅仅依靠继承王位获得政权但在政治、经济、军事上难有作为的皇帝，常常会表现出更多的昏庸一面，那是因为他们时时面临竞争者的挑战，而不得不随时平衡忠奸的力量以确保自己的位置。他有时甚至会有意让朝廷分裂成几个派系，让派系斗争来消耗各方的力量，以降低王位所受挑战的压力。

笔者相信，这样的解释是有其道理的。正如复旦大学一篇博士论文[⊖]

⊖ 刘伟. 中国专制王朝衰亡的经济学分析. 复旦大学博士学位论文，2003。

中写道：“当我们告诉君主某个大臣有异心或有很大的私人军事力量，或者某个地方有什么刁民聚集了数千信徒时，我们可以发现君主从来都是最快做出反应，没有任何的昏君迹象。”这篇论文甚至还指出，皇帝一般更担心官僚和功臣造反，反而不大担心老百姓造反。一方面固然是因为信息的原因——官僚人数少，比较容易监控谁更可能造反，而老百姓人数众多，不太容易监控谁会造反；但另一方面，原因在于官僚往往有更多的造反的初始财富——他们有更多的钱来作为谋反的基金，有声望的官僚更能集合起造反的队伍，经过沙场的将军更知道如何打仗——而老百姓在造反的初始财富方面显然要少得多，即使他们想集合一支队伍也不是易事。

朱元璋显然深知上述道理。他很清楚自己能够稳坐江山是因为自己威震海内，而他的儿子、孙子们可就没有这么大的能力和威严了。因此，为了防止自己的儿子、孙子的帝位受到挑战，他曾于洪武十三年和洪武二十六年两次大开杀戒[⊖]，开国功臣几乎无一幸免，被杀者超过4万人。他这一招，奠定了明朝朝廷的安全。不过，他仍然没法避免老百姓揭竿而起，最终断送了明王朝。如今的明孝陵，芳草萋萋。

⊖ 洪武十三年即1380年，太祖以“谋反”罪将胡惟庸诛杀，李善长、陆仲亨、唐胜宗、费聚等大臣也遭株连被杀。案件前后株连3万余人，史称“胡狱”。洪武二十六年即1393年，凉国公蓝玉因“谋反”罪被杀，遭株连而死的有15 000余人，史称“蓝狱”。两狱合称“胡蓝之狱”。此外，大将廖永忠、朱亮祖，右丞相汪广洋，户部侍郎郭桓，江夏侯周德兴，靖宁侯叶昇，颍国公傅友德，定远侯王弼，宋国公冯胜，监察御史王朴等，都因各种罪名被处死或赐死。纵观太祖的“战友”，除常遇春、汤和、徐达、沐英等，大多不得善终。

友情提示

- 博弈，就是策略性互动决策。博弈论，是研究互动局势下策略性决策行为的理论。
- 一个博弈至少包括三个要素：局中人、局中人可选的行动、局中人在各种博弈结果中可以获得赢利。
- 即使不用数学，博弈论思想也可以得到恰当的表达。
- 在互动局势中，必须具有策略思维，否则就可能无法洞察局势而导致最终失败。

经济学家常常用模型化的思维来理解世界，每当他们看到一些现象，就会尝试用已有的模型来对应这个现象，这样就可以很快发现现象背后的形成机理。如果你已确认的确找不到模型来对应所观察到的现象，那么恭喜你，你发现了一个新现象；如果你能构建一个新模型来解释这个新现象，那么你对经济理论就有了贡献。

对爱好经济学的读者，笔者尤其要提醒大家将以下看到的囚徒困境、智猪博弈、性别战、懦夫博弈、协调博弈都看做是“模型”，而不单是“故事”。它们是一个个的博弈模型，这样的模型可以称做“故事模型”，它与经济学中的数学模型、生物学中的塑料模型并没有本质的不同。

3 囚徒困境

应当随时考虑别人的利益，条件是不这样做自己的利益就会受到损害。

——（瑞士）阿尔弗雷德·莫勒尔（Alfred Mohler）

相信大家都有过这样的经验：当我们在公路上遇到塞车的时候，如果大家都规规矩矩地排在车道内，而有一个人违规驶入人行道，那么他就会得到便宜。但如果每个人都有这样的想法，并且付诸行动的话，则人人都要吃亏。这样的情况经常在我们的日常生活中出现，即每个人都守规矩，那么一个不守规矩的人就会获得好处；但若每个人都不守规矩，则人人都会失利。

这样的现象后面，是否隐藏着某些特定的结构？之所以要问这样一个问题，原因在于，如果某些现象不断重复出现，其背后通常会有某种特定的结构存在。一旦有特定结构存在，我们就可以建立相应的模型来分析此类现象。答案是显然的，因为博弈论中的“囚徒困境”正是分析此类现象的模型。当然，一旦掌握囚徒困境模型，则任何时候碰到此类现象我们都

可以马上清楚地理解到现象的发生机理；这就是模型化思维的好处。

囚徒困境模型

囚徒困境模型是用一个小故事来表达的。

故事模型

两个人因盗窃被捕，警方怀疑其有抢劫行为但未获得确凿证据可以判他们犯了抢劫罪，除非有一个人供认或两个人都供认。即使两个人都不供认，也可判他们犯盗窃物品的轻罪。

囚徒被分离审查，不允许他们之间互通消息，并交代政策如下：如果两个人都供认，每个人都将因抢劫罪加盗窃罪被判2年监禁；如果两个人都拒供，则两个人都将因盗窃罪被判处半年监禁；如果一个人供认而另一个拒供，则供认者被认为有立功表现而免受处罚，拒供者将因抢劫罪、盗窃罪以及抗拒从严而被重判5年。

我们用赢利表（payoffs table）将两名囚徒面临的博弈问题表示如下：

		囚徒乙	
		拒供	供认
囚徒甲	拒供	0.5年，0.5年	5年，0年
	供认	0年，5年	2年，2年

图3-1　囚徒的困境

赢利表是两个局中人且策略离散情形常用的一种表达博弈的工具。其解读方式是这样的：最左边是局中人1（本例中为囚徒甲），最上边是局中

人2（本例中为囚徒乙）；左边的“拒供”、“供认”是局中人1的策略，上边的“拒供”、“供认”是局中人2的策略；四个单元格是双方策略的组合情况（本例中每人有2个策略，策略组合就有2 × 2=4个），每个单元格即一种策略组合；每个单元格中有两个数字，第一个数字代表局中人1（左边那个人）的赢利，第2个数字代表局中人2（上边那个人）的赢利。

从图3-1赢利表中可发现，如果两个囚徒都拒供，则每个人判0.5年；如果两个囚徒都供认，则每个人判2年。相比之下，两个囚徒都拒供是一个比较好的结果。

但是，这个比较好的结果实际上不大容易发生。因为每个囚徒都会发现：

- 如果对方拒供，则自己供认便可立即获得释放，而自己拒供则会被判0.5年，因此供认是较好的选择；
- 如果对方供认，则自己供认将被判2年，而自己拒供则会被判5年，因此供认是较好的选择；
- 无论对方拒供或供认，自己选择供认始终是更好的。

由于每个囚徒都发现供认是自己更好的选择，因此，博弈的稳定结果是两个囚徒都会选择供认。我们把这种稳定结果称为博弈的纳什均衡[⊖]。

这样的博弈均衡结果多少有点令人意外。他们为什么不可以订立一个攻守同盟，都选择“拒供”从而获得一个对大家都更有利的结果呢？若两个人在被捕前曾在关二爷面前发誓决不招供，那么他们能不能达成合作，选择拒供呢？即使如此，合作可能还是难以达成，原因很简单，一旦两个人被捕面临隔离审查，每个人都会担心对方会背弃盟约。如果

⊖ 纳什均衡是由数学家纳什（J. Nash, 1928~）提出的一个均衡概念，因此被命名为纳什均衡。纳什均衡的确切定义请参考本书第5章。

囚徒甲是坚守盟约的人，那么囚徒乙正好可以在事前诱使他订立盟约，然后被捕后囚徒乙就可以通过背盟而逍遥法外；囚徒甲当然也很清楚做一个坚守盟约的人很可能被囚徒乙利用，所以他为什么又要坚持盟约呢？反过来，如果乙是坚守盟约者，推理也一样。结果是，两个囚徒之间不可能达成稳定的盟约。

囚徒困境通常被看做个人理性冲突和集体理性冲突的经典情形。因为在囚徒困境局势中，每个人都根据自己的利益做出决策，但是最后的结果却是集体遭殃。现实中诸多的问题和现象，正是囚徒困境问题的翻版。

现实中的囚徒困境

价格战

价格战是市场竞争中一个非常常见的现象。上网搜索，可以发现家电、手机、空调、飞机票……无不充满价格战。而我要讲的例子是彩电价格战上的一段插曲。

故事模型

自20世纪90年代中期以来，彩电行业竞争加剧，价格战烽烟四起。由于彩电行业是寡头控制，最大的9家彩电厂商占据了70%的彩电市场，这样的市场上博弈互动的特征就更为突出。1999年4月，长虹为扩大市场突然宣布彩电降价，这给彩电业带来了巨大震动。随即，康佳、TCL、创维达成默契：建立彩电联盟。直到4月20日下午，康佳仍表示不降价，但当晚康佳突然改变主意，搞得TCL、创维措手不及。4月24日，本来三方准备坐下来商讨降价后的进一步策略，结果又是康佳爽约，于是价格战立即蔓延开来。但是，大家都降价对于扩大各自的市场其实并无多大帮助，反而削减了各自的利润——这是有事实为证的，1996~2000年，彩电行业连续发生8次降价战斗，信息产业部统计资料显示，中国彩电行业进入全面亏损。信息产业部有关官员透露，彩电价格战使国家损失147亿元；而一位彩电企业的老总则说，整个行业的实际损失最少200亿元。

价格战于人于己都不利，但为什么彩电厂商还在打价格战呢？我们可以建立一个简单的囚徒困境博弈来加以解释。

假设彩电市场有两个寡头，现在面临降价与不降价的选择。甲降价而乙不降价，甲扩大了市场，赢利增加80单位，乙市场缩小，赢利增加－100单位；反之，乙降价而甲不降价，则乙增加80单位，甲增加－100单位。倘若都降价，则各增加－50单位；都不降价，则都保持原来的销售利润，增加利润为0。整个选择及其结果可以用赢利表表示（见图3-2）：

		企业乙	
		不降价	降价
企业甲	不降价	0，0	－100，80
	降价	80，－100	－50，－50

图3-2　彩电价格战

显然，从双方最好的结果来看，就是都“不降价”。但如同囚徒困境一样，“降价”是每个企业的优势策略：给定对方不降价，我最好降价（不降价得到0，降价得80）；给定对方降价，我更得降价（不降价得－100，降价得－50）。

当然，大家可能还会想，企业之间是否可以进行某种联合来维持价格不降呢？真实的情况是，2000年6月9日，TCL、海信、创维、厦华、乐华、金星、熊猫、西湖等九家彩电企业歃血结盟，召开了第一次具有“垄断”意味的彩电联盟峰会，实际上就是一个价格联盟。结果到联盟生效之日时，大多数彩电商家仍然保持降价，联盟成为一纸空文。当年8月，康佳响应长虹在全国范围降价20%，撕毁本无约束力的联盟协议，价格联盟宣告破产。直到现在，我们还经常可以看到彩电价格战的影子。

军备竞赛

冷战时期，美国和苏联大搞军备竞赛，双方都在军备支出方面投入了大量资金。如果双方都不增加军费支出，则双方的相对安全状况并没有变化，但是却可以有更多的资金投入经济建设。因此，都不搞军备竞赛对双方都有好处。

从图3-3可以发现，博弈的结果将是双方都不断增加军费。因为，给定对方不搞军备竞赛，则自己搞军备竞赛将可以使自己相对安全并使对手陷入危险；如果对方搞军备竞赛，则自己更要搞军备竞赛才不至于使自己的处境相对危险。结果，搞军备竞赛实际上是各个国家的优势策略，大家都搞军备竞赛是优势策略均衡。

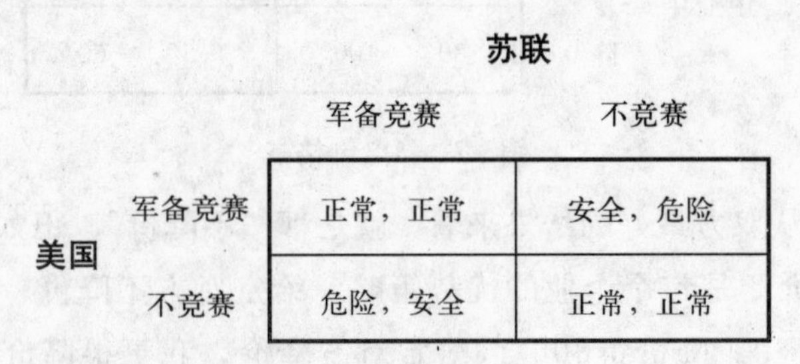

		苏联	
		军备竞赛	不竞赛
美国	军备竞赛	正常，正常	安全，危险
	不竞赛	危险，安全	正常，正常

图3-3　军备竞赛博弈

公共资源的过度使用

哈丁（Hardin）于1968年在《科学》杂志发表的论文《公共地悲剧》是一篇经常被引用的文献。文章表达了这样一个思想：如果人们只关注个人福利，公共资源就会被过度使用。这一思想可由如下一个假想的故事说明。

故事模型

一片公共草地可以养羊，但是随着养羊的数量增加，草地在羊的身上创造出的价值是减少的。假设养2只羊时，每只羊可带来价值100元；养3只羊时每只羊将带来价值60元；养4只羊时每只羊将带来价值40元。假设有两个牧民决定养羊的数量，每个牧民可决定养1只还是2只。则该博弈的赢利表可表示如下（见图3-4）：

		牧民乙	
		1只	2只
牧民甲	1只	100，100	60，120
	2只	120，60	80，80

图3-4　公共地悲剧

显然，该草地最有效率的放羊数量应是两个牧民各养1只，他们各自得到100元价值，草地创造的总价值为200元。但是，牧民甲会想：若对方（牧民乙）养1只，则我养1只才100元，养2只可以有120元，我应养2只；若对方养2只，则我养1只才60元，养2只可以有80元，我还是应养2只。无论如何，牧民甲选择“养2只”是优势策略。同理，“养2只”也是牧民乙的优势策略。最后结果是大家各养了2只（合计4只），各自得到80元，草

地创造总价值为80 + 80 = 160元——这是一个最差的结果，因为各养1只的总价值是200元，一个养1只另外一个养2只的总价值是180元。公共草地被过度放牧滥用。

公共资源的滥用在生活中很常见，深海捕鱼、大气污染、国有资产的流失……都是此方面的例子。而这些现象的存在，说明了对公共财产界定私有产权的重要性。

公共品的短缺

当人们关注个人福利的时候，不仅会使公共资源被过度滥用，也会出现公共品供给短缺的情况。这同样可以由囚徒困境来解释。大家可能都注意到这样一个现象：家里的灯坏了，很快会被修好；而公共过道里的灯坏了，则很长一段时间都没人修。原因是公共过道的灯具有公共品性质，每个人的优势策略是等待别人来修，而不是自己花成本去修，结果大家都在等待而没人去修。希望别人承担代价而自己享受好处的行为，在经济学中被称为“免费搭车”行为。当大家都想免费搭车的时候，实际上谁也搭不了谁的车，这就陷入了囚徒困境。

应试教育

应试教育也面临囚徒困境。一所学校可以选择素质教育，也可以选择应试教育。如果所有学校都选择素质教育，对于培养人才将是更好的。但是，给定其他学校选择素质教育而自己选择应试教育，则自己可以在升学等考试中取得突出的成绩；给定其他学校选择应试教育，则自己更应选择应试教育才不至于在升学等考试中落下太远。结果，每所学校都陷入选择应试教育的囚徒困境之中。

团队生产中的偷懒

团队生产中的一个麻烦在于，人们能观察到的只是团队的成果，对于每个人的努力和成果都难以观察。假设有10名员工，每人选择“努力”都要承担成本1元，同时为团队的预期产出增加2元；每人偷懒则无须付成本，也不会增加团队预期产出。结果我们会发现，如果其他人努力，则自己偷懒将很有好处（因为不付出成本却可享受到好处）；若其他人偷懒，自己则也应偷懒，因为自己努力付出成本1元，但是为团队增加的2元中自己只能得到2/10 = 0.2元。也就是说，偷懒成为了每个人的优势策略。这就是团队生产中的囚徒困境。当然，培养合作的文化以及建立长期团队关系（第10章将讲到的重复博弈），将有助于走出这样的囚徒困境。

为什么“优秀”那么多

每到年终，公司就会考评员工，并让各个部门将自己部门表现优秀的员工报上名来以便奖励。几乎所有的公司，都对每个部门报送的优秀名额做出了限制，为什么会有这样的限制？原因在于各个部门在报送优秀名额上也存在囚徒困境问题。给定其他部门多报，我部门也应多报才有利于我部门员工；给定其他部门不多报，则我仍选择多报也是好的。结果多报是每个部门的优势策略。为了限制多报，公司只好限定每个部门的名额。类似的例子也发生在学校的学生成绩评估中，近年来许多大学出现学生成绩“涨水现象”（即给予过高分数），为什么呢？因为就业形势加剧，给予学生一个好分数总是对学生就业多少有点好处，给定其他学校给学生比较客观的评估，我校把分数拔高是有利的；给定其他学校拔高分数，我们更应拔高分数，否则就会面临不利。结果是大家都拔高分数，除了使分数失去信号作用外，实际上并未改善大家的相对就业处境。君不见，这些年的大

学毕业生，谁都可以拿出一大堆荣誉证书，但是谁都可以拿出证书的效果其实并不比大家都拿不出证书的效果更好。

38 如何走出囚徒困境

报复与惩罚

假如每一个拒供的囚徒都可以在刑满释放后对供认的囚徒实施报复(比如杀他全家)，那么每个囚徒就可能因担心未来的报复而在现在选择拒供，使得“拒供，拒供”成为均衡的结果。合作达成了。

不过，这种合作是脆弱的，警方可以轻易摧毁此类合作。比如，宣布对拒供者判处死刑，就会使得上述合作机制失去效力。因为，对方拒供而自己供认，实际上对方已经被置于死地，有谁会担心一个死人的报复呢?

由囚徒当事人的报复机制形成的合作虽然脆弱，但是却提供了一条走出囚徒困境的可行思路：只要对囚徒不合作行为的惩罚是足够的并且可信的，那么就可以使囚徒的行动转到合作的轨道上来。

现实中，的确有很多犯罪团伙的成员，被捕后拒不坦白，很大程度上与一个由第三方实施的惩罚机制有关。因为在犯罪团伙、黑社会中，如果出卖“兄弟”，将永远无法在江湖立足，并且其家人也将受到黑社会的追杀。正是这样的第三方惩罚机制，使得报复和惩罚是可信的，从而促成了囚徒的合作。

“人质”方案

在囚徒困境中，每个囚徒之所以选择供认，是因为每个囚徒都发现选择供认是符合个人利益的。他们当然也清楚这种自利行为的后果是集体失利，每个人的状况都将更糟糕。因此，如果每个人都相信对方不会招供，并且每个人都相信对方相信自己不会招供，每个人都相信每个人都相信对方相信自己不会招供……那么合作拒供的结果也可以出现。

在这里，合作的关键是相互的信任，以及对相互信任的相互信任……也就是说，如果可以克服信任问题，那么合作达成也是可能的。顺理成章，促进信任的"人质"方案，常常也会促进合作，走出囚徒困境。

在我国春秋战国时期，各国之间都希望达成合作，但同时又担心对方会背盟（毕竟总是有其他国家来利诱对方背盟），它们之间也构成了典型的囚徒困境；如果对方要背弃盟约，我更应背弃盟约；如果对方坚守盟约，则我不必死心眼跟它同生共死。所以，（背盟，背盟）是一个囚徒困境式的均衡结果。当时克服背盟囚徒困境的方法是互相派送人质。历史上赫赫有名的一些人物，比如秦始皇、燕太子丹、赵长安君等年轻时都曾作为盟国人质。

忠诚文化

有时候，建立一种相互忠诚的文化也可以帮助走出囚徒困境。至少我们发现，有一些犯罪团队成员或黑社会成员在警察局拒不坦白是因为要讲"江湖义气"。江湖义气是一种对同伴忠诚的文化。

在军队中，也会通过培养对战友的忠诚来克服囚徒困境。在一场战斗中，冲到最前面是最危险的，相对落后是相对不那么危险的。而且相对落后往往也并不能判定某个人有临阵逃脱的意向，因此军法是用不上的。那么，囚徒困境模型告诉我们，理性的士兵将没有人愿意冲在最前面，每个人都等待着他人冲锋陷阵——但这并不是事实，军人们在战场上总是勇往直前。其中的原因，一方面固然是因为危急情况下人们更容易合作，但也有另外一个重要原因就是军队在一个军人的职业早期就使其牢牢树立了与

战友同甘共苦、同生共死的忠诚观念。

事实上，在很多组织中，团体生产所面临的囚徒困境问题的轻重程度是很不相同的。这种差异的根本来源就是各个组织有不同的文化，有些组织比其他组织更倾向合作行为。经济学家莱宾斯坦（Leibenstein）对组织克服囚徒困境提出的一个建议就是培育合作的企业文化。

长期关系和重复博弈

建立长期关系，使得囚徒困境博弈可以多次重复，如果这个“多次”足够长，那么人们就有可能为了长远的将来利益而牺牲眼前的一笔横财，合作也是可以达成的。事实上，许多囚徒困境问题的克服正是通过建立长期关系来克服的。有关的更详细论述，我们将放在第10章去讲。

委托—代理关系中被设计的囚徒困境

许多著作和讨论囚徒困境的文献强调了囚徒困境中个人理性和集体理性的冲突，并指出在这种冲突下，个人遵循自身利益行动的结果是给大家都带来了坏处。这给人的印象是，囚徒困境对于人们来说是糟糕的，是人类社会竭力避免的。

但事实并不总是如此。在一些委托—代理关系中，故意创造出代理人之间的囚徒困境有时对委托人很有好处。这样的囚徒困境对于效率来说反而是一种促进。下面看三个例子。

利用囚徒困境阻止审计合谋

上市公司与审计师合谋是当代公司治理中的一个严重问题。有时候，我们可以通过在两名审计师之间构造囚徒困境来防范合谋。

故事模型

假设我们现在要对一家上市公司进行审计。审计技术是完美的，即审计师一定能发现上市公司有没有违规行为。如果上市公司有违规行为，而被审计师查出来，这时上市公司就有动机收买审计师，让审计师不要报告其违规行为。假设上市公司收买审计师的最高代价可达到1万元，那么为了激励审计师如实报告，可实施如下的一种机制:

- 如果报告“上市公司未违规”，则支付奖金0元；
- 如果报告“上市公司违规”，则支付奖金1.1万元。

显然，这样的机制下审计师若发现上市公司有违规行为，他会如实汇报，因为他如实汇报得到奖金1.1万元比他和上市公司合谋得到贿金1万元更多。

但是，我们会发现，支付给审计师的奖金可能太高了（超过代理人过失的代价）。如果我们雇佣两名审计师来进行审计，在完美审计条件下，审计师甲谎报而审计师乙如实报告违规，那么就可以肯定审计师甲说谎。则设计如下一个囚徒困境机制就可以防止审计合谋，而且成本低廉:

- 如果两个审计师都谎报，则都只能得到奖金0；但他们将分享上市公司贿金，各得0.5万元；
- 如果两个审计师都诚实回报，则各自只能得到奖金0元；并且得不到贿金。最后各自赢利总和0元；
- 如果一个诚实报告而一个谎报（交叉验证报告可发现谎报者），则对诚实报告者奖励0.55万元，对谎报者罚款1.1万元。但谎报者获得了1万元贿金。这样的情况下诚实报告者净赢利仅仅是奖金0.55万元，而谎报者的净赢利是－0.1万元。

从图3-5可发现，这样的一个机制下，实报始终是每一个审计师的优势策略。因为给定对方谎报，则自己谎报得到0.5万元，实报却可以得到0.55万元；若对方实报，则自己谎报得到－0.1万元，而实报得到0万元也比－0.1万元好。每个审计师都会选择实报。

		审计师乙	
		谎报	实报
审计师甲	谎报	0.5，0.5	－0.1，0.55
	实报	0.55，－0.1	0，0

图3-5　阻止审计合谋的囚徒困境

现在来看，我们的这个机制究竟要花多大的代价呢？代价是0！因为最后是两个审计师都如实汇报，都得到0奖金。也许惟一的代价就是要支付两个审计师的工资而已。比起前一个要花费奖金1.1万元的机制，这个机制就廉价多了。

当然，我们这里设计的囚徒困境是单次的，审计师甲和审计师乙没有长期的合作关系，因此不大容易默契串谋起来谎报。如果两个人有长期的合作关系，那么两个人合谋起来谎报也是有可能的。这也就是现实中经常使用双头审计，而且每次履行同一审计任务的两个机构或个人并不相互熟悉的原因，因为委托人在聘请审计机构时也想到了相互熟悉的审计机构或个人之间合谋是有可能的。当然，对这个模型还可以有更多更专业的讨论，有兴趣的读者可参考Kofman和Lawarree(1996) 的专业文章[1]，我们这里的简单模型只是对他们文章一部分内容的简单改编。

---

[1] Kofman, F. and Lawarrée J. “A Prisoner’s Dilemma Model of Collusion Deterrence”, Journal of Public Economics 1996, 59:117~136.

利用囚徒困境压低供应价格

故事模型

假设你是一家公司的采购人员，正决定向两家供应商采购100万只配件，每只配件的生产成本为6元钱。如果你分别向两家供应商各订购50万只，则每个供应商就会把价格定在10元，从而每个供应商将获利50 × (10 − 6) = 200万元，而你自己的支出是100 × 10 = 1 000万元。但是你可以宣布一个政策以便在两家供应商之间制造出囚徒困境，从而给自己带来好处。政策是这样的：

- 如果价格在10元，则向两家供应商各订购50万只；
- 如果一家把价格降到8.5元，而另一家保持在10元，则100万只订单全部给低价的供应商；
- 如果两家都把价格降到8.5元，则仍向两家各自订购50万只。

这样的情况下，简单计算可以发现，如果两个供应商都不降价，则各自获利50 × (10 − 6) = 200万元；如果都降价，则各自获利50 × (8.5 − 6) = 125万元；如果一个降价一个不降价，那么降价者获利100 × (8.5 − 6) = 250万元，而不降价者得到0元。这就在两个供应商中造成了囚徒困境，见图3-6。

		供应商乙	
		8.5元	10元
供应商甲	8.5元	125，125	250，0
	10元	0，250	200，200

图3-6 供应商的囚徒困境

从图3-6中不难发现，两家供应商都选择8.5元就是纳什均衡了。而此时，你付出的总的订购成本是多少呢？即，100 × 8.5 = 850万元，节约了150万元。

当然，我们要提醒，这样的机制只是在非重复博弈情况下有用，尤其是当你告诉供应商这笔合同机会只有一次的时候，每个供应商迫不及待为了抓住仅有的一次机会，而不得不就范。

策略性派系斗争：利用囚徒困境稳固自己的政治地位

在政治中有各种派别，大到国家政治、小到组织政治，都是如此。为什么这些派别会产生？原因当然很多，最根本的是存在不同的利益集团。但是，有时候这种利益集团正是政治领袖创造出来的。无论在历史或现实中，每个政治领袖的上台，都是在一些势力的支持下而取得政治地位的。同样，如果存在较大的反对势力则领袖的政治地位也是不牢固的。所以，上台后的领袖常常会有意实施歧视性惩罚，使得潜在的反对势力被瓦解并陷入相互争斗的囚徒困境，互相消耗力量，从而使领袖本人的政治地位得到巩固。正如第2章“分而治之”和“理性的昏君”所讲的道理一样。

很多时候，大家都很纳闷为什么独裁政权可以长期存在。按理，如果人民反对独裁，那么他们应可联合起来推翻独裁政权。精明的独裁者当然也意识到这一点——早在1400多年前唐太宗就认识到“水可载舟，亦可覆舟”——于是，他们往往构造起类似于囚徒困境的社会制度，让人民内耗于其中，从而达到其统治的长治久安。比如，他可以创造一种奖励和竞争系统，如果别人反对而你却为独裁者服务则可以得到丰厚的奖励，如果别人为独裁者服务而你必须也更积极地为其服务才不致受到惩罚，这样使人们陷入争相取宠于独裁者的“囚徒困境”之中。譬如，中国的科举制，不能不说是与独裁者分离社会阶层有关。中国过早地实现了国家的“大统一”

(秦时即出现了统一的帝国)，而治理国家的技术在那时却并没有同步发展起来，因此帝王们不得不采取分化百姓的策略。这可能也是我国古代的封建集权以及通过等级制度分化和控制百姓的传统之所以形成的原因吧。

上面几个例子说明，“囚徒困境”并非完全很糟糕。有时候设计得当，人们也可从策略性地运用“囚徒困境”机制中得到好处。开动你的聪明头脑，你一定还可以寻找到更多的可运用“囚徒困境”获利的地方。

“囚徒困境”究竟有多严重

“囚徒困境”被认为是人类社会一个非常糟糕的问题。人们自利的做法结果是使每个人都受到伤害。因此，人们常常为如何走出囚徒困境而殚精竭虑。

但是，我个人的看法是，如果能想出克服囚徒困境的办法当然是最好，不过即便一时想不出好办法也不必过于担忧。人类的理性大概有时候会提醒人们不要陷入万劫不复的境地。譬如，我们一般认为大群体的合作是相当困难的，但即便是数以千计的人面临自然灾害而需要团结抗灾的时候，合作常常很容易达成。这当中有囚徒困境问题，因为每个人可能都想自己一个人不努力对群体的影响只有1/1 000，可以忽略不计，因此让别人努力而自己偷懒可能是不错的想法。但事实上可能很少有人这样做。人们合作背后的原因可能是一种急于摆脱危险的心理，或者大家共同战胜苦难的精神……不管怎样，合作已经产生。所以，尽管我们看到生活中确实存在大量的囚徒困境，但是面临灾难性的囚徒困境的时候，人们常常还是能够表现出一种合作行为的。这样看来，人类面临的囚徒困境问题可能没有想像中的那么严重，至少没有严重到危害人类社会安全的地步。军备竞赛的囚徒困境增加了世界战争的危险，但是在整个20世纪，一直笼罩在核阴影下的后半叶，反而比前半叶和平得多，难道不是吗？正是因为大家对日益增

加的危险更为关注，因此大家也就更为谨慎地刻意避免触发战争，这就是20世纪后半叶的国家斗争历史。

尤其是，当我们承认人有时可能并不完全采取纯粹自利的行为之后，囚徒困境大概就并不足以让我们对人类的未来产生担忧。人的纯粹自利行为会受到道德约束。有时候，通过不道德的手段也可以获得经济上的好处，但大多数时候人们并不会因为一点蝇头小利而放弃道德底线。譬如坐出租车也可能是一个囚徒困境，因为你完全可以坐了出租车不给钱。当然，你不给钱，出租车司机可能会揍你一顿，因此你才给他钱；但问题是即使你给了钱，他还是可以揍你一顿，并把你扭送到警察局说你没给钱。你没有任何证据可以表明你付了钱的，所以你还得乖乖地再付一笔钱。但事实上，你乘出租车时可能从来没有担心过司机会揍你一顿并再索取你一笔钱。这是为什么呢？也许惟一的解释就是这个社会还保持最起码的诚信和正义，你不会耍赖坐霸王车，司机也不会揍你并多要钱，大家都还是会讲一点道德的。

在列维特（S. Levitt，2005年克拉克奖得主）和都伯纳的畅销书《魔鬼经济学》（*Freakonomics*）中讲到了保罗·费尔德曼（Paul Feldman）的故事。

故事模型

费尔德曼专门在一些公司的办公区派送甜饼，而且他出售甜饼的方式很特别，是在甜饼箱旁边放一个盒子，拿了甜饼的人自觉地将现金放在盒子里。由于没有人监管甜饼箱和盒子，因此费尔德曼能够收入多少就全看那些拿甜饼的人有多自觉。他从1984年开始专门出售甜饼，每年大约要投放7 000个盒子。为了了解自己的经营状况，费尔德曼对每一个派送点的甜饼销售量和收入都有详细的记载。而他的数据表明，盗窃甜饼的事件（拿了甜饼不付钱）的确存在，但至少在87%的情况下，人们是诚实的，会为甜饼付出相应的价格。

这个例子同样表明，人们的道德和诚实，可能比经济学家所想像的要好。

优势策略：以不变应万变

最后，我想补充一点关于囚徒困境博弈涉及到的博弈论的一些技术上的概念，一是方便大家了解一些技术词汇，二是我们后面两章有时也提到这些技术词汇。

囚徒困境中，对于每个囚徒而言，无论对方选择“供认”还是“拒供”，自己选择“供认”总是最好的。也就是说，每一个囚徒都可以选择“供认”，以不变应万变。这种以不变应万变的策略，就是参与人的优势策略。

不过，要确切地给优势策略下一个定义，则应该是相对于劣势策略而言的。在一场博弈中，参与人有多个备选的策略，若我们将一个参与人的任意两个策略——姑且称“策略A”和“策略B”拿出来比较，如果在任何情况下（即不管对手如何出招），他选择策略A总是比选择策略B更合适，那么他就会认为策略A相对于策略B来说是一个更“好”的策略，而策略B就是相对于策略A的一个更“坏”的策略。在博弈论术语中，我们将他这个更好的策略（策略A）称为**优势策略**，把这个更坏的策略（策略B）称为**劣势策略**。在优势策略与劣势策略之间，参与人的理性选择是显而易见的，他将选择优势策略。如果两个参与人都选择其优势策略而达到的博弈均衡，称为**优势策略纳什均衡**。囚徒困境中的（供认，供认）就是一个优势策略纳什均衡。

友情提示

- 在囚徒困境局势中，每个人都遵循自己的利益采取行动，但结果是所有人（集体）遭殃。
- 现实中诸多问题都是囚徒困境的翻版，比如价格战、军备竞赛、公共资源的滥用、道路的拥塞、学校走不出应试教育的阴影、团队生产中的偷懒、业绩考核中的分数漂浮等。
- 有一些方法可以帮助人们走出囚徒困境。比如对不合作者进行惩罚、对不合作行为形成报复能力、通过“人质”增加信任、建设忠诚文化、建立长期关系等，都是不错的方法。
- 囚徒困境并不总是糟糕的，有时设计得当，人们也可以通过制造囚徒困境来为自己谋取好处。
- 现实世界中，囚徒困境没有我们想像的那么糟糕。

4

智猪博弈与搭便车

尽管大家同乘一条船，可一些人是划船，另一些人只是坐船。

——[瑞士]阿尔弗雷德·莫勒尔（Alfred Mohler）《玩世箴言》

在移居广州之前，我曾在重庆一所大学任教。学校的旁边是一家计算机学校，两校之间有一条小弄堂。这条弄堂是公共场地，既不属于学校，也不属于附近的居民。我到学校任教的时候，这条弄堂的道路就很糟糕，凹凸不平，下雨天还满地泥泞，但是好些年来两旁的居民谁也不去修护。后来，我所在的大学兼并了那家计算机学校，将它变成了自己的职业技术学院。其后不久，学校出钱修整了道路。事实上，这条道路仍不属于学校，但是为了方便师生往来，学校才花钱修了。不过，两旁的居民也得到了实惠。

在这个例子中，弄堂两旁的居民被称为搭便车者。这个例子中的现象，实际上蕴涵着一种普遍的数学结构，因此仍可由模型来加以刻画。这个模型就是“智猪博弈”。而在本章，我们将介绍这一版本的博弈，并基于智猪博弈说明重复剔除劣势策略求解均衡的方法，然后我们将讨论生活中的智猪博弈以及一些强行搭便车的例子。

智猪博弈与重复剔除劣势策略

故事模型

智猪博弈说的是，有两头非常聪明的猪（要不怎么叫智猪呢），一大一小，共同生活在一个猪圈里。猪圈的一端有一个踏板，踏板连着开放饲料的机关，只要踏一下，在猪圈另外一端的食槽就会出现10个单位食物。经过精确的衡量，任何一头猪去踏这个踏板都会付出相当于2个单位食物的成本；每只猪都可以选择“踏”或“不踏”踏板。如果:

- 两只猪一起去踏，然后一起回槽边进食，则大猪由于食得更快可吃下8个单位食物，小猪只能吃到2个单位食物，扣除各自的成本，大猪实际赢利6个单位食物，小猪则赢利0个单位食物；
- 若大猪去踏，小猪先等候在食槽边，则大猪因时间耽搁只食得6个单位食物，小猪食得4个单位食物，大猪扣除成本后赢利4单位食物，小猪没有成本因而赢利也为4单位食物；
- 若小猪去踏，大猪先候在槽边，则当小猪赶到槽边时大猪已经吃光了10个单位食物，小猪不仅什么都没吃到，反而还付出了2个单位成本；
- 两只猪都不去踏，则大家都只能得到赢利0。

该博弈的赢利表见图4-1:

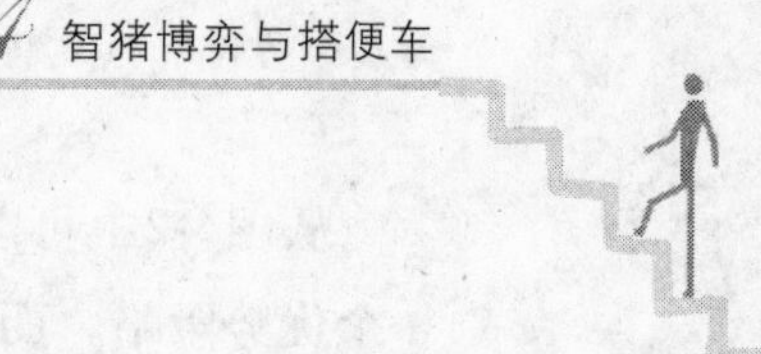

		小猪	
		踏	不踏
大猪	踏	6，0	4，4
	不踏	10，－2	0，0

图4-1　智猪博弈

观察这个博弈可以发现：小猪有优势策略——无论大猪踏不踏，小猪选择不踏总是最合适的（道理很简单：若大猪踏，则小猪踏得0，不踏得4；若大猪不踏，小猪踏得－2，不踏得0；即任何情况下均是不踏更好）。但是大猪没有优势策略——因为大猪的策略将随小猪策略的改变而改变，若小猪踏则大猪最好不踏（大猪踏得6，不踏得10），若小猪选择不踏则大猪最好选择踏（大猪踏得4，不踏得0）。

那么，这个博弈的稳定结果将是哪种情况呢？不妨这样考虑，既然不踏是小猪的优势策略，踏就是小猪的劣势策略。而劣势策略是参与人永远不会选择的，因此相当于小猪的策略集合里从来没有考虑过“踏”一样，因此可以把“踏”这个策略从小猪的策略集合中剔除出去。于是小猪只剩下一个策略“不踏”。剔除劣策略“踏”之后的赢利表就从图4-1变化为图4-2的形式：

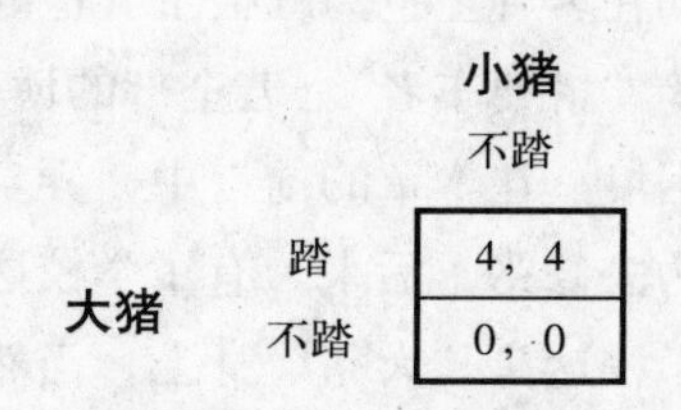

		小猪
		不踏
大猪	踏	4，4
	不踏	0，0

图4-2　智猪博弈（第一轮剔除劣势策略）

从图4-2中可以发现，在这个简化后的博弈中，对于大猪而言，踏是一个优势策略，而不踏是劣势策略。因此，我们可以继续剔除大猪的“不踏”策略，于是图4-2的简化博弈进一步简化成图4-3的形式：

		小猪
		不踏
大猪	踏	4，4

图4-3　智猪博弈（第二轮剔除劣势策略）

经过第二轮剔除，我们得到了一个惟一的策略组合（踏，不踏），即大猪选择踏，小猪选择不踏。这个惟一的组合代表了它们策略行为惟一可收敛的情况，是一个稳定的结果。而这种不断剔除劣势策略的方法，叫重复剔除劣势策略，所得到的稳定结果叫重复剔除劣势策略纳什均衡。

剔除劣势策略的一个重要的前提思想是：理性的人永远不会选择其劣势策略。

智猪博弈深刻地反映了经济和社会生活中的免费搭车问题。无论大猪踏不踏，小猪都选择不踏（这是它的优势策略）；给定小猪不踏，大猪最好去踏。而且，有意思的是，大猪选择踏在主观上是为了自己的利益，但在客观上小猪也享受到了好处。这正是亚当·斯密“看不见的手”原理的一个童话版。看不见的手原理的意思是：社会上每个人为了自己的利益而采取行动，但这些行动在客观上也为社会上其他的人带来了好处。在经济学里，这头小猪被称为“搭便车者”。若全部的博弈主体都试图免费搭车，那么就可能陷入囚徒困境。在本章的前言中，弄堂两旁的居民好比是“小猪”，“小猪”没有动力去修路。后来，有了学校这头“大猪”介入，于是修路的重任就落到了学校这头“大猪”身上，当然那些作为“小猪”的居民也得到了好处。

现实生活中的智猪博弈

改革与制度锁定

如果一个制度并不是一个好制度，那么就会有人试图推翻这项制度并建立新的制度。但是，改革是有成本的，需要流汗，甚至流血。总有一些人为改革东奔西走、摇旗呐喊，他们就像“大猪”一样承担了为推动改革而付出的代价（这种代价有时是生命，比如革命被镇压）。而另一些人就像“小猪”那样，自己没有动力去推动改革，或者不愿为改革付出努力的代价，却坐享了改革的成果。所以，成功的改革通常需要有“大猪”来推动，“小猪”是缺乏改革动力的免费搭车者。如果一个社会所有的人虽然对旧制度不满，但是人人都想让别人来充当“大猪”，自己则免费搭车，结果就会陷入囚徒困境——人人都不会站出来向旧制度发难——并不美好的旧制度就会被长期锁定。这也许可以解释为什么有些制度明明不合理却又长期存在的现象。

小股东与大股东

公司治理中的监督也与智猪博弈类似。大股东通常具有监督管理层的动力，而小股东则缺乏监督管理层的动力。因为大股东可以平衡其监督的成本收益，而小股东却不能。对于小股东来说，监督管理层是其劣势策略。结果，大股东通常负担了监督管理层的责任。但大股东为自己的利益而监督管理层在客观上也为小股东带来了一些好处[⊖]。在股权极

⊖ 当然，我们这里没有考虑大股东与管理层串谋掠夺小股东的情况。事实上，近年来公司治理的一系列实证研究发现，大股东控制管理层对小股东进行剥削，是比管理层剥削股东更为严重和突出的代理问题（可参见以Shleifer为代表的LLSV及其追随者的公司治理相关文献）。

端分散的情况下，大家都是“小猪”，没有“大猪”，人人都试图搭便车，结果也可能陷入囚徒困境——没有人来监督管理层。我们的确看到，在股权分散的英、美等国家中，由于缺乏监督，常常是管理层掌握着企业的控制权。

广告便车

在知名的大商店、大宾馆旁边，也会有很多小商店、小酒楼或餐馆。为什么这些小商店、小酒楼、小餐馆会紧邻大商店、大宾馆呢，因为那些大单位通常会以很多促销或广告手段吸引客源和人流，而小单位打广告是得不偿失的。因此小单位常常选择紧邻大单位，则它们可以无须支付巨额广告费用就可以获得较多的客源和人流。这是小单位搭乘大单位广告便车的现象。同样的道理还可解释为什么小酒馆开在大酒店旁边，农家乐开在靠近风景区的地方，等等。

技术创新便车

小企业搭乘大企业便车的现象不仅表现为这里的位置比邻，也包括产品模仿。比如，小企业通常模仿大企业的产品，等大企业通过广告打开市场后出售廉价模仿品。大企业作为“大猪”常常会花钱进行研究开发、技术创新，而小企业作为“小猪”常常等待大企业开发出新技术、新产品后模仿其技术和产品并生产和出售类似产品。

公司员工的搭便车行为

在公司中，也有一些搭便车的现象。我们经常挂在嘴边的一句话是“能者多劳”，在很多公司中的确存在越能干就越辛苦的现象。

故事模型

张三、李四都是公司的员工，张三给人们留下了勤奋的印象，每次评先进大家都投他的票；李四长期得过且过，大家都知道他是一个比较懈怠的人，可是公司却没有对懈怠员工惩罚威慑。结果，张三就如同“大猪”一样，每天忙来忙去，还得帮忙把李四落下来的工作做了。因为，李四落下了工作，大家的看法是“他就是那样一个人，我们早知道就是这样的结果”；而如果张三落下了工作，大家就会指责他“你是先进，你有能力，你怎么能落下工作呢？”

如何克服员工的搭便车行为？解决方案就是借鉴产权立法一样的做法，对公司的各个职位的权、责、利进行明确的界定和保护，从而可以打消某些员工搭便车的动机。

公司并购中的搭便车行为

1980年，经济学家Grossman和Hart曾提出一个经典命题：由于股市中搭便车行为的存在，在信息对称和理性人的预期假设下，并购事件是不会发生的。

这是为什么呢？不妨这样考虑。

故事模型

假设某公司的股权为1，每股市价为X，即全部股票的总价也为X。收购者认为有利可图才会收购，因此假设收购者可以使公司业绩改善，让股票涨到$X+R$元。现在，假设收购者以$X+P$的价格去收购公司股票。那么，对于任何一个持有α股权的投资者，如果要让他保留股票，则他的预期收益是α（$X+\gamma_1 R$），其中γ_1代表该投资者不卖出股权而并购成功的概率。如果他卖出股票，则预期收益是$\alpha (X + \gamma_2 P)$，其中γ_2代表该投资者卖出股权而并购成功的概率。显然，$\gamma_2 \geqslant \gamma_1$，因为如果投资者卖出了他的股票，收购者收购到足够的股票则其对该公司控制权的可能性就越高。如果存在大投资者（就像大猪），那么只要满足$\gamma_2 P \geqslant \gamma_1 R$，或者$P \geqslant \gamma_1 R/\gamma_2$，同时$P<R$，那么并购将是可以发生的。但是，如果并购者面临的是小投资者，那么他们的股权可以忽略不计，因而他们卖不卖股票对于并购成功的概率影响很小，因此可以认为$\gamma_2 = \gamma_1$，那么要使并购发生就必须满足$P \geqslant R$，结果并购的代价超过并购的收益，并购者放弃并购。

这种现象被称为“搭便车”问题，原因在于：对于小投资者，除非$P \geqslant R$，否则每一个投资者都不会卖出他手中的股票，因为他期望其他的投资者卖出股票从而使该收购者的收购成功，自己可以从中获取收购溢价。而对于大投资者来说，他自己是否卖出股票对并购成功与否的影响很大，因此他既没有机会也没有动机去搭便车，结果他只好出售股票，使小投资者得到了更大的好处。当然，如果缺乏大投资者，那么全部的“小猪”谁也没有动力出售股票，结果是并购不能发生。

像这样的问题又如何去解决呢？那就要通过法律来界定权利。比如，在公司成立之初，编写相应的公司章程，允许收购者一旦接管该公司，有权稀释那些没有转让股权的股份。那么这就会打击小投资者搭便车的动机。

权利配置与强行搭便车

搭便车的根源

搭便车行为的产生，很大程度上与缺乏产权界定或产权配置的无效率有关。可以设想，在大猪与小猪的博弈中，我们加入一个法律规定，谁付出劳动（去踏踏板），那么谁就受益（获得全部食物），并且有一个第三方（比如法院）来强制实施这条法律，那么小猪"不劳而获"的动机就会得到抑制，并且它也有动力去劳动。又如，要解决公司员工中的搭便车行为，那么最好的办法就是明确每个员工的工作职责和任务，并严格按照工作职责和任务对照考核，奖勤罚懒，使每个人都为自己的（懈怠）行为承担责任。

在智猪博弈中，人们常常同情大猪，而觉得小猪不劳而获是不道德的。但实际上也许小猪才真正是应得到同情的。为什么呢？因为小猪付出劳动去踏踏板，结果会使它的劳动成果全部被大猪掠夺——所以，小猪搭乘大猪便车的结果，恰恰是缺乏产权界定下大猪的掠夺行为造成的（大猪自食其果？）。如果小猪和大猪之间可以达成一个协议，比如大猪给小猪提出如下承诺："你去踏踏板，我保证只吃7单位，给你留下3单位。"如果大猪确实会遵守承诺，那么小猪去踏而大猪不踏，小猪将得到3单位食物，扣除劳动耗费2单位，实际上净赢利1单位。大猪使用这样一个承诺后的博弈变为图4-4所示的情景。

		小猪	
		踏	不踏
大猪	踏	6，0	4，4
	不踏	7，1	0，0

图4-4 大猪承诺下的智猪博弈

图4-4的博弈将有两个均衡：大猪踏而小猪不踏；或者大猪不踏而小

猪踏。一个很可能的结果是，大猪和小猪轮流去踏。老是大猪去踏它也会觉得心理不平衡，而故意选择不踏，当大猪故意选择不踏的时候，小猪最好的做法是去踏。当然，当你在后面第6章阅读了“混合策略”之后，不难发现图4-4的博弈实际上还有一个混合策略均衡，就是大猪以0.2的概率选择踏，以0.8的概率选择不踏，小猪以0.8的概率选择踏，以0.2的概率选择不踏，也就是说，双方都不踏而互相消耗等待对方去踏的概率并不太高，为$0.8 \times 0.2 = 0.16$，而大猪不踏小猪去踏的概率为$0.8 \times 0.8 = 0.64$。不过，大猪的承诺还不一定可信。只要大猪以承诺骗得小猪去踏了踏板，大猪的承诺就可能马上作废了。因为大猪有动力在小猪赶回前吃光全部食物。聪明的小猪当然也很清楚这一点，所以除非大猪先送给小猪3单位食物，否则小猪就不会相信大猪，也不会去踏踏板。

若在智猪博弈中引入产权保护法律，也是一条可行的道路。法律对产权可以实施完全的保护，谁劳动谁所得；也可以实施部分的保护（比如规定凡去踏踏板的猪，至少会得到3单位以上的食物），这同样可以抑制搭便车的行为。产权保护法律比大猪的私下承诺更高明的地方在于法律是确切可信的，而对于大猪的承诺（尤其是廉价的口头承诺），其可信性则会受到怀疑。这个道理也肯定了法律在社会中的作用——尽管所有由法律来规定的问题也可以通过私下合约的方式来解决，但是法律比私下合约更具有实施上的效力和成本优势，这就是为什么要在社会中建立起法律体制的重要原因之一。

人为刀俎，我为鱼肉

尽管通过法律来保护产权、界定权利可以抑制搭便车的问题，但是无效率的权利界定则会加剧搭便车的行为。因为，无效率的权利界定很可能造成一部分人被另一部分人宰割。

比如，在学校里，学生选用的教材一般是由老师来决定的。也就是说，选购教材的权利配置给了教师，学生并没有发言权。但问题是，购教材的钱是学生掏的。如果教师用自己的钱买书，他就会考虑教材的质量和价钱，但是现在用学生的钱买书，教师似乎就不会太在意质量和价钱。尤其是，当教师自己也写了教材的时候，就更愿意让学生选用自己写的教材，因为这还可以给他带来版税收入。因此，教师选购教材是一种强制的搭便车行为，是一种权力滥用的搭便车行为。教师是刀俎，学生是鱼肉!

公司的高管们常常会花钱购买高级交通工具、装修豪华办公室，或者向慈善团体捐款，他们说这是为了树立企业的形象——但实际上这显然也是给他们个人带来好处的项目。如果这家公司就是高管们所有的，他们在进行这些项目时可能就会认真评估；但是，公司属于股东们，高管们是花股东的钱来帮自己获取好处，所以他们常常是过度浪费了股东的钱财。高管是刀俎，股东是鱼肉。

聚餐时的“AA制”也是一种容易造成搭便车行为的付费制度。因为博弈规则是费用由大家平均分担，如果10个人多消费10元，每个人实际上才分担到1元。一个胃口很大和胃口较小的人一起用餐并实行“AA制”，那么前者就是强行搭乘后者的便车，相较于他一个人吃饭，他将会点上更多的菜。当然，对于餐厅来说，鼓励顾客们采取“AA制”付费显然对自己是有好处的。

面对强行搭便车和宰割问题，解决的办法是合理地界定权利。比如，越来越多的学校已经允许学生自行决定要不要选购教师指定的教材；投资者保护法律对高管们滥用股东财富的行为进行了必要的限制。当然，“AA制”的确流行起来了，毕竟浪费的食物均摊到每个人头上的并不多，没人愿意去计较，只有餐厅的老板笑开了嘴。

法律责任的分配

法律责任的分配，有时候也可以看做是智猪博弈的版本。举一个司机与行人的例子，每个局中人都可以采取两个策略：不谨慎和适度谨慎。各种策略及其组合下的赢利标记在图4-5中。

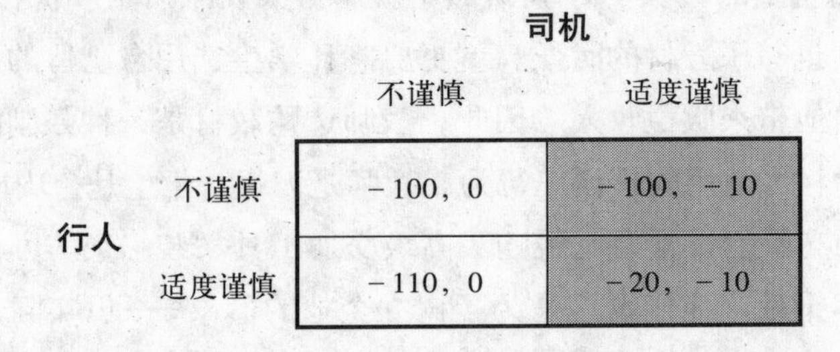

		司机	
		不谨慎	适度谨慎
行人	不谨慎	-100，0	-100，-10
	适度谨慎	-110，0	-20，-10

图4-5　无责任法律制度

图4-5的博弈表示的是司机不负责任的法律制度。如果双方都不保持谨慎，则司机赢利为0，行人赢利为-100元（预期事故成本）；如果双方都保持谨慎，则司机为保持谨慎花费-10元，行人保持谨慎花费-10元，同时行人面临-10元的预期事故成本，共计赢利-20元；如果司机不谨慎而行人适度谨慎，那么司机赢利0，而行人面对-100元的事故成本并付出-10元的谨慎投入；如果司机适度谨慎而行人不谨慎，则司机付出谨慎成本-10元，行人面临预期事故成本为-100元。

这个博弈之所以被看做是智猪博弈，是因为它与智猪博弈有相同的博弈结构。司机有一个占优的策略：不谨慎（因此适度谨慎的策略——图中灰度表示——就应当从司机的策略空间中剔除）。而行人并没有占优的策略，行人的最优策略反应取决于司机的行为。若司机谨慎则行人就应谨慎，若司机不谨慎则行人就不应谨慎。在一个司机不负法律责任的社会里，很难想像司机会采取适度谨慎的行为。司机就像那头搭便车的小猪一样，而行人却像大猪一样任小猪宰割。

如果法律制度做出调整，规定司机必须严格承担全部责任，那么博弈就会发生变化（如图4-6所示）。

司机

		不谨慎	适度谨慎
行人	不谨慎	0，－100	0，－1[illegible]0
	适度谨慎	－10，－100	－10，－20

图4-6　严格责任法律制度

所有的责任和对应的赢利刚好在行人和司机之间发生了转置。此时，行人拥有占优的策略不谨慎；而司机的最优策略反应是根据行人的策略来选择。均衡的结果仍是双方都不会采取谨慎的策略。

上述例子说明了搭便车问题，人们对自己的行为过于放纵，恰好是因为制度安排导致他们的行为不能得到收敛。如果制度安排可以改变，行为就有可能改变，比如，我们可以实施过失自负的原则。如果一方谨慎而另一方不谨慎，那么不谨慎的一方将自行承担过失。这样博弈就变成如图4-7所示。

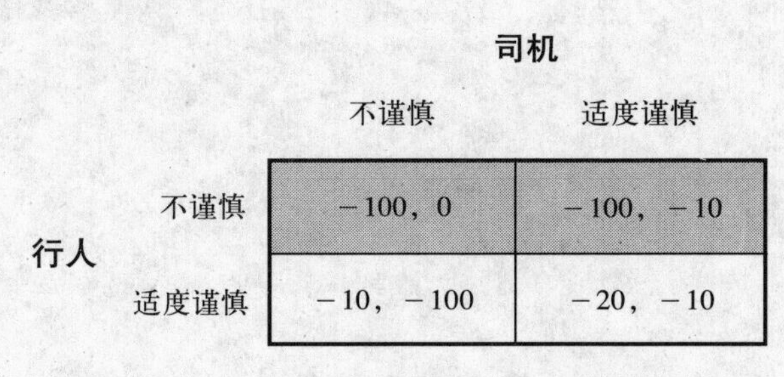

司机

		不谨慎	适度谨慎
行人	不谨慎	－100，0	－100，－10
	适度谨慎	－10，－100	－20，－10

图4-7　受伤者过失自担

图4-7的博弈中，适度谨慎是行人的占优策略，而司机的最优策略则

需要根据行人的策略而定。不过既然行人一定选择适度谨慎的占优策略，因此司机最好也采取适度谨慎策略，从而（适度谨慎，适度谨慎）就成为均衡的结果。

这样的法律责任配置和人们行为均衡的例子说明，对付滥用权利或搭便车的行为，是可以通过修订博弈规则来纠正的。事实上，大家都可以想像到，如果纯粹将责任严格规定（于司机），必定造成人不让车；而无责任法律制度，结果必是车不让人。为了使双方行为回归到适度谨慎的轨道，就应当是双方各自为自己的不谨慎承担责任才可以。

友情提示 

- 在智猪博弈的局势中，小猪会搭乘大猪的便车。
- 现实中有很多智猪博弈和搭便车行为，比如期望别人改革而自己享受改革成果、小股东自己不监督管理层而从大股东监督中获取好处、大企业进行产品创新而小企业模仿、公司员工中“能者多劳”，等等。
- 产生搭便车行为的根源是因为产权界定不清晰，因此明确的产权界定和保护有助于抑制搭便车行为。

5

最优反应、纳什均衡与其他几个经典案例

我尊重你是因为你尊重我，你尊重我是因为我尊重你；

我喜欢你是因为你喜欢我，你喜欢我是因为我喜欢你；

我爱你是因为你爱我，你爱我是因为我爱你。

——佚名

在一个长度为1的沙滩上，均匀地分布着三三两两的游客。每个游客将消费一瓶水。两个小贩前来卖水。如果每个游客都只在靠自己最近的那个小贩那里买水，那么两个小贩将如何布局他们的摊位？在这样一个博弈中，两个小贩会发现，如果自己摆在沙滩中点以左（或右）的任何位置都是不好的，因为对方可以通过摆在紧邻自己的右（或左）边即可获得超过1/2的游客消费者，而自己只能获得少于1/2的游客消费者。只有自己安置在沙滩的正中点，这才是最好的，因为无论对方紧邻自己左边还是右边，自己始终可以得到1/2的游客，其他的位置皆不可能得到这么多游客。于是，两个小贩就紧挨着将摊位都摆在了沙滩的中点上。

这个“长滩卖水”的博弈，还可以用于政治选举中拉票活动的分析，也可用于解释为什么卖同类物品的商家都紧挨着布局。不过，我们引用这个例子是为了说明纳什均衡——本章的主题：在什么样的策略组合下，博弈的双方可以得到一个稳定的结果。就像那两个小贩得到稳定的摊位布局一样。

最优反应与纳什均衡

囚徒困境中存在优势策略纳什均衡（两个人都选取优势策略），智猪博弈中有重复剔除劣势策略纳什均衡（一人有优势策略，另一人没有）。但是，在很多的博弈中，所有参与人都没有优势策略（也就不可能有劣势策略）。比如下面这个被称做“麦琪的礼物”的博弈，我们应如何求解它的博弈均衡呢？

故事模型

“麦琪的礼物”博弈改编自欧·亨利的同名小说。小说写的是这样一个故事：一对经济拮据的夫妻，丈夫吉姆有一只爱不释手的怀表，却没有表链；而妻子有一头美丽的长发，却缺少一把玳瑁梳子。他俩感情深厚，生活得美满知足。在圣诞节前夕，俩人分别悄悄外出为对方购买礼物。结果妻子剪卖自己的长发，为先生买了条表链，好配他的怀表；而丈夫则卖了怀表，为妻子买了一把梳子。

把这个故事转化成博弈模型可以表示为图5-1。

妻子

		剪发	不剪
丈夫	卖表	0，0	2，1
	不卖	1，2	0，0

图5-1　麦琪的礼物

表中的数字是这样设计出来的：

- 如果丈夫卖了表而妻子剪了发，则他们的礼物对对方都没有价值，他们各自得到效用0；
- 如果丈夫不卖表而妻子不剪发，则他们都没有钱买礼物送给对方，仍各自得到效用0；
- 如果丈夫卖表而妻子不剪发，或者丈夫不卖表而妻子剪发，则他们中有一方可买礼物送给对方，因为他们如此相爱，送礼方可得到2个单位效用，受礼方可得到1个单位效用。

这个博弈的稳定结果（或者说均衡）是什么呢？我们再也无法寻找到他们的优势策略，因此需要创造出一些新的寻找稳定结果的方法。可喜的是，我们确有这样的方法，那就是根据纳什均衡的定义来求解。

最优反应

我们先要介绍最优反应。最优反应是指，给定对手选定一个策略，则我选择某个策略比选择其他策略都要好，那么选择这“某个策略”就是我对于对手选定策略的最优反应。譬如在图5-1的博弈中，给定妻子剪发，丈夫的最优反应是不卖表（因为卖表只得到0，不卖表却得到1），为了标记出丈夫的最优反应，我们就在（不卖，剪发）所对应的单元格中丈夫的赢利数字“1”下面画一条横线（如表5-2所示）；给定妻子不剪发，则丈夫的最优反应是卖表，同样，为了标记丈夫的最优反应我们在（卖表，不剪）所对应的单元格中丈夫的赢利数字“2”下面画一横线。同理，我们也可找出妻子对丈夫的任意一个策略的最优反应，给定丈夫卖表，妻子的最优反应是不剪发；给定丈夫不卖表，妻子的最优反应是剪发。为了标记妻子的最优反应，我们也在相应的单元格中妻子的赢利数字下画一横线（见图5-2）。

		妻子	
		剪发	不剪
丈夫	卖表	0，0	2，1
	不卖	1，2	0，0

图5-2 麦琪的礼物

纳什均衡

纳什均衡是这样一种状态，在该状态下每个参与人所采取的策略都是对于其他参与人的策略的最优反应。以二人博弈为例，纳什均衡就是一个策略组合（甲的策略，乙的策略），甲的策略是对乙的策略的最优反应，而乙的策略也是对甲的策略的最优反应。譬如，在囚徒困境博弈中，我们说（甲供认，乙供认）是一个纳什均衡，就因为它满足纳什均衡定义所要求的特性——甲供认是对乙供认的最优反应，而乙供认是对甲供认的最优反应。

换言之，在纳什均衡状态下，所有参与人都已选取其最优反应。既然如此，我们就可以通过判断一个策略组合中的策略是否满足成为彼此的最优反应来确认它是否是纳什均衡。在图5-2中，我们用画线标记出了丈夫和妻子对彼此各个策略的最优反应，显然，如果可以找到某个单元格中两个人的赢利数字下皆画了横线，那么就代表该组合中的策略彼此是最优反应，该策略组合就是我们要寻找的纳什均衡。

很容易地，读者们会在图5-2中发现，（不卖，剪发）和（卖表，不剪）都满足纳什均衡的条件，即丈夫不卖表、妻子剪发和丈夫卖表、妻子不剪发，这两种情况都是纳什均衡。

我们用画线标记出每个人对他人各个策略的最优反应，然后寻找全部数字都有下划线的单元格来寻找纳什均衡的方法，叫**画线求解法**。对于策略离散型的二人有限博弈，这个方法都是适用的。

聪明的读者也许还会有很多疑问，譬如他们可能会问：你说（不卖，剪发）和（卖表，不剪）这两种情况是均衡，是稳定结果；但是小说中实际出现的结果却是（卖表，剪发）。为什么这种情况会出现，我们在下一章的混合策略中可给出解释。

更多策略的情况

我们再用一个例子来复习一下画线法求解纳什均衡，这样可以巩固你的学习成果。比如图5-3的例子。

		李四		
		左	中	右
张三	上	3，<u>5</u>	4，4	<u>5</u>，1
	中	<u>6</u>，1	2，8	1，<u>10</u>
	下	3，7	<u>5</u>，<u>8</u>	4，4

图5-3　画线法求解纳什均衡

图5-3看起来比我们前面的例子都要复杂些，因为前面的例子中每人只有两个可选策略，而这里每个人有三个可选策略，但画线法求解纳什均衡的难度并没有增加。我们在给定张三的每一个策略选择下找到李四的最大赢利所对应的每一策略(显然，应该在张三每个策略对应的行上去找)，然后在最大支付下画一横线；同样地，我们接着又在给定李四的每一个策略选择下找到张三的最大赢利所对应的每一策略(显然，应该在李四的每个策略对应的列上去找)，然后在最大支付下画一横线。最后，我们将那些张三和李四的赢利下都画有横线所对应的策略组合找出来，它们就是纳什均衡。这一过程的结果表现在图5-3中，其中策略组合(下，中)是纳什均衡。

有了画线法，对于任何以赢利表表示的博弈，我们都可以通过画线法寻找纳什均衡。因此我们现在可以放开手脚，探讨我们感兴趣的博弈，尤其是以下几个经典的静态博弈模型。

电视频道的性别战

故事模型

有一对夫妻，丈夫喜欢看足球赛节目，妻子喜欢看肥皂剧节目，但是家里只有一台电视，于是就产生了争夺频道的矛盾。假设双方都同意看足球赛，则丈夫可得到2单位效用，妻子得到1单位效用；如果都同意看肥皂剧，则丈夫可得到1单位效用，妻子得到2单位效用；如果双方意见不一致，结果只好大家都不看，各自只能得到0单位效用。

这个博弈的策略式表达如图5-4：

		妻子	
		足球赛	肥皂剧
丈夫	足球赛	2，1	0，0
	肥皂剧	0，0	1，2

图5-4 性别战：电视频道争夺

可以用画线法求解该博弈的纳什均衡，均衡结果是（足球赛，足球赛）和（肥皂剧，肥皂剧）。这个博弈的一个典型特征是，如果对方一意坚持，则顺从对方比与对方抗争要好。一方坚决选择自己喜欢的节目时，顺从至少可以得到1单位效用，而抗争则只能得到0单位效用。这与现实中的故事是一致的，夫妻双方一方坚持己见的时候，另一方常常会迁就一些，做出让步。

性别战博弈具有与麦琪的礼物相同的博弈结构。该博弈结构的显著特点是，博弈有两个均衡，博弈双方各自会偏爱一个均衡，比如丈夫偏爱（足球赛，足球赛）均衡，而妻子偏爱（肥皂剧，肥皂剧）均衡；不过他们还是有一些共同利益的，因为任何一个均衡中，他们都可以得到比非均衡状态更多的赢利。

在性别战中，究竟哪一个均衡会出现呢？也许这取决于夫妻俩在家庭中的地位，如果什么都是丈夫说了算，那么很可能出现丈夫偏爱的均衡；或者也可能出现轮流做主的情况。但更多的时候，在性别战博弈中建立一个强硬的形象也许是有好处的。

铁腕上司与鹰派下属

性别战博弈的一个现实例子是组织中上下级的博弈。所有在层级组织

中工作的人们都知道，组织中的上下级关系是很微妙的。有些组织中上级对待下属非常强硬，被称为铁腕上司；有些组织里下级对待上级毫不买账，被称为鹰派下属。假设一个上司和其下属进行博弈，他们在某个有争议的问题上各自都可以选择对彼此的强硬态度和屈从态度，相关的赢利情况如图5-5:

		下属	
		强硬	屈从
上司	强硬	0，0	5，2
	屈从	2，5	1，1

图5-5　组织中的政治行为

画线法不难发现，这个博弈中的纳什均衡是（强硬，屈从）和（屈从，强硬）。如果上司强硬，则下属应屈从；如果下属强硬，上司最好屈从。这与通常所看到的组织中的状况是一样的，如果上司态度坚决，下属只好委曲求全；如果下属完全不买账，上司只好做出一些让步。

这个博弈对我们有什么启示呢？在这个博弈中，如果上司树立起铁腕上司的形象，他就可能从中获得好处。一个粗暴的、不近人情的上司往往令员工更为畏惧，而不敢与其针锋相对，那么均衡的结果很可能是(强硬，屈从)。反过来，如果一个下属素有鹰派下属形象，那么上司往往也会让其三分，均衡结果很可能是（屈从，强硬）。

当然，读者朋友也许会说，铁腕上司是常见的，鹰派下属似乎不大常见啊。其实不然，组织中上司被架空权力的现象并不鲜见，在一些政治组织中尤其如此。有些政治组织的领袖以残暴的铁腕著称；有些政治组织的领袖却只是一个傀儡而已。

懦夫博弈

故事模型

在20世纪50年代，美国有一部风靡一时的电影《无故的反叛》。片中迪恩[⊖]与他的中学同学玩了一场博弈：大家把车开向悬崖，获胜的一方是在他的车越过悬崖之前最后从车里面跳出来。在一些香港片中，也有这种比胆大的博弈。

我们这里要介绍的懦夫博弈与此有一点不同，那就是两个司机的车不是开向悬崖，而是在一个可能彼此相撞的过程中开车向前。每个人可以在相撞前转向一边而避免相撞，但这将使他被视为"懦夫"；他也可以选择继续向前——如果两个人都向前，那么就会出现车毁人伤的局面；但若一个人转向而另一个人向前，那么向前的司机将成为"勇士"。

我们把他们在各种情况下所得到的收益赋予一定效用值，如图5-6：

		司机乙	
		转向	向前
司机甲	转向	1，1	$\underline{-2}$，$\underline{2}$
	向前	$\underline{2}$，$\underline{-2}$	−4，−4

图5-6 懦夫博弈

⊖ James Byron Dean(1931—1955)，美国演员，以塑造20世纪50年代惶惑、急躁、富于幻想的青年形象而受到崇拜。

懦夫博弈虽然是我们构造出的例子，但是跟我们现实中的有些问题是类似的。比如，两辆相向行使的车狭路相逢，互相都不让道的情况。从博弈的赢利结构来看，应该说双方采取一种合作态度——至少是部分的合作态度选择转向可能是有利的。但是使用画线法求解我们立即可以得到，（转向，转向）不是纳什均衡结果。纳什均衡结果将是（向前，转向）和（转向，向前）。即是说，均衡结果将是一个司机向前，另一个司机转向避让。

懦夫博弈有着与性别战博弈不同的结构特征，那就是如果一方坚持要进行博弈，那么另一方就难以退出博弈（退出博弈也会被视为“懦夫”）即形成了骑虎难下的局面。而此时，冒险选择向前而获胜的一方，将自己的幸福建立在了对方的痛苦之上。假定博弈参与的一方是鲁莽、不顾后果的人，另一方是足够理性的人，那么鲁莽者极可能是博弈的胜出者。如果这种懦夫博弈进行多次，则冒险选择向前而成功的参与人就更有信心在将来采取这种策略，他很可能会树立起一种粗暴的形象使得对手在未来的对局中害怕从而获得好处。下面要介绍的一个商战例子似乎很好地诠释了上述思想。

粗暴形象的好处

故事模型

20世纪70年代，在通用食品公司与宝洁公司的斗争中，通用食品公司就凭借其鲁莽和粗暴而获得了斗争的胜利。当时美国通用食品公司和宝洁公司都生产非速溶性咖啡，通用食品公司的Maxwell House咖啡占据了东部43%的市场，宝洁公司Folger咖啡的销售额则在西部领先。1971年，宝洁公司在俄亥俄州大打广告试图扩大东部市场，通用食品公司立即增加了在俄亥俄地区的广告投入并大幅度降价。Maxwell House咖啡的价格甚至低过了成本，通用食品公司在该地区的利润率从降价前的30%降到了降价后的－30%。在宝洁公司放弃在该地区的努力后，通用食品公司也就降低了在该地区的广告投入并提升价格，利润恢复到降价前的水平。后来，宝洁公司在两家公司共同占领市场的中西部城市扬斯敦增加广告并降价，试图将通用食品公司逼出该地区。作为报复，通用食品公司则在堪萨斯地区降价。几个回合之后，通用公司树立了一个粗暴的报复者形象，这实际上向其他企业传递了一个信号：谁要跟我争夺市场，我就跟谁同归于尽！于是在以后的岁月里，几乎没有公司试图与通用食品公司夺取市场。

通用食品公司这种自杀式报复其实跟懦夫博弈中的选择向前是完全类似的。它通过冒险采取这种策略最终成功地利用了对手，并使对手感到害怕而退避三舍。

古巴导弹危机

故事模型

如果人们要问，20世纪最危险的对抗发生在什么时候，那就是1962年10月。

就是那个时候，苏联企图把带核弹头的导弹布置在古巴。当肯尼迪（John F. Kennedy）总统于10月14日确认了这些导弹的存在时，就召集了一个所谓的高层执行委员会来商讨对策，考虑几种方案之后，执行委员会把选择缩小为两个：海军封锁或空袭。同样，苏联总理赫鲁晓夫也有两个可供利用的选择：拆除导弹或者留下导弹。

用博弈论的术语，我们可以刻画出当时的局势（图5-7）。

		苏联	
		拆除	保留
美国	封锁	1，1 （妥协）	−2，2 （苏联胜）
	空袭	2，−2 （美国胜）	−4，−4 （核战争）

图5-7　古巴导弹危机

图5-7中刻画了可能的四种结果：相互妥协、苏联胜利、美国胜利或爆发核战争。观察这个博弈的结构，可以发现它跟懦夫博弈完全一样。画线法可以告诉我们这个博弈的纳什均衡是（空袭，拆除）和（封锁，保留）。

当然，历史上的真实故事结果是（封锁，拆除），这并不是纳什均衡结果。对此我们固然可以将其解释为真实博弈结构不像我们这里刻画得这么简单——双方考虑的选择可能比图5-7所给出的策略要多得多；或者可以解释为双方都有留下一些余地的想法，所以成就了一个相互妥协的结果。但是，在下一章混合策略中我们将给出另一种解释，历史也有可能只是个偶然结果。

协调博弈

协调博弈是又一类与性别战、懦夫博弈不同的博弈。在这样的博弈中，双方都存在共同偏好的均衡。

一个正在考虑选择新的内部电邮系统（internal e-mail system）或内部互联网系统（intranet system）的公司，以及一个正在考虑制造它们的供应商，它们的两个选择是：建立技术先进的系统，或者建立一个功能简单的一般系统。我们假定更先进的系统真的能够提供更多的功能，因此两个参与人的赢利——用户支付给供应商的净额如图5-8所示：

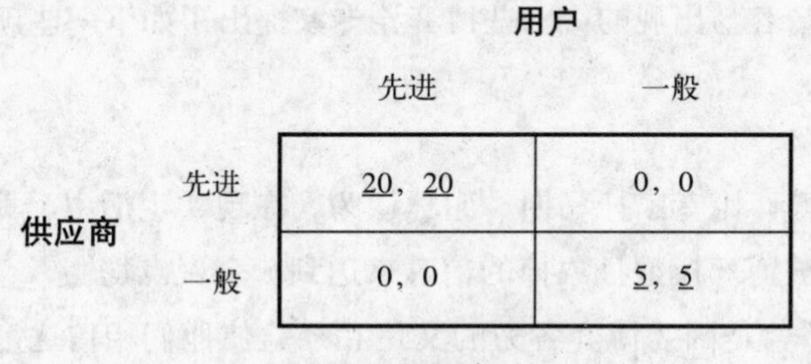

		用户	
		先进	一般
供应商	先进	20，20	0，0
	一般	0，0	5，5

图5-8　协调博弈

可以发现，如果建立先进系统，两个参与人的净收入都将更好（这不是说现实永远如此！这里仅仅是假设在这个特定的决策下是如此）。可能发生的最糟糕的情况是一个参与人确定先进系统而另一个参与人却坚持一般系统。在这样的情况下将没有交易，大家也就没有赢利。为了能在一起合作，供应商和用户必须选择一个相容的标准，即战略选择，因此他们的战略必须相互吻合。

通过画线法可以得到两个纳什均衡——（先进，先进）和（一般，一般）。但若他们可以廉价沟通的话，我们有理由相信（先进，先进）将是比（一般，一般）更容易出现的纳什均衡。因为一方请求对方选先进，对方会答应（因为对方选先进也是最好的）。

多重均衡中最可能的结果

在本章的例子中，我们发现很多博弈可能存在多重均衡的情况。多重均衡降低了博弈的解释力——因为一方面我们无法知道哪个均衡会出现，另一方面我们还发现现实中真正出现的结果还有可能根本就不是均衡结果

（比如麦琪的礼物和古巴导弹危机的真实结局就不是均衡结果）㊀。

但是，如果为博弈添加上某些背景，也许我们还是可以合理预测哪些均衡结果是最容易出现的。一些博弈论专家提出了如下一些预测的方法。

聚点

非数理博弈论专家托马斯·谢林认为，在现实生活中，博弈参与人可以使用某些被博弈模型抽象掉的信息来达到一个聚点均衡。某个点之所以成为“聚点”，是因为博弈各方的文化和经验使他们相信这个点是大家都容易想到的、习惯选择的点。譬如我们讲到的懦夫博弈中，如果司机甲是鲁莽者，司机乙更理智，这个信息双方都清楚，那么司机甲“向前”而司机乙“转向”就会是一个聚点均衡。在图5-5的组织中的政治行为博弈中，如果上司是铁腕派，而下属是温和派，那么可以推测（强硬，屈从）就是一个聚点均衡。

聚点均衡来自谢林的《冲突的策略》，这本博弈论的经典之作没有方程，也没有数学符号。在该书中谢林举了很多例子。

想一想

你和其他参与人均从下面一组数字中选择一个数字，并画上圈：7，100，13，261，99，666。如果你们选择相同则赢利越多。

你会选择哪个数呢？

谢林发现选7是最常见的策略，但在一群比较贪婪的人群中，666也有可能成为聚点。

㊀ 现实出现的情况并非均衡结果的现象主要是因为：在多重均衡情况下，参与人常常存在混合策略，而当双方都以一定概率随机地采取其纯策略均衡组合中的策略时，多种情况（包括非均衡结果）都可能出现。我们将在下一章进行更详细的讨论。

如果博弈重复多次，则过去的历史常常就规定了聚点之所在。我所在的学院每到周一下午就开会，大家在会议室的座位本来是不固定的，但是大家在每学期第一次会议时所坐的位置，基本上会在这个学期保持不变，因为每次开会时大家就会习惯性地坐在上次坐过的位置，这种座位配置也如同产生了聚点一样。新婚夫妻的家务分担博弈也是如此，在婚姻初期谁做家务做得多，那就意味着可能这一辈子他/她都会做更多的家务，这也是一个聚点。

廉价磋商

在有些博弈中，如果博弈各方能够无成本或低成本地进行磋商，也可能会使得某些纳什均衡出现。譬如，协调博弈（图5-8）中，如果供应商先做一个新闻发布会声明将选择先进系统，或者客户先与供应商联系表明其意图，那么（先进，先进）就会成为惟一的均衡。

当然，像麦琪的礼物那样的博弈，也可以通过廉价沟通来确认最可能的均衡结果。譬如丈夫对妻子讲会送她一把梳子（当然，事先告诉她会送她什么可能就不浪漫了），那么更可能的均衡结果是（卖表，不剪）。

学习与协调

即使没有磋商，纳什均衡也可以通过参与人的学习而出现。假设博弈重复很多次，即使参与人最初的行动难以协调，但在博弈若干次后，某种特定的协调模式便可以形成。特别地，假定参与人在每一轮根据其对手以前的“平均”策略来选择自己的最优策略时，博弈有可能收敛于一个纳什均衡。这涉及到进化博弈论和进化稳定均衡，大家可以参考更高级的博弈论著作。

相关均衡

相关均衡概念是由博弈论专家奥曼（Aumann）提出的，即如果博弈的参与人可以根据某个共同观测到的信号选择行动，就可能出现相关均衡。

司机和行人的博弈是一个典型的相关均衡。在一条马路上，一个行人试图到马路对面。行驶中的司机可以选择停车让行人，也可以选择不停；行人可以选择穿越马路或者继续等待。相关的赢利情况假设如图5-9所示：

		司机	
		行驶	停车
行人	穿越	−1，−1	2，0
	等待	0，2	0，0

图5-9　行人—司机博弈

可以发现，该博弈的纳什均衡有两个：（等待，行驶）和（穿越，停车）。但是，如果行人和司机没有协调而自由地选取策略，完全有可能出现非均衡结果，比如（穿越，行驶）和（停车，等待）。而红绿灯作为一个可观察的信号，使得这个博弈具有了相关均衡，正因为不知道对方的具体选择，于是大家就约定红灯停车行人，绿灯就停人行车，通过观察红绿灯信号来协调双方的行动，这就是相关均衡。

公平观念

公平观念有时也可以作为推测最可能的纳什均衡的工具。有许多实验经济学的研究发现，经济行为中的确存在公平法则——比如“最后通牒”实验结果。

故事模型

最后通牒实验通常是这样设计的：两个参与人分一笔钱，比如说1元钱，甲提分配方案，乙选择接受或拒绝。若乙接受，则实施甲的分配方案；若乙拒绝，则这笔钱被实验者收回，甲乙什么都得不到。从博弈论的标准解来看，均衡结果应当是甲提出分给乙1分钱或甚至更少（如果货币还可以继续细分的话），其余归自己所有⊖。但实验结果与此并不相符。这个实验最早在德国进行，后来又在美国、欧洲、以色列、日本、东南亚、俄罗斯、南美等国家和地区进行，实验结果都支持了公平原则，结果大致是：提出较公平分配方案（给对方40%~50%）的人，占受试者40%~60%，其中以对半分居多；20%~30%的人提出非常不公平的分配方案（分给对方低于30%），但是这些不公平的提议，总是以很高的概率被对方拒绝。人们也曾认为，这可能是由于所分配的钱金额太低所致。但后来，弗农·史密斯（2002年诺贝尔经济学奖得主）以每次100美元作为刺激对50个受试者进行实验，以及Lisa A. Cameron在印尼以每次5 000、40 000以及200 000卢比（200 000卢比相当于受试者3个月的工资）作为刺激进行实验，得到的结果仍然支持了公平法则。

当两个人分配100元钱的时候，最可能的分配结果是什么？50元！这是我问过很多学生的答案。这个答案背后有什么道理？也许就是公平法则在起作用，因为每个人本身不具备对这100元的产权，他们会觉得

⊖ 如何从理论逻辑上推导这一均衡结果，读者需要在阅读本书第7章完全信息动态博弈逆向归纳解之后才能知道其方法。

自己没有理由比别人多分一点，也没有理由比别人少分一点。行为经济学研究的发现似乎也在说明这一点。比如，近年来声名鹊起的马修·拉宾（Matthew Rabin）[㊀]就通过一系列实验指出，人们的行为通常是偏离狭义的自利的，他们会选择那些不会最大化自身收入的行为，当这些行为影响他人收入时，人们会在交易中牺牲金钱以惩罚那些对他们不利的人，或是与那些没有要求分配的人分享金钱，再或是自愿为公共物品做贡献。从已经建立的"社会偏好模型"来看，其大致包括了两个范畴：分配的偏好和互惠性偏好。分配的偏好模型假设人们只关心收入的分配，他们试图减少自己与他人收入的差异，当他们盈利时会做出牺牲以帮助他人，而当他们亏损时则会不帮助任何人，甚至伤害到一些人，也就是所谓的帕累托损害的牺牲，这种偏好被称为"厌恶差异"；而在互惠性偏好模型中，一方是基于他对另一个人是否公正对待他的信念来增加或降低另一方的收入的。但无论哪种偏好，似乎都可以看到公平信念的力量。

没有纯策略均衡的情况

我们用一系列例子说明了不同博弈结构下的纳什均衡。在本章所提到的纳什均衡，都是纯策略纳什均衡。所谓纯策略就是说参与人对任何一个特定行动的选择概率为1或0。但是，有些情况下，博弈将不存在纯策略纳什均衡的情况，比如图5-10所示的赌硬币博弈。

㊀ 马修·拉宾(Matthew Rabin，1964~) 是一位行为经济学家，以研究延迟行为和公平理论而知名。他利用复杂的数学公式来研究人类行为，并在2001年获得克拉克（John Bates Clark）奖章——该奖项是授予40岁以下的经济学家的，是青年经济学家的最高荣誉；2000年他还被麦克阿瑟基金会（MacArthur Foundation）授予"天才"奖，这个奖项每年向杰出的科学家、作家和艺术家颁发。

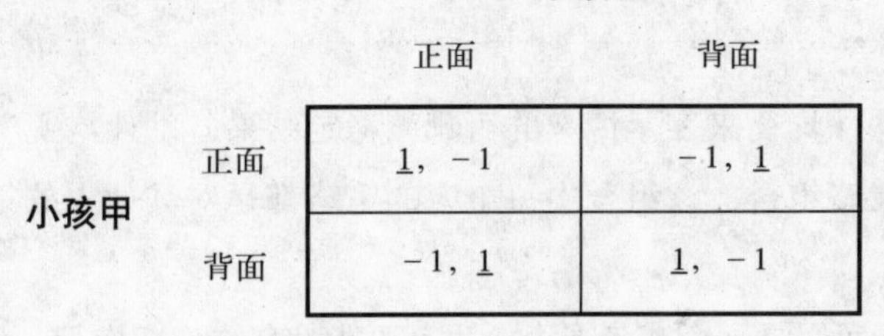

小孩乙

小孩甲	正面	背面
正面	1，-1	-1，1
背面	-1，1	1，-1

图5-10　赌硬币博弈

赌硬币博弈说的是，两个小孩各自拿出一枚硬币进行赌博。每个人都把硬币正面向上或背面向上并放在桌面用手捂着，然后同时移开手，如果两枚硬币同面（都为正面或都为背面）则小孩甲胜；如果两枚硬币异面（一正面一背面），则小孩乙胜。

画线法表明，这个博弈没有纯策略均衡。因为若给定小孩乙选择正面，则小孩甲最好选择正面；而给定小孩甲选择正面，小孩乙最好选择背面，这说明（正面，正面）不是一个纳什均衡。同样的道理，可以推出其他三种策略组合也不是纳什均衡，因为没有哪一种组合是双方在给定对手策略下没有动机改变自己策略的情况。或者，更简单地，我们不能发现在哪一组策略组合下双方的赢利数字下都划有横线，没有！因此，不存在纯策略纳什均衡。

但是，没有纯策略均衡是不是就没有纳什均衡呢？不是的，**纳什均衡存在性定理**证明了任何一个有限博弈都至少存在一个纳什均衡。所谓有限，是指参与人数量和策略空间是有限的。那么，像图5-10中没有纯策略纳什均衡的情况，根据纳什均衡存在性定理，一定还存在着我们没找到的纳什均衡——这就是我们将在下一章讨论的混合策略纳什均衡。

友情提示

- 人们用纳什均衡来表示博弈的可预测稳定结果。纳什均衡实际上是这样一种策略组合，该组合中每个人的策略都是对其他人的策略的最优反应。
- 纳什均衡可以是一个或者多个，也有可能没有纯策略均衡。
- 性别战博弈是双方存在局部利益冲突的博弈。
- 懦夫博弈是一种骑虎难下的博弈，在这样的博弈中建立起粗暴的形象有时是有好处的。
- 协调博弈是存在共同偏好的结果的博弈。不过，博弈的结果并不一定是最符合双方偏好的，这要看双方能否成功地协调彼此的行为。
- 对于多重纳什均衡的情况，可以通过聚点、学习与协调、相关信号、公平观念等来推测最可能的结果。
- 有限博弈一定存在着纳什均衡（包括混合策略均衡）。

6

让策略混合起来

如果你与某人合作，通常还是让行动有规律可循会比较好一些。但在有竞争的情况下，最佳策略常常都涉及到随机的不可预测的行为。

——大卫·吕埃勒（David Ruelle，物理学家）

攻而必取者，攻其所不守也；守而必固者，守其所必攻也。故善攻者，敌不知其所守；善守者，敌不知其所攻。微乎微乎，至于无形；神乎神乎，至于无声，故能为敌之司命。

——孙子（中国古代军事家）

故事模型

假设你在地面逃亡，而你的敌人正在空中对你实施打击。你可以选择躲到坚固的掩体下面，也可以选择躲到一间民房里。你首先可能想到躲到坚固掩体下面是更好的，因为更坚固的地方会更安全。但是，你可能马上也意识到，你的敌人很可能也会猜测到你将躲到最坚固的地方，所以他们也就会集中火力轰炸那些坚固的掩体——最安全的地方反而变成了最危险的地方；于是你决定还是到民房，但是你的敌人也会想到这一点而进攻民房……最后，你想不出究竟该躲在哪里，你的敌人也不知道你究竟会躲在哪里，于是大家都在碰运气。

这样的局势并非假想，现实中的确存在诸多类似的情形，我们称之为混合对策情形。

策略混合动机

懦夫博弈中的策略混合

回想一下第5章图5-6的懦夫博弈。当时我们得到了两个纯策略纳什均衡:（向前，转向）和（转向，向前）。为了更方便，我们将这个博弈的赢利在这里再画一遍（见图6-1）。

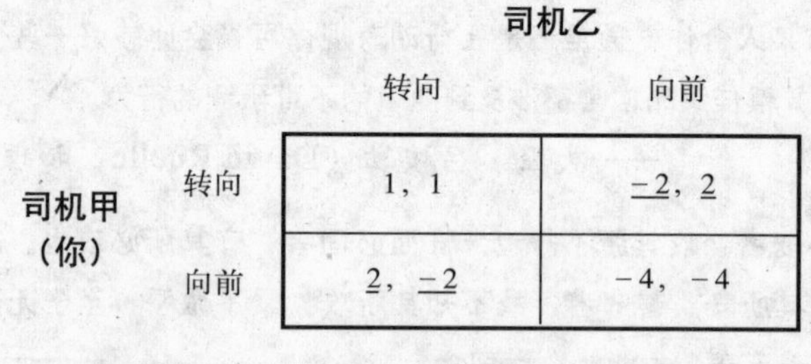

		司机乙	
		转向	向前
司机甲（你）	转向	1，1	−2，2
	向前	2，−2	−4，−4

图6-1　懦夫博弈

但问题可以想得更复杂些。假如你是司机甲，你究竟会转向还是继续向前？这很可能取决于你对司机乙的判断：司机乙选择转向还是选择向前决定着你的选择。但是你无法肯定司机乙是否会转向，因为他的行为取决于他对你的揣摩。所以，最终你也许只能猜测司机乙有多少可能转向、有多少可能向前。

假如，你认为司机乙转向的可能性为50%，向前的可能性也为50%，那么你应该选择转向还是向前？这取决于你采取不同策略的预期赢利，它们可以计算如下:

• 你选择转向的预期赢利：$1\times50\%+(-2)\times50\%=-0.5$；

• 你选择向前的预期赢利：$2\times50\%+(-4)\times50\%=-1$。

你将发现，当司机乙转向、向前的可能性各为50%的时候，你选择转向是最合适的，因为转向的预期赢利（-0.5）比向前的预期赢利（-1）要大一些。

但是，司机乙当然知道你在猜测他选择两种策略的概率，他会不会真如你所想的那样以各自50%的概率来选择转向或向前呢？如果他确实以各50%的概率在两个策略间选择，那么他知道你就一定会选择转向（这是对你最适合的策略）；但是既然你选择转向，那么他又何必以各自50%的概率来选择其两个策略呢，他完全可以选择向前。

假如，你认为司机乙转向的可能性为80%，向前的可能性仅为20%，那么你又应该选择什么策略？这仍然取决于你采取不同策略的预期赢利，如下：

• 你选择转向的预期赢利：$1\times80\%+(-2)\times20\%=0.4$；

• 你选择向前的预期赢利：$2\times80\%+(-4)\times20\%=0.8$。

显然，此情之下你选择向前（得到0.8）比选择转向（得到0.4）更合适。但是，给定你选择向前，司机乙必定选择转向，即他选择转向的概率将为1，而不是你事先认为的0.8。也就是说，从你的先验估计出发的结果会推翻你的先验估计。

同样地，司机乙对你也在进行一系列的估计。问题是，在什么状态，可以刚好使你们的估计能够和从该估计出发的行为选择趋于一致呢？如果能够趋于一致，那就是达到了纳什均衡状态。

假如存在一个概率q，司机乙以概率q选择转向，那么他选择向前的概率将是$1-q$。而你选择不同策略的预期赢利就会是：

- 你选择转向的预期赢利：$1\times q+(-2)\times(1-q)=3q-2$；
- 你选择向前的预期赢利：$2\times q+(-4)\times(1-q)=6q-4$。

如果司机乙真的以概率q选择转向，那么意味着他不会始终重复地选择某个策略（纯策略），而他不重复地选择某个策略的条件必须是你也不会重复地选择某个策略。因此，他以概率q选择转向必然意味着在这样的情况下你不可能有合适的纯策略；换句话说，他也必须使你在你的两个策略之间进行随机选择。

那么，在什么情况下你会在两个策略之间进行随机选择呢？那就只有一种情况：当你选择任何一个策略的预期赢利都完全相同的时候——因为这样你就无法选出哪个策略更优，就只有随机选择。也就是说，司机乙选择q，使得：

$$3q-2=6q-4\quad 即 q^*=2/3\qquad 1-q^*=1/3$$

这样，司机乙以2/3的概率选择转向，以1/3的概率选择向前，就可以使你在两个策略之间无差异而无法采取纯策略（读者可计算，你选择转向的预期赢利是0，选择向前的预期赢利也是0）。由此，我们可以记下司机乙采取的混合策略：(2/3, 1/3) ⊖。

反过来，司机乙对你的选择也有着概率判断，而为了保持这种判断信念的后果与信念本身一致，你也以一定概率（比如p）随机选择你的策略，且p需要满足使司机乙在他的两个策略之间没有差异。此时他两种策略的预期赢利为：

- 司机乙选择转向的预期赢利：$1\times p+(-2)\times(1-p)=3p-2$；
- 司机乙选择向前的预期赢利：$2\times p+(-4)\times(1-p)=6p-4$。

⊖ （2/3, 1/3）是混合策略的表示方法，括号中第一个数字表示选择第一个策略的概率，第二个数字表示选择第二个策略的概率，依此类推。在这里，（2/3, 1/3）具体表示司机乙以2/3的概率选择转向（策略一），以1/3的概率选择向前（策略二）。

而你需要选择p的值，使$3p-2=6p-4$，可得到$p^*=2/3, 1-p^*=1/3$。读者可计算，此时司机乙无论选转向还是选向前，其预期赢利皆为0。由此，我们可以记下你采取的混合策略（2/3, 1/3）。

由于你以2/3的概率选择转向，以1/3的概率选择向前，而司机乙以2/3的概率选择转向，以1/3的概率选择向前，刚好可以互为对彼此的最优反应，因此它是一个纳什均衡状态，被称为**混合策略纳什均衡**，可以记为{(2/3, 1/3), (2/3, 1/3)}⊖。

会发生车毁人伤的情况吗

既然你和司机乙都采用了（2/3, 1/3）的混合策略，那就意味着各种结果都是可能出现的。我们可以计算各种情况出现的概率，见图6-2。

		司机乙	
		转向（2/3）	向前（1/3）
司机甲（你）	转向(2/3)	$\frac{2}{3}\times\frac{2}{3}=\frac{4}{9}$	$\frac{2}{3}\times\frac{1}{3}=\frac{2}{9}$
	向前(1/3)	$\frac{1}{3}\times\frac{2}{3}=\frac{2}{9}$	$\frac{1}{3}\times\frac{1}{3}=\frac{1}{9}$

图6-2 懦夫博弈各情况出现的概率

注意，图6-2不是博弈的赢利表，而是各种情况出现的概率表。策略组合（转向，转向）成为现实结果的概率是2/3 × 2/3 = 4/9（因为你和司机乙各有2/3的概率选择转向）。其他各单元格的数字根据同样的道理计算。

可以发现，在懦夫博弈中，真正出现车毁人伤的概率其实还是很小的，

⊖ {(2/3,1/3), (2/3,1/3)}是混合策略组合的表示方法，第一个小括号内表示第一个参与人的混合策略，第二个小括号内表示第二个人的混合策略。在这个博弈中，可以证明这是惟一的混合策略纳什均衡。

为1/9，约11%。

大家还可以回顾古巴导弹危机那个博弈（第5章图5-7），因为那个博弈跟懦夫博弈的结构和赢利表是完全一样的，因此在那个博弈中，美国和苏联各自都将有混合策略（2/3, 1/3）：美国以2/3的概率选择封锁，以1/3的概率选择空袭；苏联以2/3的概率选择拆除导弹，以1/3的概率选择保留导弹。由此，“妥协”局面（即美国封锁、苏联拆除）发生概率为4/9，约44%；而爆发“核战争”的局面（美国空袭、苏联保留）发生的概率为1/9，约11%。我们会发现，尽管“妥协”局面不是纳什均衡，但在混合策略下却是最可能发生的现实——真实的历史也许就是这种随机对策的结果，如果真是这样，那么历史真的是有其命运，又很偶然。

在“麦琪的礼物”那个博弈中（第5章图5-2），纯策略纳什均衡是“丈夫不卖表而妻子剪发”和“丈夫卖表而妻子不剪发”，但小说的结局却是丈夫卖了表，妻子剪了发。从混合策略角度来说，我们可以发现丈夫有混合策略：以2/3的概率卖表，以1/3的概率不卖表。妻子也有混合策略：以2/3的概率剪发，以1/3的概率不剪发（至于怎么求解出该混合策略我们将在下节中介绍）。在这样的混合策略下，小说的结局实际上是最可能出现的结果，概率为4/9，其他各情况出现的概率分别为2/9，2/9，1/9。

如何寻找混合策略均衡

“麦琪的礼物”中的混合策略

下面我们介绍一种简便的求解混合策略的方法，它不一定严谨，但是管用。

以“麦琪的礼物”为例来说明。我们假设丈夫卖表的概率为p，那么不卖表的概率为$1-p$，为了更方便，也可将这概率标记在赢利表旁边（如图6-3）；假设妻子剪发的概率为q，那么不剪发的概率为$1-q$，为方便把它们记在赢利表下边。

		妻子		
		剪发	不剪	
丈夫	卖表	0，0	2，1	p
	不卖	1，2	0，0	$1-p$
		q	$1-q$	

图6-3　麦琪的礼物

各参与人在各策略下的预期赢利为：

丈夫　卖表的预期赢利：$0\times q+2\times(1-q)=2-2q$　　(1)

不卖的预期赢利：$1\times q+0\times(1-q)=q$　　(2)

妻子　剪发的预期赢利：$0\times p+2\times(1-p)=2-2p$　　(3)

不剪的预期赢利：$1\times p+0\times(1-p)=p$　　(4)

读者有必要注意，丈夫的某个策略的赢利是该策略对应的行中丈夫的赢利与妻子的概率积之和；而妻子的某个策略的赢利是该策略对应的列中妻子的赢利与丈夫的概率积之和。

纳什均衡应满足，妻子选择q使丈夫在各策略之间的预期赢利没有差异，即使式子（1）等于式子（2）：$2-2q=q$，可解出$q^*=2/3$；丈夫选择p使妻子在各策略之间的预期赢利没有差异，即使式子（3）等于式子（4）：$2-2p=p$，可解出$p^*=2/3$。

由此，纳什均衡状态下丈夫的混合策略是（2/3, 1/3），妻子的混合策略也是（2/3, 1/3），混合纳什均衡为$\{(2/3, 1/3), (2/3, 1/3)\}$。

求混合策略应先剔除劣势策略

比如，如下的一个博弈中（图6-4），由画线法可得到（中，左）和（上，右）两个纯策略纳什均衡。那么它有没有混合策略纳什均衡呢？**奇数定理**有助于我们判断，该定理说：几乎所有的有限博弈都有有限奇数个纳什均衡（包括混合策略均衡）。因此，当我们找到偶数个（比如这里的两个）均衡时，则至少还应存在一个混合策略均衡。

李四

		左	中	右
	上	2，0	$\underline{2}$，1	$\underline{4}$，$\underline{2}$
张三	中	$\underline{3}$，$\underline{4}$	1，2	2，3
	下	1，$\underline{3}$	0，2	3，0

图6-4　混合策略求解须剔除劣势策略(提出后)

有一些读者一看到这个博弈，首先就想到直接为参与人的每个策略赋予一个概率。习惯的做法是（注意，以下的做法是错误的！）：

假设张三选择上的概率为p，选择中的概率为q，选择下的概率为$1-p-q$。张三选择p，q使李四的各策略下的预期赢利是无差异的，即：

李四选左的预期赢利：

$$0\times p+4\times q+3\times(1-p-q)=3-3p+q$$

李四选中的预期赢利：

$$1\times p+2\times q+2\times(1-p-q)=2-p$$

李四选右的预期赢利：

$$2\times p+3\times q+0\times(1-p-q)=2p+3q$$

各策略预期赢利无差异意味着有：$3-3p+q=2-p=2p+3q$，可解出：$p^*=5/9$，$q^*=1/9$。从而可以得到张三分别以概率5/9、1/9和1/3($=1-5/9-1/9$)选择上、中、下，就可以使得李四选择任何策略的预期收益都是13/9。这看来一切正常，但实际上却是错误的结果。问题是，为什么会有错误呢？

原因是：我们未能在求解混合策略均衡前剔除劣势策略。

观察图6-4的博弈，可发现对于张三来说，“下”是“上”的严格劣势策略，即张三是永远不会选择“下”的——这相当于采取“下”的概率为0，所以再求混合策略的时候我们必须先对“下”这样的劣势策略赋予0概率，或者剔除掉该策略。

读者可能还有一个问题：我们赋予策略“下”一个概率$1-p-q$，为什么计算出这个劣势策略得到的概率不会为0呢？原因是，给定张三选下，李四选择左、中、右的赢利是不一样的，而实际上既然张三不会选下，李四的预期赢利里实际上就不应包括（下，*）⊖的情况，所以，写出李四的预期赢利根本就是错的，自然得到的关于策略“下”的选取概率更是错的。

好了，现在我们来介绍正确的做法：首先应当剔除张三的“下”；而这一轮剔除之后读者们会发现，对李四而言，“中”相对于“右”的劣势策略，应该剔除“中”。经过两轮剔除，最后剩下的博弈转化成如下结构（图6-5）：

李四

张三		左	右
	上	2，0	4，2
	中	3，4	2，3

图6-5　混合策略求解须剔除劣策略（剔除后）

⊖　括号中*代表左、中或右。

对于图6-5的博弈，混合策略的求解是容易的：假设张三选上的概率为p，选中的概率为$1-p$；李四选左的概率为q，选右的概率为$1-q$。

然后写出张三两种策略的预期赢利：

- *若他选上*：$2q+4(1-q)=4-2q$
- *若他选中*：$3q+2(1-q)=2+q$

令两式相等，得到$4-2q=2+q \rightarrow q^*=2/3$，$1-q^*=1/3$

再写出李四两种策略的预期赢利：

- *若他选左*：$0p+4(1-p)=4-4p$
- *若他选右*：$2p+3(1-p)=3-p$

令两式相等，得到$4-4p=3-p \rightarrow p^*=1/3$，$1-p^*=2/3$

整理一下结果，对于图6-4的博弈，正确的混合策略均衡应该是：张三以1/3的概率选择上，以2/3的概率选择中，以0概率选择下；李四以2/3的概率选择左，以0概率选择中，以1/3的概率选择右。这一混合策略均衡可写为：{(1/3，2/3，0)，(2/3，0，1/3)}。

无纯策略均衡博弈的混合策略

存在多重均衡的博弈往往也存在混合策略，那么无纯策略均衡的博弈有没有混合策略呢？根据前面提到的奇数定理，可以推断一个博弈若没有纯策略博弈，那么至少会存在一个混合策略。

图6-6是赌硬币博弈，在第5章中我们已经知道它没有纯策略纳什均衡，现在我们来求它的混合策略。

		小孩乙	
		正面	背面
小孩甲	正面	$\underline{1}$, −1	−1, $\underline{1}$
	背面	−1, $\underline{1}$	$\underline{1}$, −1

图6-6 赌硬币博弈

假设小孩甲选正面的概率为p，选背面的概率则为$1-p$；小孩乙选择正面的概率为q，选背面的概率$1-q$，则

- 小孩甲选正面的预期赢利：$1q-(1-q)=2q-1$
- 小孩甲选背面的预期赢利：$-1q+(1-q)=1-2q$

令$2q-1=1-2q$，有$q^*=0.5$，$1-q^*=0.5$

- 小孩甲选正面的预期赢利：$1p-(1-p)=2p-1$
- 小孩甲选背面的预期赢利：$-1p+(1-p)=1-2p$

令$2p-1=1-2p$，有$p^*=0.5$，$1-p^*=0.5$

由此我们得到两个小孩各自都有混合策略（0.5, 0.5）。每个小孩都以50%的概率随机出正面，以50%的概率随机出背面。混合纳什均衡为：{(0.5，0.5)，(0.5，0.5)}。

这说明，有些博弈虽然没有纯策略纳什均衡，但是却存在混合纳什均衡。在现实中，有很多对抗游戏都类似于这种博弈，比如猜拳行令，或者我们儿时玩的“剪刀·石头·布”游戏。

随机的好处

利用随机性进行博弈

世界是不确定的，不过人们总是不大喜欢随机事件，因为其难以预测，无法掌控。通常我们认为随机的序列杂乱无章，是没有用处的。比如，给你一串随机生成的数字，21343989903765404211265……这样一个随机序列会有用处吗？你大概会说没有。但是如果结合到博弈的混合策略，我们会发现它确有用处。

南方有些地方，喝酒时常有行拳的习惯。行拳的人每人可伸出1~5个指头，叫出0~10中的一个数字，如果一方叫出的数字正好是两人伸出的指头数量之和，而另一方未能同样准确叫出，那么一方就胜利，另一方就失败，失败者会被罚酒。

在这样一个博弈中，你应该怎样出拳和叫拳呢？如果你老是叫同样的数字出同样的拳，或者只简单地变化，那么你那聪明的对手就会发现你的规律，然后战胜你（虽然他不是每每可以胜你，但却可以输少赢多）。为了不让对手发现你的规律，一个聪明的办法是事先准备一个随机序列，然后按照这个随机序列来选择你的策略——当然，这个随机序列不能被你的对手知晓——由于这样做是没有规律可循的，对手就难以通过抓规律来战胜你。

故事模型

又如伊拉克战争中美军试图炸死萨达姆的例子。面临美军的轰炸，萨达姆可能会想到躲到最安全的掩体中去；但是，他马上也会意识到其实美军也会把最安全的掩体当做重点目标，于是他应当躲在并不那么安全的地方——俗话说“最危险的地方也是最安全的地方”——但是，他又凭什么认为美军不会推测到他的这种想法呢？最后，实际上他会发现这样想下去只是无穷的循环，只要他无法猜透美军的策略，他自己的策略也就很难确定。最好的解决办法也许就是抛硬币或者利用随机数据表来确定该躲在哪里。这看起来不可思议，然而却确实是一个理性人应该做的。

曾经有人说：有时候，解决问题的最好办法就是不去想怎么解决问题。这句话用在博弈的混合策略上是最恰当不过的。当你跟朋友玩“剪刀·石头·布”的游戏时，无论你怎么想，都不会得到一个最优的纯策略。这种游戏的最好玩法也许就是根本不要去想下一次该出什么，脑袋里突然出现某个策略，那选取它就行了。没有理由，也不需要理由。

股市的寓言

下面这个关于股市的寓言故事，在我看来某种程度上也反映了随机的好处。我们会发现，人们分散决策而导致的随机性质的策略组合是股市良好运行的前提，一旦人们持有相同预期而将行为收敛到某一特定的策略（组合）上，对股市反而是灾难性的。

本故事改编自一篇严肃的学术论文。所以，读起来要动点脑筋[⊖]。

故事模型

话说茫茫大海，有一鸟岛。岛上住着麻雀和猫头鹰。麻雀数目众多，几近于无限，而猫头鹰则比较少，大概几千只的样子。鸟岛的经济水平虽不算高，却也老早老早就有了一种叫做“鸟元”的货币在流通，现在又大力引进电脑，正准备与国际接轨，一步到位，进入最先进的互联网时代。

⊖ 这个改编的功劳应归于云儿，以下内容来自云儿《股市的寓言》(1999年3月16日)一文。

不知从何时起，麻雀之间开始流行一种翻牌游戏。每次游戏前，玩家把一鸟元扔进一个称为“股市”的盒子中，换取两张牌，一张上面写着“买”，另一张写着“卖”。游戏开始，每位麻雀任取一张牌覆在桌面，然后同时翻开，计算买牌和卖牌的比例，据此从股市中分钱。举个例子，假如翻出80张买牌，20张卖牌，那么每个出卖牌的麻雀可以拿到80/20 = 4鸟元，而每个买家只能拿20/80 = 0.25鸟元。买牌和卖牌的比例，鸟儿们叫“股价”。

这里有个小问题：如果大家都出买牌或都出卖牌，怎么办？麻雀们规定，这时所有钱都给一个叫“做市商”的麻雀。谁当做市商，每次游戏前由抽签决定。

这个游戏，最早是几个特有开拓精神的麻雀，到极西海边的米猴岛做生意时，当做搞活经济的诀窍学来的。刚开始只在小圈子里玩，输赢也不大，有人赔钱，自然也有人赚钱。但好消息总是比坏消息传得快也传得广。闲谈议论中，“有人玩股市赚了好多钱哟！”等传言，刺激着越来越多麻雀们的神经，不断有新的鸟儿投入这游戏，输赢的数目也随之扩大。有几只鸟在股市中大赚其鸟元，成了百万富翁。还有消息称，西边米猴岛就是靠玩股成了世界首富。这些刺激着鸟儿们的玩股激情，并使其进一步高涨，越来越多的麻雀卷了进去。

随着电脑和互联网的引入，参加股市的鸟儿们达到了空前规模。投入股市的鸟元达到了天文数字，几近于无穷大。每只鸟儿，自然都期待着同样巨额的、天文数字级的输赢。可是，奇怪的事情发生了：开牌出来，买牌和卖牌的比例差不多相等，股价差不多刚好等于1。刚开始还以为是巧合，然而不仅头一次是这样，第二次是这样，第三次还是这样……以后次次开牌，股价总是接近于1，没什么大起伏。雀儿们不了解这其实只是大数定理的必然结果，于是就去找猫头鹰求助，看有没有什么赢钱的妙方。

猫头鹰看起来都是很有学问的样子。它们的书房里堆满了大部头书籍，有经济计量学、时间序列模型、技术分析理论等。其中不少书，听说还是一些猫头鹰特意从极西米猴岛专门引进的，就连在米猴岛也只有学问高深的大口唾们才看得懂的著作，十分的了不起。对这些，麻雀个个望而生畏，佩服莫名。

自然，猫头鹰们也很高兴麻雀们来求助，使它们的高深学问有机会派上用场。收点顾问费或咨询费当然在所难免了，不过麻雀们花这点小钱，倒是心甘情愿的——猫头鹰们许诺，可以指导它们在股市上赢得数十倍甚至数百倍的回报。猫头鹰讲了许多米猴岛大口唾们如何在股市上神机妙算、大展身手的事迹，都是麻雀们前所未闻的奇闻，听得它们血脉贲张，目瞪口呆。许多猫头鹰还指出，它们与米猴岛的某个或某些大口唾很有私交，曾经共喝过同一个自来水管子里的水。

一时间，鸟岛上每一个猫头鹰都成了大口唾，背后都跟着一大拨儿雀儿，每个雀儿都坚信自己选定的顾问不仅是国内顶尖，而且是国际一流。

开牌的日子快到了。曾经信誓旦旦的猫头鹰大口唾顾问们，发现自己仍然不知道怎么去猜股市翻牌的结果。不过牛皮已经吹了，顾问已经当了，咨询费已经收了，总没有临场退缩的道理，何况也不能显得自己太没学问。于是，在开牌的头天晚上，它们悄悄儿躲进书房里扔硬币。如果正面朝上，就告诉信徒们出买牌，否则就出卖牌。麻雀们对各自猫头鹰顾问信之不疑，当然照做不误。

开牌之后，有人欢喜有人愁。赢了的麻雀自然欢欣鼓舞，觉得咨询费没有白交。输了的呢，发现猫头鹰也不是个个都有真才实学，只好埋怨自己跟错了鸟，赶紧换一个猫头鹰做顾问。如此几轮下来，每次都淘汰一批猫头鹰顾问。雀儿们从经验中发现，有些猫头鹰的预测次次都对，确有过鸟的才华；有些则很普通，没什么了不起，甚至还不如麻雀自己猜对的次数多。

有一个叫“学问”的麻雀，它的顾问是一个名叫“瞎撞”的猫头鹰，已经连续10次做出了准确预测。学问先生在麻雀中也算一只有知识的鸟，年轻时曾修过一点概率统计。它知道，在一个充斥着偶然性的世界里，什么都有可能，判定真伪必须联系概率进行，这就要用到假设检验的办法。于是，它决定利用严格的科学的假设检验法，来看看瞎撞先生是否真有鸟所不及的预测才能。

它郑重地温习了一遍概率统计课程，先做出它的零假设：瞎撞先生确实在瞎猜。然后看这个假设能否被推翻。学问先生计算道，根据零假设，瞎撞先生在买和卖两种可能性之间任择其一，猜中一次的概率是1/2，连续10次猜中的概率则是1/2的10次方，即1/1 024。它满意地发现，这只是个几率低于1‰的极小概率事件，几近于不可能。于是根据概率统计书上的教导，零假设便在1‰的显著性水平上被推翻。换言之，我们可以在99.9%以上的信心水准上，接受反面的假设：连续10次做出准确预测，不可能是瞎猜的结果！

学问先生的科学检验传开后，麻雀们都相信，现在这些顾问们的预测才能，是已经被实践和科学检验过的、颠扑不破的真理。

但是下一次开牌，还是有猫头鹰大口唾猜错。猜错了自然就被淘汰。麻雀们对此已经司空见惯，不再引以为奇，也不觉得有什么不对。

现在引起它们注意的，不再是有猫头鹰预测不准，而是越来越激动人心的股市——随着猫头鹰顾问数目的减少，股价波动愈来愈烈，每次的输赢也越来越大。每次开牌，总要诞生一批欣喜若狂的千万富翁甚至亿万富翁，在众鸟的簇拥下狂呼乱叫。股市活了!

麻雀们不明白股价波动其实是大数定理失效的结果——它们不在乎。它们注视着股市中蕴藏着的无限机会，深埋着的巨大宝藏。为了抓住机会，发掘宝藏，它们疯狂地不断追逐那些做出成功预测的大口唾们。而成功的猫头鹰们，俨然一副成竹在胸，掌握了开启宝藏金钥匙的样子，大腹便便，气宇轩昂，到处开班讲学，从电脑中调出各种曲线和图表，进行讲解。它们撰写的从《股市必胜术》一类小册子到《股市预测学教程》一类大部头，无不热销。它们编制的那些花样翻新、日趋复杂的股市数学模型，同样受到热烈的崇拜(一些失败的前猫头鹰顾问管这些模型叫作“随机数发生器”，不过麻雀们不懂，也不关心，只当它们醋劲发作，发些酸葡萄式的议论而已)。

却说不久之后，大浪淘沙，成功的顾问只剩下一个，这鸟碰巧是我们熟悉的瞎撞先生。想想看，这是何等伟大的时刻，全体鸟儿们都紧密团结在瞎撞先生周围，以瞎撞先生的思想为惟一指导。“卖！”瞎撞先生一声令下，全体雀儿们照行如仪。结果可想而知：除一鸟以外，所有雀儿都血本无归。

据传，瞎撞先生写了一本总结经验教训的书，题目是“关于X年股市大崩盘的若干历史问题”。根据它的理论，鸟儿总是免不了犯错误的，只要过去一段时间犯的错误比较少，特别是能够表现出承认错误、改正错误的勇气，就是伟大、光荣、正确的顾问。这个理论得到了许多猫头鹰大口唾的大力支持，很快被广泛接受。雀儿们也终于在大口唾们的教导下，懂得了不能强求顾问们永不犯错的道理。一大批久经考验的大口唾们遂出山重操旧业。

从此以后，随着正确率的上升和下降，顾问们走马灯似的换了一拨儿又一拨儿。股市也因之风云变幻，高潮迭起。这正是："鸟岛代有大口出，各领风骚三五年。"

这就是股市的寓言。分散决策的随机性，在股市的正常运行中扮演着特殊重要的角色。人天生厌恶风险，但恰恰是随机风险维持着一些市场的发展。没有风险的市场，也就不可能有利润。

著名经济学家之间的分歧是好事吗

有人批评经济学家们观点太多，他们说："10个经济学家有11种经济观点。"尤其是在对于经济形势的判断上，经济学家之间往往分歧严重。

问题是，经济学家关于经济形势的判断分析是好事还是坏事呢？姑且暂不回答这个问题，让我们来看另一个事实：我们常常发现，所有经济学家都一致做出乐观预期的时候，那么这段乐观的经济常常就持续不了多久，因为全社会太乐观的预期超过了经济的正常发展状态，经济泡沫不断膨胀，直到有一天神话破灭一下子跌入深渊；当所有经济学家都做出悲观预期的时候，经济常常也就急剧萧条，因为悲观的预期加剧了投资的萎缩；而恰好是当经济学家众说不一的时候，经济反而能比较稳定地发展。

这是为什么呢？其实，我们可以将经济看做是一个巨大的股市，经济学家就是那些股评家。就像前面才讲过的股市寓言一样，当经济学家各说不一的时候，投资决策是比较分散的，有人判断经济形势乐观，有人判断经济形势悲观，他们各自按照乐观和悲观的预期调整自己的投资决策，结果是不至于使投资过于集中且迅速地膨胀，也不至于使投资迅速地萎缩，经济反而能比较健康地发展。当经济学家都众口一词，就像股市预言家瞎撞先生一声令下“卖”，结果整个社会投资血本无归。

所以，在我看来，如果经济学家有分歧，那不是坏事，是好事。社会系统与自然系统有一个很大的不同就在于，人类的精神和信念是社会结果的重要影响因素——对此更详细的论述可参考第11章中“信念的力量和自我证实的均衡”。很多时候，如果全社会的人都采用一种信念模式，其实那可能是社会运行中最大的潜在危险。譬如说，我们在下面的文字将看到，思想多元化的国家可能比思想单一的国家更稳定。

思想多元化与社会稳定

一个思想多元化的社会更稳定，还是一个单一思想的社会更稳定？这个问题对于政治家来说很重要，因为他们做梦都想“长治久安”。遗憾的是，许多政治家选择了后者。他们认为，一个社会思想统一，是社会稳定的基石。所以，在不少的社会中，思想钳制是异常严厉的。

从过去到现在的历史似乎都表明，越是钳制思想，其实是越危险的。一方面，是因为新的思想总是要冒出来，越钳制反而越容易让不满于社会现状的人们去追逐这些新的思想——而任何一个社会，不满于现状的人民终究是大多数，因为满于现状的，只有那些高居权利顶端的少数人。结果，社会思想的基石从最底层开始被破坏，最终导致政权大厦的倒台。中国古代的智者显然已经认识到这一个道理，所以他们才说：防民之口，甚于防川。另一方面，即便一个社会成功地钳制了“异端”思想，单一的思想体系的必然后果只能是创造力的缺乏，最终带来国家生产力的疲惫、制度的疲劳，逐渐丧失生命力而在历史中引退、消失。所以，钳制思想、排斥思

想多元化的社会，常常面临两种结局：要么被革命推翻，要么被历史淘汰。

相比之下，多元化思想的社会就稳定得多。因为大家信奉不同的思想，因此要真正形成一个具有威胁性甚至取代统治者意识形态的思想，其实是相当不容易的。既然多元化的思想使社会底层的人们如一盘散沙，他们又何以能撼动政权的基石呢？另一方面，多元化思想所表现出的不竭创造力，往往是一个社会不断向前发展的不竭的思想动力源泉。

其实，这也是一种随机性之和谐的一种体现。多元化思想的社会中，每个成员就像一颗随机运动的粒子，一个小小的震动对社会无关紧要；单一思想的社会中，每个成员都被设计为国家机器上的螺丝钉，然而哪怕只有几颗螺丝钉脱落，也可能会给系统带来灾难。

许多事情都不是绝对的

混合策略的思想，也可以帮助我们理解为什么世界上许多事情都不是绝对的。

譬如说，我们常常认为，一个国家的法律体制可能在事实上是不公正的。俗话说："八字衙门朝南开，有理无钱莫进来。"人们习惯上认为法律在实质上会偏袒富人。但事情不是绝对的，原因很简单：如果打官司是靠谁的钱多来定输赢，那么穷人就不会选择打官司，他们会尝试通过其他的渠道（比如暗杀）来解决问题。所以，法庭不会总是偏向富人，富人也不会总是想着去收买法官。更麻烦的是，当人们认为有钱人更容易打赢官司的时候，对富人实际上是越不利的，因为这时法庭为了获得穷人做顾客而不得不偏向穷人以获得他们的信任。

又比如，难免有一些警察败类会与匪贼合谋，但是绝不可能全部的警察都与匪贼合谋。道理很简单，如果大部分警察甚或所有的警察都与匪贼为伍，那么公民就会要求政府取消警察队伍。同样，警察也不会扫尽所有的犯罪分子（且不说扫尽犯罪分子的成本有多高，假设有能力全部扫尽），因为如果没有了犯罪分子，那么警察也就要失业。

所以，世界上的很多事情作为人们的博弈结果，似乎都是以一种相对中间的形式表现出来的，很难出现极端或绝对。因为在现实的诸多博弈中，人们常常至少有一个博弈的策略就是“不参加博弈”。极端或绝对的状况常常意味着彻底消灭对手，或者让对手无法得到一点儿好处，这也使得对手会放弃博弈；从而，看起来胜利的一方也将因失去对手而难以存在——每个人都清楚地知道，这个世界上，教师是依赖学生而存在的，领导是依赖下属而存在的，富人是依赖穷人而存在的，警察是依赖罪犯而存在的。没有黑就没有白，没有坏就没有好。所以，诸多博弈的社会后果，都表现出一种中间状态而不是极端或绝对，因为没有人会希望达到极端或绝对的状态，至少大家在态度的选择上常常采取一种混合策略。

为什么捕食者和猎物共存

警察不会消灭全部的小偷，在前面我们曾说是因为警察依赖于小偷而存在。不过，有人会不同意这个观点。他们可能坚持，所有的警察都希望抓尽小偷。是的，我们可以认为这一点成立，但是即便如此警察也可能并不能抓尽所有的小偷。其中的道理，与下面我们将提到的生物学上的捕食者和猎物为什么能够共存是相同的。

按照生物进化的最适性观点，捕食者发明了最有效的捕食对策，而猎物则发展了最有效的反捕对策。那么，为什么最有效的捕食对策没有导致猎物灭绝呢？或者反过来说，最有效的反捕对策为什么没有把所有的捕食

者都饿死呢？这一结果符合我们上面讲过的，世界常常并非是绝对的。但是，我们的确希望知道这个问题的答案，因为捕食者和猎物实现了长期共存，已经是一个无可争辩的事实。

生态学家曾提出三种假说来解释这一事实。第一种假说是精明捕食假说。人类肯定是精明的捕食者，因为人类知道对食物资源的过度滥用将会使自身灭绝[⊖]。问题是，动物有可能成为精明的捕食者吗？也许人们对此会比较质疑，因为在一个种群中，如果有一个欺骗者，那么它就会因其欺骗而获得更大的好处，它遗传给后代的欺骗基因也会比老实的精明捕食者多一些，最终导致种群中欺骗者越来越多，精明捕食者的比例就越来越少。第二种假说是种群灭绝假说，即我们之所以只看见稳定的捕食系统，是因为不稳定的捕食系统早已经灭绝了。第三种假说是猎物超前进化假说。该假说认为，稳定的捕食者—猎物系统之所以形成，是因为在进化过程中，猎物总比捕食者超前一步进化。这里有一个“生命—晚餐”原理，其意思是：兔子比狐狸跑得快是因为兔子快跑是为了保全性命，而狐狸快跑只是为了获得一餐。因此，兔子的进化压力比狐狸的进化压力要大，在进化过程中就总是先一步适应。

在很多条件下，猎物的确具有超前进化的条件，因为它们的世代历期比捕食者要短，因此进化速度就比较快。但是，这种超前进化为什么没有把捕食者饿死呢？这其中的原理也许可以由混合策略来解释（大家马上在下一节就会见到，对于混合策略的一种解释就是作为集体行为的一种推断）：当超前进化比较快，那么捕食者就会饿死一些而数量渐渐减少；但

⊖ 警察显然也可以成为精明的捕食者。比如成都铁路局11名警察就知道勾结小偷谋利（新华网2005年12月5日报道）。

捕食者数量减少，也就会减轻猎物进化的压力（它没有那么多危险了，也不必时时需要逃命了），其进化速度就慢下来甚至停滞，从而有利于捕食者恢复自己的种群；而一旦捕食者种群壮大，那么猎物的数量就会下降，然后猎物就会在生存压力下加速进化，而同时猎物数量减少也使得捕捉一只猎物的代价会更高（需要走更远的路、等待更长的时间等）。这本身可能降低捕食者食物获得数量而减小其种群规模——当然，捕食者通常不可能杀完所有猎物还有一个重要原因是，没有什么捕食者会依赖于一种猎物，当一种猎物变得稀少，那么它们常常会转向捕食数量相对更多的其他种类的猎物。

如何认识混合策略

混合策略要求人们以随机的方式选择自己的行动，由于随机性的行为无法准确预期，因此很多人认为混合策略并非一个令人满意的均衡概念。难道现实中人们真会这样采取行动吗？如果两个策略对于参与人来说是无差异的，他为什么不直接选择一个纯策略而要采取一个混合策略呢？为此，人们对混合策略的合理性提出了很多解释。

虚张声势

混合策略的一种解释是虚张声势，即参与人试图通过选择混合策略给对手造成不确定性，使对手不能预测自己的行动，从而使自己获得好处。譬如，在赌硬币的博弈中，如果参与人太有规律地行动，那么他就会被对手战胜。或者他一旦破坏了自己的随机策略，那么他就会失败。

很早的时候我曾经看过由吴孟达和童星郝绍文主演的一部影片，故事记不得了，但对一个情节印象挺深刻。

故事模型

吴孟达和郝绍文要通过猜“剪刀·石头·布”来决定最后10块钱的归属。吴孟达的做法是，给郝绍文一枚硬币让他攥在手里然后划拳。郝绍文是小孩子，理所当然地按照吴孟达的预期出了“石头”（因为郝只有出石头才能确保手中的硬币不至丢落），吴孟达自然是出了“布”赢得了10块钱。

不让对手洞悉自己，而采取混合策略的做法，在某些对抗中非常普遍。玩牌、划拳以及足球、篮球等比赛中都是如此。

在巴蜀地区，有一句话叫“黄棒手硬”，意思是说某些活动中（比如划拳、赌酒、打牌），新手的运气特别好。真是如此吗？划拳、赌酒这些游戏没有纯策略均衡，如果出招太有规律，被对手发现就会导致更多的失败。而对于那些“黄棒”（新手），因为他是新手所以谁也难以摸清他的规律，结果他反而使自己从经验缺乏中获得了好处，倒并不一定真的是他的“手太硬”（运气太好）。

个体类型推断

对混合策略的另一种解释是，将其看做对参与人类型的一种推断。比如图6-7所示的博弈中，读者运用前面的知识会发现，该博弈没有纯策略均衡。给定政府救济，流浪汉最好继续游荡；给定政府不救济，流浪汉最好是去求职；给定流浪汉求职，政府最好选择救济；给定流浪汉游荡，政府最好不救济。

同时，大家经过分析之后还可发现该博弈存在一个混合策略纳什均衡：{(0.5,0.5),(0.2,0.8)}，即政府以0.5的概率选择救济、以0.5的概率选择不救济，流浪汉以0.2的概率选择求职、以0.8的概率选择游荡。

		流浪汉	
		求职	游荡
政府	救济	3，2	−1，3
	不救济	−1，1	0，0

图6-7　福利博弈

对上述混合策略的一种解释是，假定这个流浪汉是从一群流浪汉中抽取出来的，政府不知道他的特征。政府只知道全部的流浪汉包括两种类型，一种类型是努力求职型，另一种类型是继续游荡型，两类流浪汉在全部流浪汉中所占的比例分别为0.2和0.8。当随机从流浪汉群体中抽取一个流浪汉，政府将以0.5的概率救济他、以0.5的概率不救济他。

集体行为推测

混合策略有时也被看做是对集体行为的推测。譬如对图6-7的福利博弈的另外一个解释是，用众多的流浪汉代替单个流浪汉，这些流浪汉有相同的偏好和赢利函数。在混合策略均衡下，每个流浪汉就像在单个流浪汉的情形下一样，以0.2的概率选择求职。但是，在众多流浪汉的情况下则有一个纯策略均衡：20%的流浪汉选择纯策略求职而80%的流浪汉选择纯策略游荡。

图6-8的警察与小偷博弈，也可作如此解释。

可以发现，图6-8的博弈没有纯策略均衡，但是有一个混合策略均衡{(1/3, 2/3), (3/5, 2/5)}，即警察以1/3的概率巡逻、以2/3的概率睡觉；小偷以3/5的概率不行窃、以2/5的概率行窃。对这个混合策略也可看做集体行为来解释：一大群警察跟一大群小偷博弈，将会有2/3的警察选择睡觉而

1/3的警察选择巡逻；而小偷中有3/5的人不行窃、2/5的人选择行窃。

		小偷	
		不行窃	行窃
警察	巡逻	0，0	2，−2
	睡觉	2，0	−1，1

图6-8　警察与小偷

似乎这是现实的情况。如果盗窃案件上升（更多的小偷选择行窃），则警察就会出动更多的巡逻力量；而一旦警察出动更多的巡逻力量，则行窃的小偷就会下降；行窃的小偷下降，警察出动大量巡逻力量就不再是合适的，于是他们又减少巡逻力量；然后盗窃案件又上升……在均衡状态，恰好应是1/3的警察巡逻而2/5的小偷行窃。

更高层次的纯策略

寻求对混合策略之解释还有一个思路是，把混合策略看做参与人的纯策略。也就是说，把参与人的策略空间扩大，不仅包括纯策略，还包括混合策略。纯策略可作为混合策略的一种退化形式；或者更进一步，可以把混合策略看做是更高层次的纯策略——参与人在这个扩大后的策略空间中确定性地而不是随机地选择"纯策略"，而其中的某些"纯策略"其实是较低级层次上的混合策略[⊖]。

⊖ 有心的读者会发现，在Fudenberg和Tirole(1991)著名的教材《博弈论》(*Game Theory*)中，对纳什均衡的定义就反映了这样的思想。当然，这样做会遇到一个问题：纯策略空间经过第一次扩展后，得到包含纯策略和混合策略的空间；如果把这个空间继续按照混合策略的思路进行扩展，应该是可以的……那么人们会发现可以无穷地扩展下去——但是，可以证明，这种从纯策略向混合策略的扩展只需要进行一次就可以了，因为随后的任何次扩展所得到的策略空间仍然是第一次扩展后所得到的策略空间。

实际上，1994年诺贝尔经济学奖得主、博弈论专家海萨尼（Harsanyi）曾在1973年的文章中提出一个纯化定理。其意思是说，任何一个混合策略均衡，都可以通过一系列扰动博弈的纯策略贝叶斯均衡来逼近。如果要反过来说，那么它也表达着这样的意思：博弈中一点微小的"扰动"，就足以影响人们选择纯策略。由于博弈中的完全信息是一种理想化的假设，所以有所扰动可能是最正常不过的了。从这一点出发，纯策略和混合策略的区别也许只是表面的，而且也不像人们想像的那么重要。正如海萨尼所证明的，纯策略与混合策略之间的区别也许只是人为的问题而已。

混合策略的麻烦

混合策略的思想的确美妙，显得我们的世界中博弈结果更复杂和丰富。但是也有一些学者告诫人们不要太迷恋混合策略均衡的想法。

国家大事岂可儿戏

回顾古巴导弹危机博弈，我们在前面提到，美国和苏联各自都将有混合策略（2/3, 1/3）：美国以2/3的概率选择封锁，以1/3的概率选择空袭；苏联以2/3的概率选择拆除导弹，以1/3的概率选择保留导弹。历史上真实发生的结果是美国选择了封锁而苏联选择了拆除——当然，我们曾指出，这的确有可能是双方采取混合策略所导致的一个后果。

但是，如果把国家的存亡这样的大事决定于抛硬币一样的行为，无论如何人们难以赞成。事实上，且不说博弈作为现实的简化版本可能遗漏了双方可考虑的诸多策略，即便现实中美国和苏联双方的策略确如模型所言，我们也可能有理由预期（封锁，拆除）会出现——尽管它不是纳什均衡。政治家的决策通常不会一下子把自己置于不可回旋的余地。而美国若一开

始就选择了空袭，那么美国就失去了对局势的控制能力，再无回旋余地。美国的空袭固然可能迫使苏联拆除而取得胜利，但是也可能被苏联视为威胁到其国家利益而与美国针锋相对，最终爆发一场核战争；而若美国选择封锁，就会有更大的主动权，它一边封锁一边要求苏联拆除，并声称在苏联不拆除的情况下将升级到空袭。从苏联这一方来看也是如此，它固然可以坚持保留导弹，但这确实可能引发核战，一旦美国封锁则似乎没有必要再坚持到最后激化出核战争而搞得鱼死网破。从这一思路来看，古巴导弹危机的真实结果，可能并不是随机做出的。

持不要迷恋混合策略均衡观点的人的另一些依据主要是认为在2 × 2（两个参与人，每人有两个策略）的离散策略模型中，所能够模型化的赢利水平是线性的，但现实中，赢利水平可能不是线性的。比如，警察与小偷博弈中，警察延长巡逻时间的成本可能是边际递增的，由此2 × 2的模型就是有问题的。因此有些学者指出，若存在纯策略均衡，则不宜太迷恋混合策略均衡[⊖]。

吉诺维斯谋杀案：混合策略的低效率

故事模型

迪克西特（Dixit）和斯凯思（Skeath）在《策略的博弈》（*Games of Strategy*）一书中提到一个故事。在1964年的纽约市（皇后区的Kew花园），一个叫吉诺维斯（Kitty Genovese）的妇女被歹徒杀害，残忍的袭击持续了半个小时，她一直在尖叫，很多人也听到了她的尖叫声，超过30人在命案现场，但没有人帮助她，也没有人报警。

⊖ 可参考拉斯缪森（2003, p93）的注释3.4。

这个故事引起了轰动。新闻界以及大部分公众都认为纽约人——或大城市居民，或美国人乃至所有人——对于他们的同胞冷漠无情。

但是，稍微观察一下就会让你相信，其实大家还是很关心自己的同胞的，甚至是陌生人。社会学家对情况做了不同的解释，称为多元无知(pluralistic ignorance)。因为没有人知道发生了什么事，是否要帮助而又要帮助多少，他们互相看着对方寻找线索，并尝试解读其他人的行为，如果没有人去帮助，他们就解读成这位妇女不需要帮助，所以他们就不帮助她。

这似乎有道理，但却不能完全解释吉诺维斯这样的命案。尖叫的妇女需要帮助，这是强烈的合理假设。旁观者究竟在想什么——在拍电影？如果是的话，那灯光呢？摄像机呢？其他演员呢？

有个解释比较好：每个旁观者会因吉诺维斯的受害而难过，也会因她获救而高兴，但帮助吉诺维斯要付出代价，比如报警时要出示身份，还要充当证人，等等，所以我们看到大家都宁愿等别人报警解救吉诺维斯，这样自己就能不付出任何代价，而得到高兴的收益。

社会心理学家对这种不付代价获益的思想有不同的解释。他们将之解释为责任分散（diffusion of responsibility)，也就是大家都同意帮助是必要的，但他们彼此不沟通，无法协调出谁来帮助，每个人都认为帮助是他人的责任，而且团体越大，每个人就越是以为有其他人会出来帮助，所以自己就可以省却麻烦。

社会心理学家做了一些实验来检验这一假说。他们在不同规模的人群中设计出某些需要他人帮助的情形，结果发现人群数量越多，就越得不到帮助。

责任分散的思想似乎可以解释这种情况，但也不尽然。它说人数越多则大家越不可能帮助，不过虽然人多，但只需要一个人报警即可。所以要

让帮助的可能性降低，必须让每个人帮助的概率加速减少，才能超过人数增加的效应。而要知道是不是如此，我们必须用博弈论来进行分析。

图6-9是一个根据吉诺维斯谋杀案构造的“市民责任博弈”的例子：

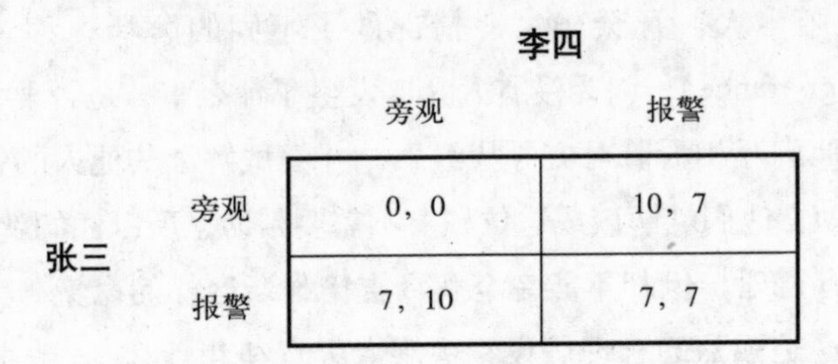

		李四	
		旁观	报警
张三	旁观	0，0	10，7
	报警	7，10	7，7

图6-9　市民责任博弈

在图6-9的博弈中，当目睹犯罪现场的时候，张三和李四均可以选择旁观或报警。如果大家都不报警，则大家都没有赢利；若大家都报警，则大家都得到收益10单位，但报警需付出成本3单位，最后净赢利各自都为7单位；若只有一人报警，则报警者得到净赢利7单位，而旁观者得到10单位。分析图6-9的博弈可以得到两个纯策略均衡：（报警，旁观）以及（旁观，报警）。此外还有一个混合策略均衡：{(0.3,0.7),(0.3,0.7)}，即张三和李四都会以0.3的概率选择旁观、以0.7的概率选择报警。

由此可以计算各种情况出现的概率：两个人都报警的概率为0.49，两个人中一人报警的概率为0.42，两个人都不报警的概率为0.09。因此，警方最终得到报告的概率是0.49 + 0.42 = 0.91。由此看来，报警的概率还是很大的，吉诺维斯被警察解救的可能性也是很大的。

但是，如果博弈的参与人不是两个，而是很多个的时候，情况可能就会有所变化。假设存在N 个参与人，若张三选择旁观，则无人报警时张三的赢利为0，有人报警时张三的赢利为10；若张三选择报警，则无论其他人报警与否张三的赢利都为7。假设张三认为其他人旁观的概率为q，则：

- 张三选择旁观的赢利为：

$$0 \times q^{N-1} + 10(1-q^{N-1}) = 10 - 10q^{N-1}$$

- 张三选择报警的赢利为：

$$7 \times q^{N-1} + 7(1-q^{N-1}) = 7$$

则，均衡状态下张三的最优混合策略应使得上面两式相等：

$$10 - 10q^{N-1} = 7 \rightarrow q^* = 0.3^{\frac{1}{N-1}}$$

设其他参与人均与张三一样，则该博弈存在对称的混合策略均衡解，每个人选择旁观的概率为$q^* = 0.3^{\frac{1}{N-1}}$。把这个概率画出来，如图6-10所示，可以发现，参与人越多，则每个人袖手旁观的概率越大，当N趋于无穷大时，每个人袖手旁观的概率接近于1。可以计算，无任何一人报警的概率将会是$0.3^{\frac{N}{N-1}}$，它也随N的增加而增加（图6-10）。

概率
每个人袖手旁观的概率
1
0.3
人数N

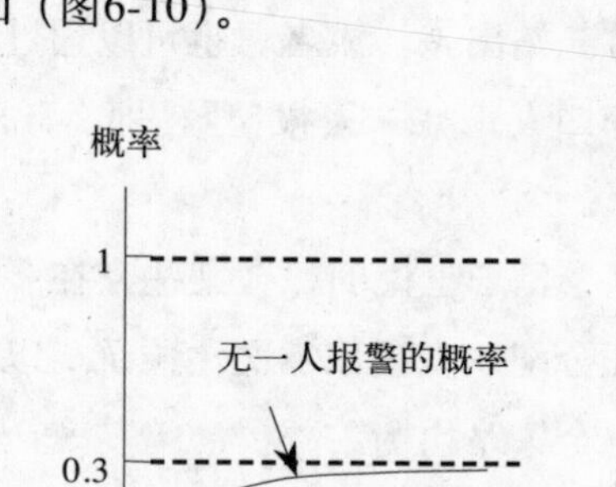

图6-10　参与人选择旁观的概率、无人报警概率与人数的关系

在吉诺维斯谋杀案中，N = 38位邻居的情况下，每个人将以0.97的概率选择旁观（这是多高的概率了），而无一人报警的概率约0.29（不算是小概率了），结果无一人报警也就不足为奇了。道理很简单，参与人越多则每个人越寄希望于别人去承担报警的成本，但最后却陷入了囚徒困

境——没有人去报警。

吉诺维斯谋杀案这样的情况在现实中是经常存在的。最常见的是在大街上碰到某些不法行为，其实每个人都可以站出来制止，但是率先站出来的人势必要承担更大的制止成本，而若别人站出来则自己也可以跟着有好处——尤其是，当人数众多的时候，每个人都认为别人可能站出来，等待着别人站出来，结果反而没有人站出来。这样的混合策略结果本身是符合每个个体的理性的，但是其结果的确有可能是不好的。

如何可以避免这种不好的混合策略均衡结果？一种可行的办法是通过某种方式使得多重纯策略均衡中的结果成为一个聚点均衡。比如，强行要求某些人承担起报警的责任来——现实中，我们的法律对军人、警察以及政府官员见死不救都会追究责任，于是他们通常会在遇到违法行为时首先站出来；或者教师承担着社会道德范本的角色，因此他们也可能在责任驱使下首先站出来；或者，也可以通过现场指挥来实现责任的分配，比如张三对李四大声喊“去报警”，那么此时李四就不可能再试图等待其他人去报警了。

这个例子也说明，在某些存在多重纯策略均衡的博弈中，有必要建立起责任分配制度或依靠文化传统，以期得到某种聚点均衡，避免陷入无效率的混合策略均衡。

友情提示

- 在博弈中，有时需要以某种概率随机地选择自己的行动，即采取混合策略。
- 绝大多数人都厌恶不确定性，但是不确定性对于世界和社会的运转常常是有好处的。
- 经济学家的分歧有时也并非坏事。

- 世界上的绝大多数事情都以中庸的形式出现。至少，人们在态度和行为的选择上，很少采取极端的策略。
- 混合策略可以有多种解释，它可以是虚张声势，也可以是对集体行为的推测，当然也可以看做是更高层次的纯策略。
- 有时候，混合策略的后果是低效率的，尤其是大群体需要协调行动的时候。

7 向前展望，向后推理

我站在未来的山坡上回头看

过去和现在如同不再有悬念的平静湖面

所有发生的一切都是如此清晰和必然

——网络诗歌

假如欺负他人可以获得快乐，那你会欺负他人吗？大多数人的回答是不会，原因正如他们所指出的，欺负他人会担心他人的报复，这抵消了从欺负他人的行为中所能得到的快乐。这个答案至少表明，你之所以现在没有欺负他人，并不因为不想欺负他人，而是因为你知道欺负他人会在将来给自己造成麻烦。同样，当我们面临一些博弈对局的时候，我们应如何采取现在的行动，常常取决于每个行动在将来会产生什么后果，或者说在将来别人将如何反应。

在前面各章内容中，博弈是静态的——或者说是同时行动的。而现实中的博弈常常是动态的、依序行动的，这就要求我们必须考虑人们在将来对我们的行动反应。分析序贯行动博弈的一个重要思路就是：向前展望，向后推理（looking forward and reasoning backward），即面向未来，思考现在，站在未来的立场来确定现在的最优行动。本章我们将通过一些例子来说明这一分析思路，其中有些例子很有趣，也很有挑战性。

逆向归纳法

美中军事政治博弈

我们通过一个简单的例子来说明序贯博弈的（离散策略的）扩展式表达和逆向归纳法求解方法。这个例子可以称做美中军事政治博弈，或者叫“毛泽东的对外军事政治战略”。读者应该仔细阅读本节内容，不宜跳过。

故事模型

在我国解放初期，美国一直试图对我国实施打击。此时，我国必须对美国采取应对之策。就我国对美国可以采取的行动而言，无非是回击或不回击。用更符合毛泽东的话来说，美国可以“犯我”或“不犯我”，而我们可以“犯人”或“不犯人”。

由此我们可以刻画出一个动态博弈：

- 参与人：美国、中国；
- 行动空间：美国可选择的行动是“犯我”或“不犯我”；中国的选择是“犯人”或“不犯人”；
- 行动顺序：美国先行动；中国观察到美国的行动后再选择自己的行动；
- 赢利：我们这样假设赢利状况（数字是虚拟的）；
- 如果美国“犯我”，中国“犯人”，恶战再所难免，则美国亏损2，中国亏损2；

- 如果美国“犯我”，中国“不犯人”，那么中国沦为美国的附庸，丧失国家主权，则美国获得2，中国亏损4；
- 如果美国“不犯我”，中国“犯人”，那么就是中国挑起战事，美国正好有借口纠合国际力量打击中国，则美国得3，中国亏损5；
- 如果美国“不犯我”，中国“不犯人”，各自和平地发展经济，则美国得1，中国得1。

博弈树

对于上述动态博弈，我们可以用博弈树（game tree）表达如下（图7-1）：

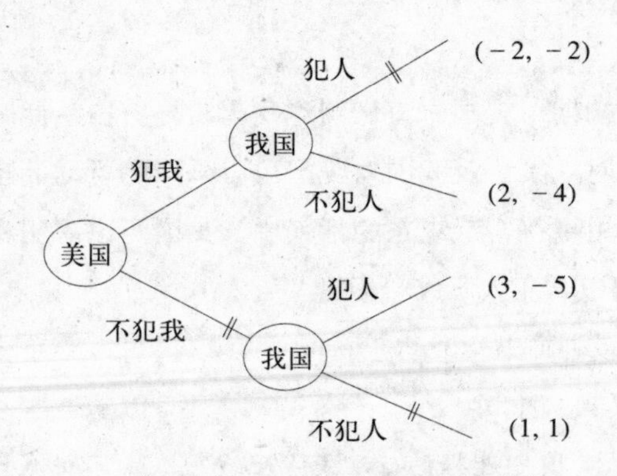

图7-1　美中军事政治博弈

图7-1的博弈树是这样解读的：美国先选择“犯我”或“不犯我”，然后中国观察美国的选择后选择“犯人”或“不犯人”，最右边的括号内数字是各种情况下双方的赢利状况，前一个数字代表第一个行动人（美国）的赢利，第二个数字代表第二个行动人（中国）的赢利。依此类推，如果有更多的参与人序贯行动，则赢利的排列顺序与行动顺序一致。

逆向归纳法

究竟什么是图7-1博弈的均衡呢？在完美信息动态博弈中，我们要找的均衡实际上是一条路径，即从第一个行动人决策结点出发，一直到某一个终点之间的路径。所谓均衡路径就是在每一个决策阶段，没有人会偏离这条路径。这条路径所代表的策略均衡被称做子博弈完美均衡。不过我们不过多地讲解技术，讲得太多反而容易让大家糊涂。因此，我们直接介绍如何用逆向归纳法来求解博弈的均衡。

逆向归纳的步骤是这样的:

- 首先，从最后阶段行动的参与人决策开始考虑。在图7-1的博弈中，最后行动的是中国，因此我们先考虑中国怎么决策。在考虑中国的决策时，我们假定美国已经选了“犯我”或“不犯我”；
  - 如果美国选择了“犯我”，在图7-1中可发现，中国选择“犯人”会得到－2，选择“不犯人”会得到－4，因此中国必然选择“犯人”——我们就在中国“犯人”的分枝上画上一个短短的双横线标记；
  - 如果美国选择了“不犯我”，从图7-1中可发现，中国选择“犯人”会得到－5，选择“不犯人”会得到1，因此中国必然选择“不犯人”——我们就在中国“不犯人”的分枝上画上一个短短的双横线标记。
- 然后，考虑次后阶段行动的人（例子中只有两个阶段，因此实际上就是第一阶段行动的人）——美国。美国决策时会考虑中国的反应，而现在它已预见到中国将选择的行动就是两条划了双横线的分枝。所以，它很容易推出自己面临的情况是:
  - 若选择“犯我”，则必然导致中国“犯人”，则美国得到－2；

- 若选择“不犯我”，则中国必选择“不犯人”，则美国得到1；
- 结果美国宁愿选择“不犯我”。照规矩，我们在美国“不犯我”的一个分枝上画上双横线。

- 如果存在一个路径，其每个分枝都画上了双横线，那么这条路径就是均衡路径。可发现，在图7-1的例子中，均衡路径将是美国选择“不犯我”，而中国选择“不犯人”。

因此，美中博弈的子博弈完美均衡结果是美国不侵犯中国，而中国也不侵犯美国。

逆向归纳法对于求解子博弈完美均衡之所以适用，其原因就在于它的求解过程很好地体现了子博弈完美均衡的定义：一个策略组合只有在其路径既满足是整个博弈的均衡又满足该路径上每一个子博弈的均衡时候，才是子博弈完美均衡。

更多的技术细节和概念，有兴趣的读者可参阅一些教科书，在这里我们重要的是掌握向前展望、向后推理的逆向归纳方法。

稍复杂一点的例子

现在大家再来做个练习，巩固一下逆向归纳法。当你把逆向归纳法烂熟于心的时候，本书以后的阅读就会相当轻松，否则就会比较麻烦。

假设有两个人进行如图7-2的序贯博弈，你能用逆向归纳法找出均衡路径吗？

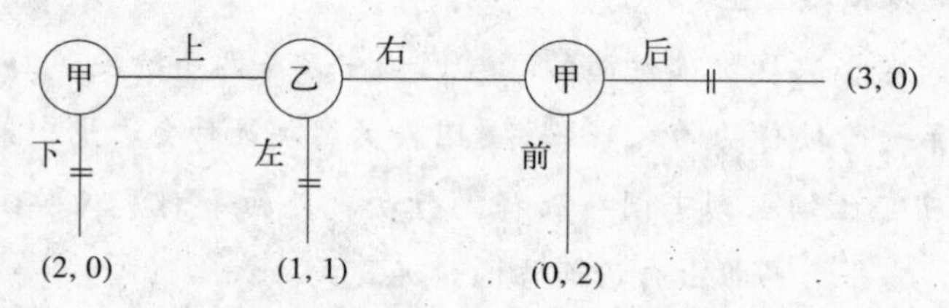

图7-2 序贯博弈

大家记住，赢利向量的第一个数字是甲的，第二个数字是乙的。运用逆向归纳法，最后阶段是甲选择“前”或“后”，由于选“前”甲得到0，选“后”甲得到3，因此甲选“后”；给定第三阶段甲选“后”，那么第二阶段乙选“左”得到1，选“右”将只能得到0，因此乙选“左”；再看第一阶段，如果甲选择“下”得到2，选择“上”（则乙选“左”结束博弈）得到1，因此甲将直接选“下”结束博弈。

所以，图7-2的博弈中，子博弈完美均衡路径是甲直接选择“下”结束博弈。

逆向归纳法的应用例子

掌握了逆向归纳方法，现在我们就可以来看一些序贯行动博弈的例子。这些例子既充满趣味，也是对大家使用逆向归纳技术的一种训练，同时也可能是一种智力上的测试。

私奔博弈

故事模型

在我国汉代，有个青年作家叫司马相如，有个年轻的寡妇叫卓文君。卓文君的父亲喜欢附庸风雅，经常请一些所谓的才子到家里吟诗作赋，其中就包括司马相如。日子长了，司马相如与卓文君产生了爱情，并打算结婚。但是，这门亲事遭到文君父亲的反对。父亲对文君说，你若跟司马结婚，那么就将脱离父女关系。

现在，卓文君应该怎样选择？是屈从父亲，还是跟心上人结婚？

我们可用如下一个博弈（图7-3）来表示卓文君与她父亲的博弈。

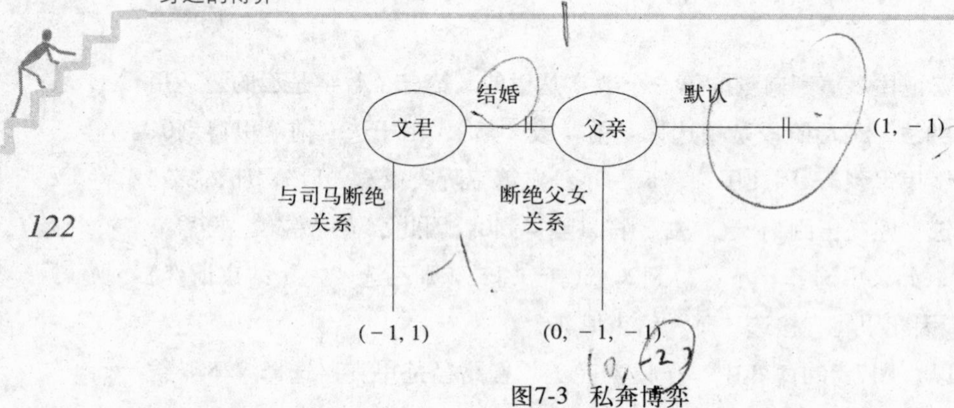

图7-3 私奔博弈

图7-3的博弈中，文君先选择与司马断绝关系或者结婚，若与司马断绝关系，则她失去一个心爱的人，得到−1的赢利（她父亲则得到赢利1，因为他终于如愿以偿让女儿没能跟司马结婚）；若选择结婚，则由文君的父亲做出反应，他可以真的断绝父女关系，此种情况下，文君得到0（因为她虽然跟爱人结婚得到1，但是却因此失去了父亲得到−1，总计得到0），父亲得到是−1−1=−2（因为看到文君与司马结婚心中不快得到−1，又失去了一个女儿其所得再增加−1）；当然，既然生米煮成了熟饭，父亲也可以默认，此时文君既得到爱人又没有失去父亲故获得赢利1，而父亲心中不快得到−1，但毕竟没有失去女儿。

使用逆向归纳法不难得到，第二阶段父亲将选择默认（因为默认的赢利为−1，而断绝父女关系的赢利为−2）；给定第二阶段父亲会默认，第一阶段文君将选择结婚（结婚赢利为1，与司马断绝关系赢利为−1）。所以，私奔博弈的均衡结果是，文君选择结婚，而文君的父亲选择默认。

历史上的故事正是如此。卓文君不顾父亲的反对和司马相如私奔。两个人在成都靠开酒吧为生。文君的父亲不忍女儿受苦，最后还是接纳了他们的婚姻。

私奔博弈刻画了一个很重要的道理，那就是有些时候威胁并不可怕，因为那些威胁仅仅是威胁而已。就像父母亲反对儿女婚姻时常常摆出一副要断绝父子（女）关系的样子，但一旦木已成舟，他们也只好默认，并不会真的跟儿女断绝关系。学习了博弈论的人，更容易看出这些威胁是不可置信的。

海盗分赃

再来看一个逆向归纳法的经典例子，其原型来自I. Stewart在《科学美国人》杂志上的一篇文章《凶残海盗的逻辑》。这个例子曾经被作为微软公司招募员工的面试题目，你也可以尝试着可以在几分钟之内求解出正确答案。

故事模型

话说有5个海盗抢来了100枚金币，大家决定分赃的方式是：由海盗一提出一种分配方案，如果同意这种方案的人达到半数，那么该提议就通过并付诸实施；若同意这种方案的人未达半数，则提议不能通过且提议人将被扔进大海喂鲨鱼，然后由接下来的海盗继续重复提议过程。假设每个海盗都绝顶聪明，也不相互合作，并且每个海盗都想尽可能多得到金币，那么，第一个提议的海盗将怎样提议既可以使得提议被通过又可以最大限度得到金币呢？

我曾好几次在学生中做过调查，如果他们就是第一个海盗会怎么分。答案五花八门，但是大多数是表示平均分（每人20颗）——这可能是现实中的情况，公平观念在博弈中发挥着作用。但是标准博弈论是研究人们完全理性的情况下极端复杂的策略互动后果，这里的平均分配并不符合标准博弈论的逻辑。

那么答案究竟是什么呢？使用逆向归纳法可以求解如下：

- 首先，考虑只剩下最后的海盗五，显然他会分给自己100枚，并赞成自己。
- 再回溯到只剩下海盗四和海盗五的决策，海盗四可以分给自己100枚并赞成自己；海盗五被分得0枚，即使反对也无用。
- 回到海盗三，海盗三可以分给海盗五1枚得到海盗五的同意；分给自己99枚，自己也同意；分给海盗四0枚，海盗四反对但无用。
- 回到海盗二，海盗二可以分给海盗四1枚得到海盗四同意；分给自己99枚，自己也同意；海盗三、五各分得0枚，他们会反对但反对没有用。
- 回到海盗一，他可以分给海盗三、五各1枚，获得海盗三、五的同意；分给自己98，自己也同意；分给海盗二、四各0枚，他们会反对但反对不起作用。

因此，这个海盗分赃问题的答案是（98, 0, 1, 0, 1）：海盗一提出分给自己98枚，分给海盗二、四各0枚，分给三、五各1枚，该提议会被通过，因为海盗一、三、五会投赞成票。我们可以把这个逆向决策的过程用如下矩阵表达出来（如图7-4，其中画下划线的数字表示海盗对该方案投了赞成票，未加下划线对应于反对票）。

分配者	分配给各海盗的金币枚数				
	海盗一	海盗二	海盗三	海盗四	海盗五
海盗五					100
海盗四				100	0
海盗三			99	0	1
海盗二		99	0	1	0
海盗一	98	0	1	0	1

图7-4　海盗分赃逆向推理过程（全部海盗半数同意即可通过）

如果你是海盗一，你会这样提方案吗？

对于上述海盗分赃问题，我们还可以演化出不同的版本。比如说：（1）如果要求包括提议海盗在内的所有海盗过半数（超过1/2）同意才能使提议通过，那么海盗一应该怎么提方案？（2）如果要求提议海盗之外的海盗过半数同意才能通过，那么海盗一又该怎么提方案？（3）或者海盗的数目增加到10个、100个，海盗一又怎么提方案？大家可以把这个当做练习题来做一做。

答案：变种问题（1）中，海盗一提出的分配方案是（97, 0, 1, 2, 0）或（97, 0, 1, 0, 2）；变种问题（2）中，海盗一提出的分配方案应是（97, 0, 1, 1, 1）；变种问题（3）中，大家可尝试逐渐增加海盗的数量，将会发现答案是有规律可循的。

夺宝战

故事模型

夺宝战（nim game）是这样一种游戏：在桌子上放一定数量的火柴，甲、乙两个人可轮流从中取走1根或2根，谁取走最后1根或2根便获胜。胜者得1块钱，负者输1块钱。

我们先分析比较简单的游戏情况，比如有5根火柴的时候。由于火柴数量并不多，所以我们仍可以画出这个夺宝战的博弈树（图7-5）。

在图7-5中，读者朋友可以使用前面介绍过的逆向归纳方法，求出均衡路径有两条，一条是（2, 2, 1），另一条是（2, 1, 2）。这两条路径就是图中最右边从博弈起点到终点都画了短双横线的两条路径，两条路径都对应于甲获胜的结果。从这个博弈树及均衡结果我们可知道，这场夺宝战中甲是必胜的，因为他始终可以在一开局就拿走2根火柴，则剩下3根火柴中不管乙拿1根或2根，则甲都可获得最后2根或1根从而取得胜利。

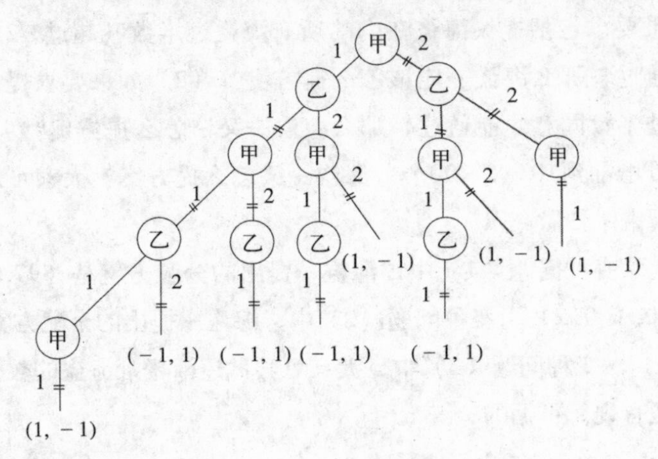

图7-5　夺宝战

在这里，博弈树帮了我们的忙，至少在我们一塌糊涂的时候帮助我们理清了思路。但是，如果假设初始的火柴根数是30根或者100根，那么甲还是必胜吗？或者怎样获胜？此时，要画出博弈树可能就太复杂了。那我们怎样获得答案呢？

其实，仍然可以利用逆向归纳法。假设参与人面临最后的1根或2根，则必胜；但若参与人面临最后3根，则无论拿1根还是2根都必输；当参与人面临4根或5根，则他可以拿走1根或2根，从而使对方面临3根的局面，则对方必输；如果参与人刚好处于6根火柴的位置，那么无论拿走1根或2根皆不能使对手面临3根火柴，而对手反而可使他处于3根火柴的位置，则对手必胜；如果参与人面临7根或8根火柴，则必可使对方处于6根火柴的位置而使对方必输；但若处于9根的位置则无论如何都将被对方逼迫到6根的位置而自己必输……其实大家应当已经发现其中的规律了，3、6、9、12、15……等3的整数倍数根火柴数量必定使先行者（甲）输掉，而4、5、7、8、10、11……等非3的整数倍数根火柴数量，则乙必输掉。

这个例子也表明，在完全信息动态博弈中，如果博弈阶段较多，那么要画出博弈树是比较困难的，不过逆向归纳法仍是适用的。

最后通牒

再来看一个逆向归纳的例子——最后通牒博弈。

故事模型

话说有一个叫张三的人在路上行走，拾到了100元钱，正好这事也被李四看到了。见者有份，于是两个人要决定怎么分配这笔钱。我们极端地假设他们的谈判只能进行一个回合，即由张三提出分给李四多少钱（以元为最小的计算单位），然后李四表示接受或不接受，如果接受就按照提议分，如果不接受那么大家只好把这100元交到警察局，谁都得不到。

那么极端自私的张三会怎么提议呢?

张三在决定其提议时会使用到逆向归纳法。他会假设自己已决定分×元钱给李四，此时李四如果同意，那么李四就可以得到×元；李四不同意，那么李四就什么也得不到。显然，即使是得到1元钱也比什么都得不到好，因此给李四1元钱，李四就会同意。再回到张三的决策时点，张三的最优分配方案就是分给李四1元钱，自己得到99元钱。

这个博弈被称为最后通牒博弈。博弈的求解过程中也是一种典型的向

前展望、向后推理的思路。

不过，我们在这里也附带指出，博弈论和实验经济学家围绕最后通牒博弈做了大量实验，发现现实中提议者给回应者只有1元的话，常常会遭

到回应者的拒绝。实际上，不少的被接受的分配方案是分给回应者30~50元，20元以下的分配被拒绝的频率很高。这可能说明了人们在现实中的决策并不单单是考虑经济上的动机，也会考虑对方行为的目的性动机——人类有知恩图报、以牙还牙的心理，对于那些善待自己的人，我们常常愿意牺牲自己的利益去给予回报，对于那些恶待我们的人，我们常常也愿意牺牲自己的利益去报复，或者也会考虑相对利益比较——如果别人的财富超过我太多，我就会心理不舒服，或者我的财富超过别人太多，我也愿意花一点儿钱以缩小我们的差距。在这样的一些动机下，不太平等的分配被拒绝是正常的。所以，现代博弈论实际上已存在两种方法论，这种基于心理、行为的观点来解释所观察到的现实博弈行为的理论被称为“描述性博弈论”；而我们前面一直采取的假设人们极端聪明、理性，然后在绝对关注经济利益的情况下来推导人类行为的极端复杂的后果，这一套博弈被称做“标准的博弈论”。标准的博弈论是纯粹理论研究，是为博弈分析提供一个理论基准，而描述性博弈论则是在理论基准上加入一些其他的行为或心理元素来更好地解释现实行为。本书的内容，主要是基于标准博弈论，但有时也会提及一些描述性博弈理论（行为博弈论）。

理性的局限与非理性行为

逆向归纳方法是一个非常美妙的思想，但是它对人们的理性要求可能会太高。然而，也可能正因为人们的理性程度是不一样的，才有了博弈的高下之分。关于参与人理性不对称下的博弈理论研究，至今仍是博弈论研究的一个努力方向。按照博弈论大家鲁宾斯坦（A.Rubinstein）的说法："对不同参与人的能力及形势洞察力的不对称性建模在将来的研究中将是一个吸引人的挑战。"

序贯理性

扩展博弈中，对个人行为的一个重要假设是建立在序贯理性的基础上。因为只有满足序贯理性才可以运用到逆向归纳的方法来推导其均衡解。

所谓**序贯理性**，通俗地说就是每个参与人在其每一个行动时点上都将重新优化自己的选择，并且会把自己将来会重新优化其选择这一点也纳入当前的优化决策当中。换句话说，一个具备序贯理性的参与人很清楚自己在每一个需要做出决定的时刻都需要重新对已有的决策进行优化，而且在做这种优化的时候必须把未来需要重新优化的这一事实考虑在现有的优化决策当中。

显然，序贯理性下将不会有后悔出现——因为满足序贯理性所形成的路径，无论从后向前看，还是从前向后看，都将是一条最优的道路。那么，只凭我们在日常生活的决定中那么多的"悔不当初"，我们就知道其实人们常常难以达到序贯理性的要求。

为什么人们常常难以达到序贯理性的要求呢？至少有两个原因：一是人们的算计能力是有限的，二是人们的理性本身也是有限的（比如感情用事、冲动行事、冒险倾向等）。

算计能力与策略技巧

从理论上来说，有限的离散策略，只要其可能的结果状态是有限的，我们就可以通过逆向归纳方法，来求解出均衡路径上的策略。按照这样的一个想法，我们在下象棋、围棋等时可能就分不出高下。因为，每个人都

通过逆向归纳法已经知道如何应对每一步棋，最后大家可能永远只会下成平手。

但现实中，下棋的胜负是很常见的结果。而且，我们明显发现更有经验的棋手显然更能“老谋深算”，一个新手常常目光短浅、漏洞百出，老手下赢新手是最普遍的结果。为什么会这样呢？下棋之所以能分出胜负，其实就在于对手之间的序贯理性是不一样的，他们对于局势的洞察力是不一样的。有经验的老手，眼光显然比一个新手强上不止几百倍。

读者可能会问，下象棋不过32颗棋子，为什么人们的算计能力会如此有限呢？这里实际上涉及到序贯博弈中策略的数量是成几何级数增加的。当你下象棋的时候，32颗棋，第一阶段你就至少有32种行动选择（其实还不止，因为某些棋子可行的步骤不止一种），那么哪怕是只要求进行几个回合的厮杀，其策略组合都远远超越了人脑通过逆向归纳来进行算计的能力。

为什么序贯博弈中的策略个数会随着行动阶段的变化而迅速急增呢？原因是，序贯博弈中的策略，已经不是单纯的一个个行动，而是一条条完整的行动计划。譬如，在图7-1的博弈中，美国先行选择，其策略只有两个:“犯我”、“不犯我”。中国后行，中国的一个策略就是针对美国的每一个行动制定出完整的行动计划，比如“美国不犯我，我不犯美国；美国若犯我，我必犯美国”就是中国的一个策略。但是，中国的策略并不止此一个，因为一个策略只是一条完整的行动计划，而中国所有的策略就是由这一条条策略构成的行动计划表。中国策略表中的策略包含了中国可以采用的全部策略，比如:

- （不犯美国，犯美国）：美国不犯我，我不犯美国；美国若犯我，我必犯美国；
- （犯美国，犯美国）：美国不犯我，我就犯美国；美国若犯我，我必犯美国；

- （不犯美国，不犯美国）：美国不犯我，我不犯美国；美国若犯我，我也不犯美国；
- （犯美国，不犯美国）：美国不犯我，我就犯美国；美国若犯我，我就不犯美国。

当然，你可能觉得，像（犯美国，不犯美国）这样的策略，即“美国不犯我，我就犯美国；美国若犯我，我就不犯美国”简直就是犯贱的策略，肯定不会采取的。但是博弈论要求在进行分析时必须考虑到所有的策略，即使有些策略看起来不那么合理，也必须纳入考虑的范围。

这样，实际上中美军事政治博弈就会有8种策略组合，如下：

	(不犯美，犯美)	(犯美，犯美)	(不犯美，不犯美)	(犯美，不犯美)
犯我	2，－4	－2，－2	2，－4	－2，－2
不犯美	3，－5	3，－5	1，　1	1，　1

存在众多可选行动和行动阶段的博弈中，策略组合的数量之巨大、情况之复杂似乎会给人一种悲观的结论：既然如此，我们还研究博弈论干什么呢？对此我想说的是，这并不悲观，反而有趣。人与人之间的理性程度的差异造就了胜负之分，才使得棋艺对抗如此令人着迷，难道不是这样吗？而且新老棋手的棋艺高低，不正是说明了理性程度的提升策略技巧的改善是可以通过学习和训练来达到的吗？难道这不正是一个应该学习和研究博弈论的最好理由吗？此外，还有一个更为乐观的事实是，由于计算机技术的发展，过去许多以人脑难以完成算计并分析的博弈，现在已经可以通过电脑辅助计算来完成。可以想像，随着人类计算技术的发展，人类的算计能力也会迅速得到发展，并日益可以分析更为复杂的博弈。

非理性

虽然博弈论分析一直要求行为是理性的，但现实中很多时候人们的行为可能并不完全由理性来操纵。博弈论在未来的发展，必须注意到理性是有限的这一事实，才能使得博弈论更具有解释力。

人们在序贯行动决策中的理性不足在行为经济学中已有一些研究。比如，有研究发现，对于繁重的工作，不知道未来自控问题的天真者往往把工作拖延到最后期限，而老练者常常知道如何更早地完成任务以免影响下一阶段的工作。譬如减肥，天真者总是认为自己可以在将来进行减肥，结果他们的减肥计划是不断地向后退，也许直到某一天肥胖真的成了问题才开始减肥计划(可是已经晚矣)，而老练者则知道在何时应当减肥并在恰当的时机予以实施。

2002年获得诺贝尔经济学奖的心理学家卡尼曼也发现，人们的后悔行为也常常可能导致一些非理性行为。当人们犯错误时，哪怕是小小的错误也会有后悔之痛，并会严厉自责，而不是从另外的角度去正视这样的错误。这种后悔心理解释了股票市场的一些非理性行为，比如投资者为什么会延迟卖出价值已经减少的股票，为什么加速出售价值已增加的股票。投资者延迟卖出价值已经减少的股票是为了不想看到已经亏损（犯错误）的事实，从而不感到后悔；加速卖出价值已增加的股票是为了避免随后股价可能降低而带来的后悔感，而不顾及股票价格进一步上涨的可能性。

操纵理性的博弈

现实的博弈与标准博弈理论存在差距的另外一个事实是，现实中博弈的参与人很清楚各个参与人的理性程度和对现实的洞察力是有差异的，从而他们完全有可能策略性地使用“理性”。比如，如下的一个博弈（图7-6):

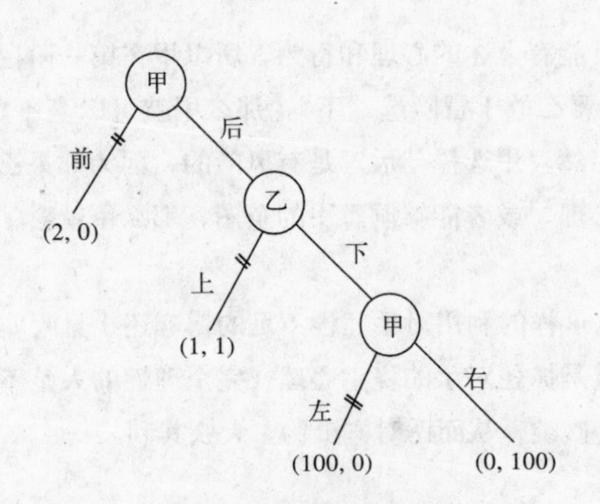

图7-6 非理性的博弈

图7-6的博弈中，大家使用逆向归纳法很容易发现，第三阶段，甲将选择“左”（获得100）；但是在第二阶段乙宁愿选“上”（获得1）；回到博弈之初，甲将选择“前”直接结束博弈（获得2）。这是标准的逆向归纳解。

但是在现实中，这个均衡结果会出现吗？很可能不会，尤其是当两个参与人对对方的理性有所质疑的时候。比如说，甲可能会想：我如果选“后”，那么即便乙选择了“上”，我也得到1个单位，只比我选“前”少得到1个；但是，如果他认为我是个傻瓜，而要冒一次险选择“下”（如果甲真是傻瓜，“下”对乙是有诱惑力的，因为在第三阶段，甲完全可能错误地选择“右”而使得乙得到100），那么我就赚了。这样，不管是由于侥幸心理，或是真的使用装傻策略，甲可能真的会选“后”。

同样，乙看到甲选了“后”，也许乙很高兴地认为甲是个傻瓜（完全理性的人不会这么选的嘛），那么乙的侥幸心理也被诱导出来了，既然他是傻瓜，那我为什么不冒险选下呢——这样，要么我只比选“上”少得到1个单位，但也有可能多得到100 - 1 = 99个单位呢。于是乙可能真的会选“下”。

正因为乙可能有上述的心理和行为，所以甲在第一阶段就更有可能会选择“后”。只要乙敢于冒险选“下”，那么甲就可以毫不费力地得到100单位收入了。当然，甲选择“后”是有风险的，因为如果乙的理性程度很高，没有侥幸心理，或者能够洞悉甲的企图，那么甲就会“偷鸡不成反而蚀把米”。

在现实中，这样的利用对手理性不足的博弈还少见吗？一点也不！有些博弈高手，就是抓住对手的侥幸心理（完全理性的人是不会有侥幸心理的）故意卖一个破绽，从而诱对方上钩，大获其利。

故事模型

譬如元朝末年朱元璋灭陈友谅就是一个典型的博弈战例。其时，各地起义军已混战多年，最后只剩下了朱元璋、陈友谅等几支大队伍。陈友谅为了吞掉朱元璋，勾结朝廷太尉张士诚，向朱元璋占据的建康（今江苏南京）进攻。但陈友谅与朱元璋打过多年交道，深知朱元璋足智多谋，手下兵多将广，故小心翼翼，步步为营，慢慢推进。消息传到建康，朱元璋思谋破敌之计，觉得想灭陈友谅，必须诱其深入，然后围歼之。这样步步地打消耗战，久了必会腹背受敌，被陈友谅和张士诚两面夹击就危险了。但如何引陈友谅孤军深入呢?朱元璋想起了黄盖降曹的赤壁之战，觉得可以仿效办理，以诱惑敌人。于是朱找到过去与陈友谅交情甚厚的属将康茂才，问他是否有把握诱陈友谅来攻。康茂才说：“陈友谅胸无大志，缺乏战略眼光，急功近利，可以诱其前来。”于是他修书一封，说自己在朱元璋手下干得很不痛快，出力不少，不得重用，今将军前来进攻，愿投降。并说：自己负责防守建康西边的大桥，是水路攻建康的必经之路，若将军到来，愿献桥投降。陈友谅虽然担心有诈，但认为自己力量雄厚，带大兵前来，即使有诈也不用太担心。结果，他一来就未能回去，被朱元璋所灭。在这个例子中，朱元璋等人就是利用了陈友谅的侥幸心理，故事中的关键词“可以诱其前来”和“愿献桥投降”，深刻地说明了朱元璋如何用尽心计试图利用对方的侥幸心理。

当然，这种试图利用对方理性不足而操纵对方的谋略也可能被对方识破而不能得逞。通常，这种策略性运用“理性”的失败与低估对方的理性有关。三国时候，东吴招亲的故事中，孙权和周瑜就是低估了诸葛亮的理性，结果被诸葛亮将计就计，赔了夫人又折兵。

总之，“理性”本身可能就是现实中人们进行博弈时的一个可操纵策略变量。但是，博弈理论在这一方面并没有多大的进展。在下一章我们还会谈到一些非理性博弈，比如非理性的报复——我们会发现非理性有时也会给参与人带来好处。可能正因为如此，大自然才让人类的演化中保留了非理性吧。

理性的学习与乱世出英雄

在经典的博弈论中，对人的理性假定非常高也非常不现实。但是，即便如此，经典博弈论所推测的结果并非不符合现实。恰恰相反，正如以研究制度演进而闻名的P.Young教授曾表明这样一个观点：即使人们没有充分的理性，但是从长期来看他们的做法却跟基于高度理性的博弈论所推测的结果一样。人是会学习的，理性不足的人，要么在竞争中被淘汰，要么他们逐渐通过学习和模仿理性的行为而变得更加精明。因此，在长期中我们见到的结果，将与高度理性的博弈结果相当一致。

这似乎是比较现实的情况。不过，最终结果与高度理性结果一致，并不意味着学习过程也呈现出理性的结果。学习的过程，也是一个不善于学习者被淘汰的过程。由于世界不断在进化，而每个人的学习能力各有差异，所以高度理性的结果实际上只是一个发展的趋势，并不是一个固定的状态。而我们在高度理性的条件下研究博弈的均衡，实际上类似于经济学原理中研究市场的均衡一样——市场中，现实的价格达到均衡价格（与均衡价格重合）是偶然的，达不到是必然的，但是均衡价格代表了一种趋势。尽管市场始终处于动态调整过程，导致现实的价格时高时低，但是它始终有靠近均衡价格的趋势。博弈论中的均衡，我想也是这样的，不是说现实中每一个博弈的案例都会取得与均衡一致的结果（因为每个人的理性程度不太一样），但是在大量的观察中我们应当能看到有那么一种趋势，这种趋势正是博弈均衡所揭示的。

这样的理性学习过程也可以解释为什么“乱世出英雄”。在平安的年代，社会的秩序几乎没有变化，或者变化非常缓慢，每个人都有足够的能力去跟上这种微小的变化，因此在博弈中理性会维持在比较高的状态，而在社会这个大博弈中的某些更聪明的参与人也并没有太大的机会去利用其他不太聪明的参与人的理性不足而获得极大的好处。而所谓的乱世，其外部条件常常是剧烈变化，是风云变幻莫测的时代。这种剧烈的变化破坏了人们既有的生活秩序，并且使得人们不得不学习新的策略（这实际上是人类策略理性的进化过程），有些更善于学习的人可能更早地完成了策略理性的进化，而另一些学习缓慢的个体仍处于进化过程之中，那么这种巨大的策略理性差异就使得已完成进化的那些人探测到可以利用另一些人的理性不足而获利的机会。于是，这些先完成策略进化的人将在对那些尚在进化中的人的策略操纵中脱颖而出，成为“英雄”。

上述思想在生活中的确可以找到很多的例证。一个比较典型的例子是中国股市的坐庄行为。

故事模型

在股市的早期发展和最火热的全民炒股时期，其实大多数股民并不具有操作股票的技能和知识，他们的行为有太多的不理性成分。于是一些精通股市运作的大户，他们常常坐庄，先通过打压某支股票价格以低价吸纳大量的股票（比如30%或更高），然后再将股票价格哄抬高，并用一个相对比较长的时间慢慢出货（他不能立即全部卖出是因为大量的卖出会导致股票价格急剧下跌）。当货出得差不多的时候（比如还剩下10%），他又如法炮制打压股票价格，然后重复先前的故事。中国股市的散户，几乎没有人真正赚到了钱。他们的钱都被庄家用这样的"吸血大法"给吸走了。但是，当中国股市进化到现在，我们发现即使是散户也变得相当精明了（实际上，未能在学习中变得精明的股民早已被淘汰出市场），一般来说大户想再坐庄也不那么容易了——因为那些散户也知道大股东会这样圈钱，所以他们也会提高警惕。

这就是中国股市和中国股民的进化过程。这两年股票市场一直不太景气，很多研究者提出了各种各样的假说来解释，而我的看法是，这种结果的产生正是在中国股市不规范的情况下投资者理性的反应。那么，有读者会问，以前股市也不规范，怎么那么热啊？答案是，那是非理性的繁荣，是虚假的繁荣。

友情提示

- 在博弈局势中，我们应站在将来的立场上思考现在的行动选择。
- 一个人威胁在将来要对你进行制裁，但是在将来这个制裁其实并不符合他的利益，那么你不应相信他的威胁。
- 现实中不同人的策略理性程度并不一样，这使得现实中的策略博弈结果有可能（暂时）偏离均衡路径。但是，从长期来看，理性不足的人们之行为后果与高度理性的人们之行为后果是一致的。因为人们会学习，其策略会进化。

8 威胁、承诺与报复

行胜于言！

——中国谚语

辱骂和恐吓绝不是战斗。

——鲁迅（中国现实批判主义文学家）

在一次博弈论课上，我对学生们说："你们每个人需要给我10元钱，否则我就要去自杀。"学生们哄堂大笑，因为他们觉得我在开玩笑。我的威胁是不可置信的。如果我真要以自杀威胁来讹诈学生的钱财，我该怎么做才能成功？那我可不能简单地口头说说而已。博弈论中是否相信一个人不是看他说了什么，而是看他做了什么——行胜于言。我应该爬到高高的教学楼顶，翻到栏杆外，站在危险的边缘，然后再提出每人给我10元钱。我相信，这时候（至少是大部分）学生们会乖乖地掏出10元钱来。因为我的威胁变得可信了——我现在随时有生命危险。

在博弈中，威胁、承诺，还包括报复，都是惯用伎俩，这些内容也是本章要探讨的主题。大家会发现，博弈论思维的确有助于我们洞悉某些局势中的不可置信的威胁、不可置信的承诺等。

威胁和承诺

市场进入与空洞威胁

在生活中，人们惯用威胁和恐吓来达到自己的目的。但是，理性的参与人会发现某些博弈中威胁是不可置信的，即塞尔顿（Selton，1994年经济学诺贝尔奖得主）所谓的“空洞威胁”(empty threat)。威胁不可置信的一个重要原因是：将威胁所声称的策略付诸实践对于威胁者本人来说比实施非威胁声称的策略更不利。既然如此，我们就没有理由相信威胁者会选择其威胁所声称的策略。

比如有一个垄断市场，惟一的垄断者独占市场每年可获得100万的利润。现在有一个新的企业准备进入这个市场，如果垄断者对进入者采取打击政策，那么进入者就将每年亏损10万元，同时垄断者的利润也下降为30万元；如果垄断者对进入者实行默认政策，那么进入者和垄断者将各自得到50万元利润。现在，为了防止进入者进入，在位的垄断企业宣称：如果进入者进入，那么它就会选择打击政策。

但是，如果读者把这个市场进入博弈的博弈树画出来，再用逆向归纳方法求出均衡路径，你会发现什么？

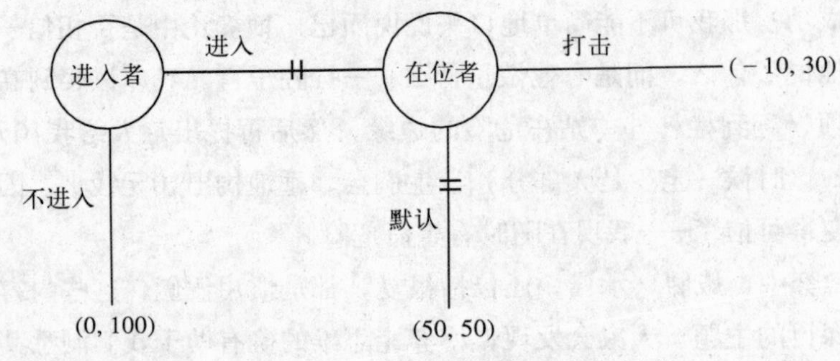

图8-1　市场进入博弈中的空洞威胁

我们会发现均衡路径是进入者进入，而在位者默认。在位者的威胁将是不可置信的，因为给定进入者真的进入了，在位者选择默认而不是打击将更符合其利益，所以在位者宣称要实施打击，也只是说说而已。

实际上，在很多时候，威胁都是不可置信的，尤其是口头的威胁。比如在第7章的私奔博弈中，卓文君的父亲以脱离父女关系威胁文君与司马相如分手也是一个空洞威胁的例子。

在家庭里，也经常出现不可置信的威胁。因为家庭的成员彼此利害相关，惩罚一个家庭成员也会给惩罚者带来负效用，结果就使得惩罚常常并不是很可信。父亲常常会恐吓在墙壁上乱画的孩子，说如果孩子继续乱写乱画就把他耳朵割掉。但是聪明的孩子对此毫不理会，因为他知道父亲不会割掉他的耳朵。是的，父亲怎么可能会割掉他的耳朵呢，这样做对父亲本身来说也是非常不利的事情啊。

在公司里，员工常常会策略性地提出加薪，而威胁老板加薪的一个常见版本就是“如果不给我加薪，那我就将离职”。问题是，老板会不会理睬员工的威胁呢？一个显然的事实是，老板可不像小孩那样缺乏理性。如果员工并没有其他的去处，老板就不会理睬员工的加薪要求。只有老板相信员工会离去，并且他觉得多花点钱留住员工是值得的时候，他才会给员工加薪。

在师生之间，有时也会存在不可置信的威胁。教师为了让学生更加努力学习，有时会故意夸大命题和阅卷的严格程度。但是，学生很清楚的问题是教师不可能让大面积的学生不及格，所以他们就不会理会试题的难度。如果他们预计95%的学生会及格，那么他们就只需要让自己进入那95%就行了，并不会担心绝对分数是否会达到60分。如果教师真的想通过考试压力来迫使学生努力学习，那么他应当公布更低的相对及格标准，比如无论

考多少分，都只有70%的同学才算作及格。但是，几乎没有老师会这样公布，因为如果他真的公布了这样一个过低的相对及格率，那么学生会向校方投诉教师强行规定了不合理的及格率。

孔子背盟与空口承诺

与空洞威胁一样，有时候博弈中的承诺也是不可相信的，这样的承诺被称为空口承诺。空口承诺之所以难以令人相信，是因为它太廉价，人们没有理由去相信。尤其是，如果一个空口的承诺本身不符合承诺者的利益，那我们就不应指望他会遵守承诺。因为，背叛是人的天性，从亚当和夏娃开始，人类就学会了背叛。

故事模型

中国的“圣人”孔子，曾经生活在陈国，后来离开陈国时途经蒲地，正好遇到公叔氏在蒲地叛乱，蒲地人将孔子扣留起来，不允许其离开。在孔子的请求下，他们提出条件：假如孔子不去卫国，他们就让孔子离开。孔子对天发誓不会去卫国，于是他们放了孔子。结果，一出东门，孔子就直奔卫国而去。到了卫国后，子贡问孔子：“誓言可以背叛吗？”孔子说：“被迫立下的誓言，神灵是不会听的。”圣人都可以背叛空口承诺，何况凡夫俗子。

廉价的口头承诺是不可置信的，博弈论讲究的就是看一个人的实际行动。这是一个基本的原则，这个原则在生活中是广泛适用的。比如一个男孩子对一个女孩子许诺会爱她一生一世，如果女孩子就这样相信了他的话，那就太不理性了。因为，说一句爱是非常容易的事，仅仅是嘴里说出的誓言是非常廉价的。如果男孩子更愿意在女孩身上花钱，更多地花费精力关心女孩子，那么他的承诺就更为可信，因为他为他的承诺付出了代价。

又如以色列和巴勒斯坦的国家纷争，长达数十年的矛盾积怨一直难以化解，看不到和平的曙光，一个重要原因就是双方都无法给对方一个坚实的承诺。巴勒斯坦“土地换和平”的承诺实际上是非常廉价的。因为，如果以色列从占领的领土撤走，而巴勒斯坦仍然可以继续从事恐怖活动。如果要“土地换和平”成为一个可置信的承诺，那么可能需要巴勒斯坦拿出更大的诚意使其承诺具有更坚实的基础，比如停止恐怖袭击并保持足够长的时间来证明不会再搞恐怖袭击。

在国家宏观经济政策中，承诺的不可置信有时也会成为一个大问题。譬如，一般地，如果实际的通货膨胀能略微超越老百姓的预期，对经济的成长会有一定的刺激作用；但是，如果老百姓预期的通货膨胀超过实际通过膨胀，或者与实际的通胀一样，那么通胀政策就不会有什么好处，还不如实施一个零通胀政策。当然，政府可以宣布实施零通胀政策，问题是政府的零通胀承诺是很不可靠的，因为一旦老百姓相信零通胀政策，那么政府搞一点通胀将更能刺激经济，于是政府就会有动力搞一点通货膨胀。政府的承诺是不可置信的。这样的问题，被称做宏观经济政策中的动态不一致性问题[⊖]。简单地说，就是政府事先宣布的某项政策，一旦被人们相信，则政府就有动力改变这项政策。为了克服这种时间上的动态不一致性问题，一种方式就是政府按照老百姓的预期设置通胀率，使得政府的政策本身处于纳什均衡状态；要么也可以通过立法来确定零通胀政策——法律对零通胀政策给予了坚实的承诺，因为政府也不能违法。

生活中不可置信的威胁

不可置信的威胁的产生，是因为威胁者选择其威胁所宣称的行动时，

⊖ 宏观经济政策的动态不一致性问题的研究最早是由Kydland和Prescott两位经济学家做出的，这也是他们获得2004年诺贝尔经济学奖的重要贡献之一。

对其自己并没有好处，因此威胁不可置信。这里，对自己并没有好处应当做一个稍宽泛的理解，有时候它可能并不是表示对自己伤害几多，而是因为实施该行动的成本太高而使之无法实施。无法实施的威胁行动，自然就是不可置信的威胁。

这一观念可以解释生活中的诸多现象。

譬如，两个国家之间没有犯罪引渡条约，一个罪犯若在一国犯罪而又能成功潜逃到另一国，那么尽管前一个国家有明文的法律制裁规定，但是它对罪犯将没有太大的约束力。对于罪犯来说，那只是一个不可置信的威胁，他可以成功地逃避惩罚。这可能就是劫机之类的犯罪更多地发生在缺乏引渡条约国家之间的原因。如果存在引渡，那么惩罚威胁将是可信的。

这样的道理也适用于贪污犯的外逃。由于有外逃的路线，因此法律惩罚的可信性大打折扣。贪污的行为并不会因法律如何严厉的规定而有所收敛。显然，法律惩罚要成为可置信的威胁，关键不在于是否严厉地规定，而在于是否严厉地执行。

抛开国家层面，在微观的经济单元比如企业中，一样存在着大量的不可置信的威胁成为企业经营中的麻烦。众所周知，家族企业很难制度化管理，为何？原因也在于不可置信的威胁。公司对待违反制度和纪律的员工，常常以处分、开除为威胁，重者触犯法律还可能遭到起诉。但是，对于公司中的家族成员，这些威胁似乎都是不可信的——开除家族成员，既然家族成员有限则势必引入外人来经营企业，信任度低了；当家族成员侵犯了公司的权益时，公司也并不会真的起诉，因为公司中的领袖并不愿把家族成员推上法庭。因此，在家族企业中，更多是靠血亲文化而不是靠制度来维系其运转的。因为制度所规定的惩罚是不可置信的，因此制度就没有威力。

家庭中管教孩子是父母深为头疼的。因为对孩子没有什么可置信的威胁。不给他饭吃？不给他衣穿？不让他上学？这些都只是说说而已。即便家长威胁要揍孩子一顿，甚至他真的揍了孩子，可是这揍一顿又管什么用呢？狡猾的孩子知道你不可能让他真的伤筋动骨。是的，哪个家长会为了使得对孩子的威胁可信就把他打个半死呢。所以，有时我在想，一切体罚孩子的教育方法，其实都并不是好的策略。那怎么教育孩子？可能还是得讲道理，让孩子懂得羞耻和内疚，降低他对于一些不听话行为的主观“赢利”（payoffs），这样来改变其行为。

MBA学员的录取中同样有不可置信的威胁。尽管大学的商学院常常是按照招生计划的一定比例（如1∶1.2）来确定面试人选，即应有20%左右的面试参加者将不被录取。这样的压力之下，理应是大家为面试充分准备，激烈竞争。但实际上，似乎并没有准MBA学员将这当回事。原因是，MBA高额的学费是大学商学院的高额收入。少录取一名学员，就损失数万元的收入（要知道，这是净收入，因为无论增加不增加这名学员，学校的成本都是一样的）。结果，面试淘汰就是不可置信的威胁。相反的结果是，大学总会争取到更多的名额将参加面试的学员一网打尽。

通过承诺行动使威胁变得可信

为了使威胁变得可信，人们可以采取承诺行动。承诺行动的基本思想是通过限制自己的某些策略选择，从而使得其选择特定策略的宣称或意图变得可信。或者说，承诺行动是局中人通过减少自己在博弈中的可选行动来迫使对手选择自己所希望的行动。其中的道理在于：既然对方的最优反应行动依赖于我的行动，那么限制我自己的某些行动实际上也就限制了对方采取某些行动。如果某些承诺行动只是增加了选择某些行动的成本，而不是使该行动完全不可能被选取，则被称为不完全承诺。

虽然语言也可以作为一种承诺，但我们这里讲的承诺行动更注重要落实在“行动”上。“行胜于言”是博弈论的基本教条。一个人嘴巴上可以说得天花乱坠，而理性的人却只看他的行动。

回顾图8-1的空洞威胁博弈，假设在位的垄断企业事前扩大生产能力造成过剩生产能力（这可以降低它打击进入者的成本），而每年对这些过剩生产能力的维护费用为30万，那么这项投资使得其每年的垄断利润从100万下降到70万；但是，如果进入者进入，在位者实施打击的成本降低了，即使扣除过剩生产能力的维护费用也可获得利润30万；如果进入者进入而在位者默认，那么在位者的利润为50万－30万＝20万。从而，博弈变化成图8-2。

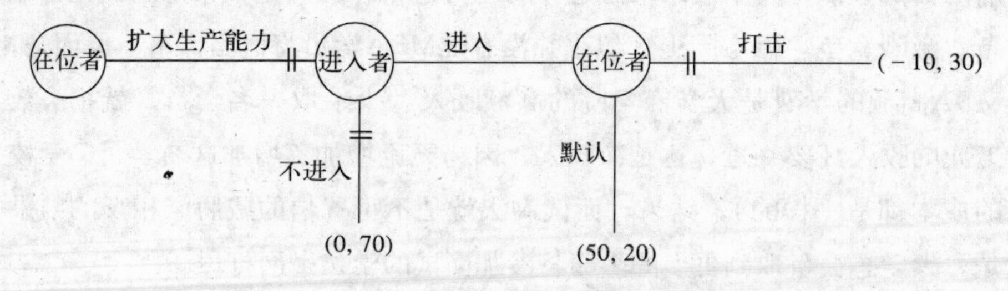

图8-2　市场进入博弈中的承诺行动

图8-2中，打击的威胁变得可信了。因为，如果进入者进入的话，在位者实施打击得到30万的利润比选择默认得到20万要好。而正是由于打击威胁可以置信，因此进入者就不会进入，从而在位者将得到70万的利润。与不扩大生产能力而进入者进入，在位者默认而只能得到50万利润的情况比较，扩大生产能力虽然带来每年30万的维护费用，但这样做仍然是值得的。

当然，企业也可以用其他的方式来承诺一定采用打击政策。比如，它可以召开一个新闻发布会，对社会公开宣称自己的打击意图。尤其是有声望的大企业使用这一招常常是有效果的。因为有声望的大企业言出必行，如果它将来不这样做就会损害企业的声誉。这相当于企业主动切断了“沉默”的道路而无路可退，只有打击。

或者，企业也可以用一个赌博合同来阻止对手进入。比如，在位的垄断企业跟另外一个第三方订立赌约：“如果进入者进入而我不打击，那么我就输给你50万。”在这样的一个赌约下，当进入者进入而在位者默认，虽然获得利润50万，但支付赌注50万出去，净所得为0，还不如打击得到利润30万而不需支付赌注。所以打击威胁也就变得可信了。有意思的是，企业并不会真的付出这50万的赌注，因为打击威胁可信时进入者就会选择不进入，从而在位者并不需要付出这50万却得到了垄断利润100万，赌约成立的条件也不会发生。这正是博弈中的一个有意思的地方，很多现实的博弈结果，常常是受到那些从未发生的事件所左右的。

历史与现实中的威胁与承诺

爱的承诺

很早之前，曾经读到一篇短小的文章。

故事模型

有一位小伙子在给心爱的姑娘的信中写道：“爱你爱得如此之深，以至愿为你赴汤蹈火；我是那么地想见到你，任凭艰难险阻也挡不住我的脚步。本周六如不下雨，我一定来找你！”

这个女孩子能相信这个男青年的誓言吗？“我会爱你一生一世”这句话，太容易说了。一个三岁的小孩儿，你都可以一分钟内教会他说这句话。

因此，这样的承诺，难以置信。

那么，如何才可以让你对她的爱是可以置信的？为了表明你的心迹，你需要付出代价。而且代价越沉重，才能表明你越爱她。不过，这代价并不一定是金钱，因为金钱对于某些人来说也是廉价的。一个百万富翁为一个女孩子一掷千金，为另一个女孩子则不惜生意代价付出大量时间来陪伴她，你说他更爱哪一个女孩子呢？

在高度情感化的领域，人们的博弈依然充满了理性。为什么婚前要送昂贵的彩礼？为什么要举行高档的婚宴？过去，人们习惯于批评这是讲排场，面子风光。而在博弈论看来，这是一种承诺行动。昂贵的彩礼和高档的婚宴一方面表明了愿意为对方做出牺牲，另一方面实际上也是向外界传递了他们把这段感情看得有多重的信号，而排斥了潜在的婚姻竞争者，从而限制了自己的选择以承诺对爱情的忠贞。或者可以这样理解，男青年高额下聘，实际上使得其财富减少不可能再去找另外一个婚姻对象，这就是典型的承诺行动了。可能有些人会不赞同这样的看法，但是如果我们把婚姻看做是婚姻市场上交易的产品，那么下聘礼与其他产品市场交易中的交纳订金或抵押物在本质上其实并无不同，都是承诺而已。

同样的道理，为什么恋人会乐于把彼此介绍给自己的父母亲朋？这也是一种承诺。一个人将恋人介绍给自己的父母亲朋时，实际上就对自己再选择其他的婚恋对象做出了限制。这样的一种放弃潜在婚恋机会的做法是向对方做出了一种感情上的承诺。的确，如果你谈了很久的恋人一直拒绝让你进入他的家人和朋友圈子，这只能说明他的感情仍是游弋不定的。

商业中的承诺

商业界的承诺更多。刚才讲到的订金、抵押物都是常见的承诺行动。先发制人使市场达到饱和也是一种承诺行动。为了防止竞争者的进入，在位的企业可以通过过度的投资和生产来占据市场，尽管这会使得其利润下降，但是比竞争者进入的状况要好，那么企业就可能采取提前使市场饱和的策略来阻止竞争者进入。

生产耐用消费品的企业常常推出最惠条款，这也是一种承诺。耐用消费品因其使用时限较长，生产耐用品的企业会经常被“降价预期”所困扰：如果消费者预期企业将降价，他们便会等待，结果，企业只能降价。比如国内汽车行业，入世之后大家认为汽车必然降价，结果就持币待购，汽车就真的只有降价（当然，这里只是说汽车价格受到了价格预期的影响，并不是说降价完全来自预期。汽车价格下降原因并不止此）。而最惠条款则可以起到承诺的作用：企业不会降价了。

企业的所有权也是一种承诺。大家都知道，企业实际上是资本和人力资本的合约，或者说是资本和劳动缔结的合约。但是为什么企业中是资本雇用劳动而不是劳动雇用资本呢？一种可行的解释在于，资本所有者的承诺比人力资本所有者的承诺更值得信赖，更不易采取机会主义行为。如果非人力资本所有者不能兑现自己的承诺，其他人可以将他的资本拿走，甚至以毁灭相威胁。对比之下，如果人力资本所有者违约，其他人对他实在没有什么好办法。常言道“跑了和尚跑不了庙”，没庙的和尚谁能信任他？而资本所有者投入资本就是修建了一座庙，以此承诺获取信任。

政府的烦恼

名画家在生前常常是穷困的，死后其画价比天高，为何？究其原因，可能在于画家没有一种承诺机制。众所周知，名画的价值取决于画的数量。人们当然可以高价买下画家的一幅画，但是谁能保证画家不会重新画一幅一样的画呢？这很可能就是为什么画家死后画才值钱的原因。

政府也有相同的烦恼。当吸引到投资者后，政府多征税对政府利益是有好处的。但是，投资者知道进入后会被政府严厉征税，因此它就不来投资了。政府为了招引投资，必须要有一个坚实的承诺机制，比如通过法令规定的形式对投资者进行税收减免。

政府在执法问题上也遭遇到承诺问题。为什么法不容情？因为一旦法律没有得到严厉的执行，那么法律本身就会失去威力。同样，一个太讲人情的政府很难获得人民的信任；如果朝令夕改，也容易导致人民认为政府善变而无法相信它。

写到这里，可能大家也会很容易明白，为什么经济学中一直强调政府应是一个有限的法治政府。因为只有对政府行为进行限制，个人的基本权利才不至受其他人（包括官员）的侵犯。如果政府实施人治，官员的自由裁量权过大，可以为所欲为，则政府将缺乏威信，其本身也会受到损害。

截断退路，背水一战

在生活中，人们常常讲凡事要留有余地。所谓余地，就是为自己准备几条退路。

然而承诺行动的精髓在于：切断退路、不留余地反而是更好的。截断退路常常表示了战斗到底的决心，对敌人反而是一个有力的震慑。

比如说，你与另外一个人进行第5章图5-6的懦夫博弈，该博弈中有两个均衡：如果你一意向前，对方最好转向；或者对方一意向前，你最好转向。但是，可以想像，如果你一开始就截断“转向”的退路，比如说把方向盘扔掉，并且让对方发现你已没有方向盘的事实，博弈的结果会是什么则可想而知。

在军事斗争的历史上，截断退路而获得胜利的例子就更多了。“哀兵必胜”、“置之死地而后生”是截断退路获胜思想的同义词。如果一个军队尚可撤退，就不会全力作战；无路可退则只有拼死一搏。

故事模型

“破釜沉舟”是截断退路的典型例子。当时在巨鹿，秦军众多而项羽义军人寡，项羽破釜沉舟、背水一战，大败秦军，留下了后世传诵的一个经典战例。

在《三国演义》第110回也记载了一个背水一战的典型例子：姜维引兵征，兵魏，魏将王经人多而姜维人寡。王经企图恃众将姜维逼退，以使覆没于洮水之中。姜维率军往洮西而退，待退到洮水岸边，对众将士大呼道：“形势如此急迫，诸将何不努力!”众将听姜维一呼，见后退无路，便掉头奋力杀向魏军。王经支持不住，被打得大败。

南宋名将韩世忠也曾自断归路而取得战争的胜利。韩世忠曾奉命率所部人马去征讨叛将李复。韩军人马不足1 000人，而叛军却有数万人。面对敌众我寡的形势，韩世忠依然从容不迫。当部队追到临淄河时，韩世忠命军士分作四队，布设铁蒺藜自塞归路，告示全军：进则胜，退则死，逃者命后队剿杀。于是全军上下视死如归，拼命冲杀，没有一个回头看的，终于大破叛军，李复也被乱军杀死。

在商业领域，自断归路的做法也很常见。在食品中加入防腐剂以保持新鲜是许多食品工厂的惯常做法，美国亨利食品加工有限公司也这样做过。但实际上微量的防腐剂长期食用也对人体有害。该公司公布了这一事实，并宣布不再生产有防腐剂的食品。它的这种做法把自己置于行业的对立面，遭到了行业内各个公司的攻击，产品在市场上节节败退；但它坚持初衷，树立了诚实企业的良好形象。就在它近乎破产时，政府的权威部门支持了它的观点和做法。于是，顾客就放心地食用亨利公司的产品。公司在很短

的时期内就恢复了元气，一度滞销的产品成为热门货。公司趁机扩大生产，在美国食品加工工业中拔得头筹。

在现实生活中，截断退路也会被策略性地运用以加强威胁的可信性。譬如员工要求老板加薪的例子，即使你对老板有更高的价值，值得他为你加薪，但是你只是口头嚷嚷要求加薪，他完全不会理会你的要求。那么怎么使他相信你离职的威胁是真的呢？一个可以运用的策略就是你把你的意图告诉公司的每一个人，因为大家都知道不给你加薪你就会离开，所以你没有了退路：如果不加薪你就只有真的离开，否则你留下来但是没人会把你下一次的威胁当真。老板也清楚这一点，所以他开始相信，如果不加薪你大概会真的离开。不过，这样的做法有点擦枪走火的危险——你必须清楚地知道你对公司的价值确实超过了你的薪酬，这样做才会使老板挽留你；但是如果你的判断稍有失误，比如老板认为你的价值与你现在的薪酬正好相当，那么他将不会挽留，而你这种做法的结果最终是与老板分道扬镳。所以，在实施这样的策略的时候，必须摸清楚老板的底线。

员工有时候也会通过策略性搜寻行为来谋求加薪。所谓策略性搜寻行为，就是说员工本来并不想离开企业，但是他却积极地做出一副要离开企业的样子，不断地表现出从其他企业接到面试邀请之类。聪明的老板应该知道，做出要跳槽的样子和真正想跳槽是不同的两回事。那么，从老板的角度，有没有可以打击员工策略性要求加薪的行为呢？当然有。老板可以实施一个承诺机制截断自己的退路，那就是“无出价竞赛”政策：如果你要走就走，我绝不挽留。这样的一个政策使得老板不能够再为那些以离职为要挟的员工进行加薪，但同时也就使得员工失去了策略性搜寻行为的动机，因为这样做得不到好处。事实上，无出价政策在大多数时候可能确实是老板对付策略性加薪要求的良策，因为不想离开的员工不加薪也不会离开；想离开的员工常常并不是些许薪水的增加就可以留下来的。尤其是在那些非货币报酬比较高的公司，无出价政策将更有价值。

还有一个截断退路的例子是关于法律的。英国古代法律规定，满足海盗勒索要求的居民会受到惩罚。如果海岸的居民只是对海盗说他们不会给钱也许海盗不会相信，但这条法律却断绝了给海盗钱的后路，使他们的话变得可信。那么，海盗得不到好处也就用不着来骚扰海岸居民了。

请坚决地表达自己的主张

在博弈中，你可以向对手宣称你会采取某个策略，这也是一种承诺。如果要使对方更相信你一定会选择你宣称的策略而不是另有所图，那么你就一定要明确地表达出自己的主张。如果你的态度表现得不太明确，那就很可能让对手还幻想着你会采取其他策略，从而你也难以达到自己的目的。尤其是对于关系亲近的对手，一旦你的策略选定，在面对他们要求你采取其他策略的请求时，要善于说不，敢于说不。

关于这一点，我是自己亲身经历之后悟出这个道理的。

故事模型

我曾经在C大学工作8年，那也是我的第一份工作。8年来学校的上上下下对我的评价还不错，因为那时我早已被列为学校的骨干教师，并入选了直辖市的高校骨干教师资助培养计划。但是由于我的爱人在G城念研究生，快要毕业了，她希望留在G城。于是我开始联系G城的一所大学准备去那里工作。

与G城大学联系的一切进展都很顺利。所以，我就对正在供职的学校提出了工作调动的申请。学校上下的领导自然是极力挽留。校长亲自找我谈了一次话，说：你动员你爱人回C城来，学校给她安排工作。当

时我去意已定，何况对方学校的商调函已经发过来。不过，我当时觉得不留余地地说要走可能会有伤校长的心（在我眼中他的确是一位很好的校长，而人们常常不愿去伤害自己尊重的人），所以有点含糊其词地表示可以考虑一下。

然而，后来我发现自己的含糊其词是非常不妥的。因为接下来我一直等待批复调动的消息，但一直没有消息。去问学院的领导和人事部门的领导，他们都说要向校长汇报后才能答复我。我一直以为大概是校长在试图使用拖延的策略。后来学院的副院长又找我谈了一次话，探询我对学校有什么要求要提，比如安排什么职务之类。这时候我才恍然大悟，他们显然是以为我为了爱人调动到G城只是一个借口，真实的目的是为了谋取其他的好处。我也立即明白了自己没有坚决表明态度的后果是他们对我的真实动机产生了误会。于是，我郑重地对副院长讲了我的真实意图，并委托他向校长汇报我的真正动机就是希望能够顺利调离。很快，校长又找我去谈话，当他再次提出挽留条件时，我明确地说："谢谢你的挽留，但是这些挽留都没有必要，我的确是希望调动到G城，没有任何其他的意图；无论如何挽留，我都想要离开。"后来我的调动就顺理成章办成了。

事后我一直在想，与一些熟悉的人，甚至跟自己关系不错的人进行博弈，当你的决定不符合对方利益的时候，一方面他们也可能会尊重你的决定，但他们也总是希望你能采取更有利于他们的决定；另一方面，他们也会想到人们常常不好意思提一些索取利益的要求，那么你虽然口头承诺某个决定而实际上会不会是有着另外的目的呢？如果你对自己承诺要采取的决定表达得不是十分坚决，他们也会面临十分为难的境地。比如，对于我当时供职的大学来说，一方面，学校领导希望我留下来最好；另一方面，他们也不愿伤害我，所以他们必须得清楚地了解到我的真实意图才能做出决定，否则，如果我的真实意图并不是离开而是希望以离开作为要挟来得到其他的好处，那么他们仓促地相信我真的会离开就会给我造成伤害。所以，在这类博弈中，坚决地表达自己的真实意图，避免误解，是非常重要的。

在生活中，与此类似的情况还有很多。比如，你跟朋友相约去吃饭，当朋友问你究竟去哪家餐厅时，你含糊其词，那么朋友就会很难办。因为，他不知道你是不是真的希望去某一家，或者是不是真的喜欢由他来决定去哪一家。所以，这时你应该要么说由你来定，或者完全交给朋友来定；对于朋友提议的餐厅，能不能接受也应该明确表示态度。当然，更经典的情形可能出现在男女求爱的过程中，因为这样的过程中诸多的误会都是由于未能明确表达自己的主张所造成的。一个男孩子爱一个女孩子，或者一个女孩子爱一个男孩子，他/她也许会想方设法向对方传递爱的信息，但是这种信息如果传递得不明确，那么对方就很可能不知道他的真实意图而难以做出决定。所以，如果爱一个人，就应该大胆地、清楚地、明白地说出来，遮遮掩掩不是好的策略。同样，拒绝一个人的求爱也应当清楚明白。如果含含糊糊，就会让对方觉得你正在犹豫，也许他再努力一下就可以了；或者，他会猜测这是不是为“考验”他而玩的游戏。如果你真的不爱他，也希望他不要再自作多情，那么你应当明明白白地打消他的念头。这样对他对你，都是最好的策略。

截断联系和建立联系

拒绝信息，有时候可以强化承诺或威胁的可信性。

回顾第5章图5-4的性别战博弈。我们假设争夺的不是电视频道，而是

外出到运动馆看拳击赛和到歌剧院听歌剧。显然，纳什均衡是夫妻双方都去看拳击赛或者都去听歌剧。但是，丈夫偏爱拳击赛的均衡，而妻子偏爱听歌剧的均衡。如果双方都使用混合策略的话，一个看拳击赛、另一个听歌剧的无效率结果也是可能出现的。这个博弈中，很可能丈夫会在下班前与妻子通过电话商量去哪里。如果他们彼此尊重对方的意见，那当然好办。但是如果有一天，拳击赛的出场对手有丈夫最喜欢的拳王，歌剧院有妻子最崇拜的艺术家，矛盾就可能产生，大家很可能各自坚持自己偏爱的均衡。怎么办？一个办法是，妻子承诺一定要选择去歌剧院。但是，这种承诺很可能不会被丈夫相信，或者遭到丈夫的游说。那怎么可以使妻子去歌剧院的承诺更为可信呢？其实大家在现实中已经常常看到妻子将要采取的策略，通常她会嚷一句"反正我要去歌剧院"，然后"啪"地挂断电话，并且把手机也关上，让丈夫联系不到她，直到歌剧上演前几分钟才开机。

妻子这样做是有道理的，因为她通过截断和丈夫的联系，而明确地表示了自己一定要履行自己的决定。丈夫虽然很想去看拳击比赛，但是既然他不想跟太太分开，也担心太太一个人的安全，他最后不得不满腹委屈地走到歌剧院。

然而，更多的时候，拒绝联系是为了限制不利于自己的信息——因为博弈局势中，拥有更多信息不一定是好事。比如一个又盲又聋的人，他看不到也听不见，和一个正常人狭路相逢，谁会让道呢？答案是显而易见的。盲聋人不知道前面有人，甚至你也没有办法让他知道前面有人，所以他只顾向前；正常人只好回避。在这里，盲聋人因为掌握更少的信息反而获得了好处。

有时候，绑匪劫持人质要求谈判，拒绝与绑匪谈判也可能有好处。汉武帝时，对于绑匪绑架事件的处理方式是一律射杀。当然，这导致了一些人质的牺牲，但是从此绑匪事件就几乎绝迹了。

在随后的三国时代，也曾发生类似的故事。

故事模型

吕布派人诈降混入濮阳曹军大营，劫持了濮阳太守夏侯淳。曹军将领不知所措。这时一个叫韩浩的将军率兵围困了夏侯淳的营房，要求劫犯放出太守夏侯淳。双方形成了对峙局面。劫犯要求韩浩退让，否则杀掉太守。韩浩断然拒绝："我奉命前来处置你们，怎么会因太守一人性命而放尔等。"然后他又对夏侯淳哭道："希望将军原谅，为了国法，就做出牺牲的准备吧。"遂下令攻击。劫匪很快被打败，而夏侯淳也被救。事后，曹操称赞韩浩办得对，并下令今后凡有绑架事件，一律要干掉绑匪，即使是以人质生命为代价。从此以后，曹操的治地再未发生劫持人质的事件。

在1965年，美国有一场监狱暴动，当时的监狱长就拒绝聆听犯人的要求，直到犯人释放所挟持的警察为止。这种拒绝聆听无疑是在告诉对方，自己绝不会让步，也没什么事情好谈。

但是，对于博弈的一方来说，如果拒绝某些信息对自己是好的，那么对于另一方来说则让对方知道这些信息就是好的。为什么这样说？因为一个可置信的威胁，要对对方产生作用，必须是要让对方获悉该威胁是可置信的，否则就没有任何效果。对于威胁者来说，最好是让对方获悉自己的威胁是可信的；而对于被威胁者来说，最好是拒绝接受这些信息。比如，一个国家拥有强大的武力，但是如果它的武力处于秘密状态，那么就不会有国家害怕它，其他的国家也就敢于跟它作对——即使它后来真的打败其他国家，但也是有很大代价的。所以，要保持它武力威胁有效的一种方式

就是大搞武器演示或者军事演习，让对方知道自己力量的强大。

公司的员工总是喜欢让老板看到自己在业内多受重视，又有多少公司在关注他。因为让老板获悉这些信息会使得员工在提加薪的要求时有更多砝码。但是老板常常对这些装作不知，因为老板若不知道这些，员工就难以用这些作为威胁的砝码。当然，公司中的围绕跳槽和加薪的策略性行为是非常之多的。而公司的一个较好策略常常是我们前面提到过的“无出价竞赛”政策：去留随意。

交出控制权

有人说，放弃有时是一种美德，而博弈论一般不考虑人们的美德。它简单地假设每个人都是自私自利的，为个人的利益而奋斗。但是，尽管如此，有时做出放弃对个人的确是有好处的。博弈中承诺的本质就在于放弃(某些可选择的策略)。

交出控制权是博弈中常见的放弃策略。比如你是一个经理，你的员工要求加薪，而你又确实有加薪的权力，那么员工就会想方设法让你相信你不加薪他就会跳槽，结果你要不愿让他离去就只好给他加薪。但是，如果你把加薪的权力交给更上一级的管理者或委员会，那么员工就知道劝说你是无益的，于是他们也就不会向你提出各种加薪的难题。

在谈判中，交出控制权常常也可带来好处。当你到商场买物品，柜员们会告诉你她们最大的权限只能打到8折，超过8折就必须请示经理，等等，这样的说法常常令你只好接受8折的价格。因为，你也不想费神地去找经理谋求多一点的折扣，尽管你知道其实还可以在8折的基础上继续折扣。

在生活中，向别人表明自己没有控制权是经常发生而且有效的借口。有很多学生，考试成绩不理想的时候就会找到教授，希望可以高抬贵手让他们通过。教授当然不想答应他们的要求，因为你放过一个学生，那么马上就会有第二个学生来提出同样的请求。但是，教授要是严词拒绝学生，那么他又很可能遭到学生的嫉恨。怎么办呢？可以由教授小组要求考试完毕之后集体阅卷或交叉阅卷（事实上是不是这样做不关键，关键是要把这个当作一项政策公布出来），那么任何一个被学生请求的教授就总是可以对学生说："我也很想帮你，但无能为力，因为试卷的评阅并不在我这里。"这样既回绝了学生的请求，又让学生觉得你不帮他并不是你不想帮他，而是没有能力帮他。类似的方法，在公司中也有不少的应用。

绑架、声誉与承诺

前面我们一直在表达一种观点：仅仅留于口头的承诺是非常廉价的。但现实中却有一些困境——没有什么其他的行动可以使其承诺变得坚实，或者使其承诺变得坚实的成本很高。这个时候，建立声誉将是增强其承诺可信性的好手段。

比如绑架事件中，绑匪和人质家属之间的博弈是非常微妙的：绑匪要求拿到赎金才愿意释放人质；对于家属来说，如果给出赎金能换回人质的确是不错的结果，但问题是，家属如何能相信绑匪拿到赎金后就会释放人质呢？要知道，绑匪们可都是铤而走险之辈，他们也完全可以在拿到赎金后将人质干掉，让人质家属人财两空。因此，绑匪们说见钱放人的承诺是很廉价的，难以让人们产生足够的信任。

既然家属不相信绑匪，那么是不是可以倒过来解决问题呢？比如，绑匪先释放人质，然后家属按照承诺将赎金交给绑匪。聪明的读者其实马上也会意识到，家属支付赎金的口头承诺是廉价的，绑匪们也不会幼稚得相信人质家属，因为人质家属在取回人质后完全可以不支付赎金，反而报警对付绑匪。

正因为绑匪和家属之间的信任是那么的脆弱，因此撕票的事情在现实

中也确实有所发生。那么如何避免呢?

在现实中，职业绑匪将有动力树立起遵守诺言的“声誉”。他们通过这样的方式告诉人质家属，只要你付钱，我就一定会放人。所以经常出现的情况是，一旦遭遇职业绑匪，家属将愿意先交钱然后绑匪也会放人。撕票的事件其实常常发生于那些非职业绑匪的身上。这其中的原因，仅仅是因为职业绑匪要长期从事这个有“钱”途的职业，所以他们更看重“江湖规矩，一诺千金”。

用绑匪来讨论博弈论，可能会令有些读者不那么喜欢。但是，现实就是如此，比如一些公司企业，实际上也就像一个个的绑匪，他们把持在手中的“人质”是产品质量。消费者好比人质的家属，他们付出钱去买一件产品，但是购买的时候并不知道产品质量的高低（人质的死活）。于是理性的消费者会去选择那些类似于职业绑匪的公司（有些公司花巨大的金钱宣传自己的商标，实际上就是告诉消费者自己是一个“职业绑匪”）并跟他们交易，因为这些公司希望从长期的声誉中获取好处，它们将不愿意为了目前的一点蝇头小利而砸掉自己的招牌。

空洞威胁在什么时候管用

局限于口头的空洞威胁是廉价的，因而也是不可信的。但这不意味着现实中空洞威胁就从来不会产生作用。事实上，对于理性不足的对手，空洞威胁通常也可以起到一定的作用。譬如本章开始提到了不听话的孩子受到其父亲威胁的例子，父亲要求孩子不要在墙上乱画，否则就割掉孩子的耳朵。尽管父亲的威胁本来不可置信，但很多孩子在这样的恐吓下仍然会收敛其行为，他们还是担心父亲真的会割掉他们的耳朵。这其中的原因主要是孩子的理性还不够，所以父亲可以利用其理性不足实施恐吓。

然而，这也说明了空洞的威胁有时还是可以作为一种策略手段加以运用的，尤其是当你的对手并没有足够的理性的时候。

理性不足的好处

理性不足，可能屈服于本来不可置信的威胁。但是，理性不足有时也有好处，因为它可以令一个人的威胁变得更可信。譬如，一个十六七岁的少年还以不吃饭来威胁父母给零用钱，通常并不可行，因为父母知道其威胁不可置信——少年知道不吃饭对自己一点好处也没有。但是，一个3岁的小孩以拒绝吃饭来威胁父母给他买玩具，父母会把他的威胁当真，因为小孩的理性还不足，尽管不吃饭对他不利，但是缺乏理性的他的确有可能将其威胁的策略付诸实践。

同样的道理，一个犯错误的员工要求不给予其处分，否则他就自杀。这样的威胁从不会得到雇主的任何关注，因为它不可置信。但是，一个精神病人，当别人要处分他时，他就可以利用自残威胁，从而处罚者只好放弃对他的惩罚，因为精神病人理性不足，确实会把自残的威胁付诸实践。

有一句俗语叫“大智若愚”，在这里可以获得新的诠释。一个被别人认为理性太高的人，往往会遭遇到不利；而一个愚钝、看起来缺乏理性的人，常常可因其愚钝而获得好处。（傻人有傻福？）因此，真正聪明的人，会把自己打扮成一个看起来愚钝的人，以便在博弈中获得好处。不妨考虑有这样两个村子，一个村子是理性的，当强盗抢走村子的财富时，他们会先计算追捕强盗的成本和收益，再决定是否追捕；另一个村子不太理性，强烈的报复心使他们不惜任何代价要去追捕强盗。结果，理性的村子可能经常被强盗骚扰，而报复心很强、不太理性的村子反而很少受到骚扰。而那个理性的村子要减少强盗的骚扰，一个好办法就是让自己显得也不是那么理性。

报复的作用

报复能力的重要

故事模型

谢林在《冲突的战略》中曾提到一个窃贼的故事：一天，一个持枪的窃贼潜入一所房子行窃，房主听到楼下的响动之后，同样持枪一步步向楼下走来。于是，危机和冲突发生了。不排除一种可能结果是窃贼成功逃逸，双方均没有伤亡和财产损失。但是，也有可能出现这样的结果：主人担心窃贼会先开抢而率先向窃贼射击，致使窃贼身亡；另一种可能的结果是，窃贼担心主人会开枪射击，而首先射杀主人。但是，还有一种通常的形势是双方拔枪对峙，互相探测着对方的意图，谁也没有先开枪。毕竟，主人只是想赶走窃贼而不是要其性命，只要他相信窃贼不会对他下毒手，那么他就没有必要把窃贼推上绝路——要知道，窃贼的行为正好是跟他对主人的意图判断联系在一起的：如果他发现主人试图置其于死地，那么他就会尝试先置主人于死地；而如果他发现主人仅仅是想赶走他，那么他一般就并不会想射杀主人，毕竟盗窃未遂的罪名比杀人抢劫的罪名要轻得多，何况他可以安全离开呢。即便主人想要窃贼的性命，那么他也必须对自己的枪法充满自信（确信可以一枪打死窃贼），他才可能表示出射杀窃贼的意图，否则一旦他表示出这种意图（即使先开枪），那么窃贼也有机会对主人进行报复性射杀。同样的逻辑推理过程也适用于窃贼。

在这样的对峙中，除非一方确有把握一招制敌，否则谁也不想先动——

没有一个人先动，那么危机就不会升级，这对双方都是相对较好的结果。任何一方都很清楚，一旦自己先动而又未能一招制敌，那么随即就会遭到对方的疯狂反扑，危机因此升级。此时不管谁胜谁负，双方的结果其实都比大家不动的状态要糟糕。

在这样的拔枪对峙中，对枪法自信的一方率先开枪的可能性的确是有的，但这对其本人来说实际上增加了危险，因为对方可能也会因为担心他会开枪而率先开枪。相比较而言，如果双方只是手中持刀，那么对峙就更容易形成，因为谁都明白自己难以一刀令对方毙命，只要一方先挥刀，那么结果就是双方都会受伤。还不如在对峙下逐渐缓和，而窃贼慢慢退向门外并逃逸。

在这个例子中，对峙的危机常常并不会演化成血案，原因在于每个局中人都知道对方具有报复能力，从而谁也不愿去加剧危机。正因为如此，所以谢林认为，在博弈中，报复能力常常比攻击能力更重要。因为报复能力所形成的震慑往往约束了局中人，使其不会去采取攻击行为来恶化对峙危机。比如，在幼儿园中，力气大的小朋友可能会欺负力气小的小朋友，但是，如果力气小的小朋友有一个能力更大的哥哥会在他受欺负时为他出头，那么力气大的小朋友实际上就不会去欺负力气小的小朋友，因为他知道这样做无异于找揍。

在影视作品中经常可以看到借助于报复能力来增加谈判筹码的情况。比如两个人，其中叫张三的人掌握叫李四的人的某些不可告人的秘密证据，足以令李四终身入狱。然后张三提出一笔交易，若李四给他100万，他就会销毁证据。然而李四在约见张三时常常会设下圈套，试图杀人灭口。电影中常见的结果是，聪明的张三并不会带去证据，而是把它保管在第三方，并且他告诉李四，如果自己死在他手上，那么秘密证据马上就会出现在警

察局——这就是一种报复力量。因为这种报复威胁的存在，李四将无法处置张三，而只好将钱给张三，让他销毁证据。当然，读者会问，他怎么可以轻信张三会销毁证据而将钱付给张三呢？原因在于，一方面张三要在道上长期混，就有动机实践自己的诺言而保住其在“江湖”的诚信；更重要的是另一方面，李四也会告诉张三，如果张三拿了钱但是又没销毁证据的话，那么他会将张三碎尸万段——这也是一种报复力量。

20世纪后50年最伟大的事件

谢林曾说：“20世纪后50年最伟大的事件就是——有一件事情没有发生。”这件没有发生的事情就是核战争。

不少人认为，军备竞赛加剧了世界上爆发战争的危险。核武器是人类安全的最大威胁。但是，冷战以来及冷战后的世界发展现实表明，核武器的威胁似乎没有人们想像的那么严重。因为拥有核武器的目的并不是用它来先发制人，而是将它作为一种报复威慑力量，只是为了体现国家军事的报复能力。而一个拥有核武器的国家，也正因为其巨大的报复能力而使其他国家不敢对它动之以武。当然，这也告诉我们，博弈中最终的优势不仅来自于策略应用的智慧，更来自于实力。

不过，也正是由于核武器的巨大威慑力，所以各个国家都会试图去拥有这种巨大的报复能力作为保证自己安全的手段。谢林指出，每个国家都将有动力打破不首先拥有核武器的承诺。原因是给定对方遵守承诺，从个体理性出发，自己首先发展核武器的战略利益要高于信守承诺的利益，结果就导致了著名的“囚徒困境”出现：每个人都不遵守承诺，大家陷入无休止的军备竞赛中。我们看到，现实的政治生活正如谢林在40多年前预言的那样，尽管存在各种限制发展核武器的公约和组织，但无论是在目前的朝鲜半岛和伊朗，还是在之前的伊拉克，这种游戏反复出现，甚至成为一些国家发动战争的借口。

从对报复能力的讨论中，我们可以获得的启示是：作为房子的主人，如果我们不仅具有充分的打击报复能力和实力（一旦窃贼行凶，我们可以将其绳之以法），同时向周边的人（包括窃贼）示善，如果足够幸运生活在一个崇尚和平的社会，则窃贼即使闯入房子也将平静地离开。一个人如此，一个国家同样如此；看守一所房子如此，保卫一个国家同样如此。

为什么不宽恕

人们常常在教育孩子时告诉他们要学会宽恕和容忍。因为，当一个人伤害了你的时候，你即便报复了他也并不能消除对你已形成的伤害。如果你还希望两个人的关系能够继续，那么最好是宽恕他。但是，从博弈论的角度来说，这并不是一个好的解决问题的策略，更好的策略应该是不宽恕。

其中的原因，一方面在于宽恕某个对手等于向其他人宣布你的报复威慑是不可置信的，因为你不会采用它；另一方面在于，这个被宽恕的对手在以后就会得寸进尺，可能一直有意无意地、不停地伤害你。为了使你的报复可信，为了使你避免遭受无休止的伤害，因此你应当学会不宽恕。

有许多教授一直被学生认为“心太狠”，因为如果学生没有按时交作业或参加考试，那就铁定不及格了。事实上，绝大多数教授其实是宅心仁厚、宽大为怀的。那么，究竟是什么让教授变得铁石心肠呢？原因在于，聪明的教授知道，如果他原谅了一个迟交作业的学生，那么这个学生下一次作业也可能迟交，而且其他的学生都有可能仿效这个学生，不断编造美丽的借口来获取教授的原谅。既然教授无法区别哪些理由是事实而哪些理由只是借口，所以“概不留情”成为教授避免麻烦的一个最好的策略。

就像我们在一些影片中看到某些心地善良却遇人不淑的女子，她们一次又一次原谅胡作非为的丈夫，希望用真情感动他回心转意，但结果丈夫反而得寸进尺，因为他知道无论如何只要一些花言巧语扮可怜就会获得宽恕。

所以有时候，人们会对伤害选择报复。当别人打你一拳，你若打回一拳，这本身并不能减轻你已挨那一拳的疼痛，而且用力打回一拳通常也得不到快感。那为什么还会回击呢？原因在于，你知道打不还手只会让对手更加猖狂，而选择回击是遏制对方进一步侵犯的方式。

有人曾经主张废除死刑，理由是处死一个杀人犯并不能挽回被害者的性命，即犯罪的后果已经无法事后补救，因此这个杀人犯不必也去死。若是为了这样的理由，我是反对的。死刑对犯罪后果的确于事无补，但作为对犯罪行为的报复力量，至少让那些犯罪的念头会多权衡几次。作为一种震慑力量，它至少在一定程度上遏制了潜在的犯罪。

虽然宽恕是一种美德，但是人们有时采取绝不原谅对其的确是更有利的——当然，这并不绝对如此，因为有时绝不原谅也有麻烦的时候。比如说：××大学对博士生教育的规定是：凡是有一门学位课不及格就自动退学。很多人认为这样的规定太过分，而且对学生的压力也太大了。但事实是，学生的压力反而轻了，因为不及格足以让学生退学，所以教师在评判时通常就更为宽松。相反，倒是那些允许补考的学校，看来规定宽松，但教师评判正考成绩时往往并不留情。

所以，有些时候宽大为怀不一定好，有些时候毫无回旋余地也不见得佳。这就是奇奇妙妙的人类互动世界。

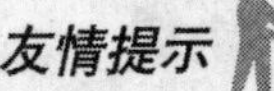

友情提示

- 博弈中，威胁和承诺是否可信，不应听对手说了什么，而应看他做了什么。
- 如果对手采取威胁所声称的策略对其本人不利，那么他的威胁是不可置信的。
- 通过限制自己的某些可选择行动来做出承诺，可以使一个人的威胁变得可信。
- 不留退路，背水一战，往往显示出一个人战斗的决心，因而其战斗威胁是可信的。
- 如果你承诺使用某个策略，那么应当坚决地将自己的主张表达出来，否则就可能令别人仍心存怀疑。
- 威胁产生作用的前提是对方知道你的实力。因此传递己方实力的信息有利于强化威胁；同样，拒绝威胁方的信息也可以使对方的威胁失效。
- 适当地交出控制权可以获得好处。
- 空洞威胁只在对方不具有理性的时候才可能有用。反过来，不具有理性的一方提出的空洞威胁常常也是可以置信的。
- 报复能力很重要。博弈的结果常常不取决于当期力量的对比，而与潜在的报复能力密切相关。

9

谈判

让我们从头做起，双方都牢记，礼貌并不标志虚弱，诚挚总要经受考验。让我们永远不会因为惧怕而谈判，但永远不要惧怕谈判。

——约翰·肯尼迪（美国总统）

狗急跳墙。

——中国谚语

小耗子逼急了，也会鼓起勇气回头咬你一口。

——艾德拉·温森特·米雷(美国女诗人)

基督教新教宗派之一的贵格会，在聚会中遇到分歧和争议时有一个传统的做法，那就是宣布静默一段时间。如果分歧依然存在，执事就把问题推迟到下一次或以后的集会再作讨论。如此一而再、再而三，可以无限期地推迟下去，直到问题最终获得解决。忍耐避免了直接的冲突，终究取得了结果。

在人类的谈判和争议解决过程中，耐心无疑是重要的。一个人涉世的岁月教会了他如何去忍耐，这就是年老的长者比一怒之下便贸然行事的青

年更善于谈判、更善于解决争议的原因。谈判，是一门需要长期修炼的人生艺术。当然，它也同样包含策略技巧和科学的成分。谈判的艺术需要个人在岁月的历炼中自己慢慢感悟，而策略技巧的内容却是可以通过学习来掌握的——这正是本章的主题。

生活中的谈判

随处可见的谈判

所谓谈判，是指双方或更多方关于可能达成合作的条件所展开的协商或者讨价还价。只要人们存在着利益分割上的冲突，那么为了协调各方的行为就需要进行谈判。当然，有时这种谈判是富有成果的——合作真的达成了；而有时谈判破裂了，大家不欢而散，导致冲突加剧。

在现实生活中，谈判的现象和例子随处可见。每天我们都在报纸、电视、网络等媒体上，看到各种各样的有关于谈判的新闻：在联合国或在许多国家，一些政治人物在为调停那些“小规模战争”而斡旋；国家领袖会见某国政要签署什么样的协议；某大公司与另一大公司的谈判还在艰巨地进行；某老街区的居民正为争取更高的拆迁补偿而聚众向政府施压；某影视明星正与经纪公司发生矛盾……当然，每天被报道出来的谈判实际上不足现实生活中谈判事件的万万分之一。因为，每天还有许多人因为购买物品而与商场的店员讨价还价，还有很多商人在为了达成商业合作而努力，还有许多为了维护自己权益的劳工在与雇主交涉，还有很多家庭的成员为了确定在哪里吃晚餐而互相沟通……甚至还有很多男孩和女孩正在就他们的恋爱进行着艰辛的谈判之旅。

不可否认，谈判是一门艺术，而且有许多的细节因素影响着谈判的成

效——在有些谈判领域尤其如此，譬如一个女孩子不喜欢一个男孩子，常常并非因为这个男孩子在大是大非的问题上态度如何，而可能仅仅是因为这个男孩子某些细微的举动让女孩子反感。这些小过失常常成了婚姻谈判中很大的阻碍。同样，即便是大国之间的谈判，气氛异常紧张时安排一次轻松的休息，往往也可能对促进谈判达成一致意见有很积极的作用。但是，对于究竟如何进行谈判而言，目前的状况仍与谈判研究专家杰勒德 I. 尼尔伯格所说的一样："迄今为止，还没有一种普遍的理论可用于指导一个人的日常谈判活动。就像了解男女谈情说爱一样——吃一堑才长一智，我们不得不一再以同样的方法去学习谈判。一个人自称有30年的谈判经验，也许只是30年来年年都犯同样的错误罢了。"

尽管如此，我们并没有理由认为谈判的前途是悲观的。毕竟，大量成功的谈判让我们相信合作是可以达成的。并且，除了艺术的成分之外，谈判也确有一些科学和策略技巧的成分。掌握谈判的策略技巧，无疑将可以使人们更从容地面对即将到来的谈判局面。接下来，我们将考察博弈论对于谈判策略的考察，并提示某些可以改善个人在谈判中处境的策略技巧。谈判问题一直是博弈论重点研究的一个专题，相关的研究成果也很多，而具体怎么给这些谈判问题分类就是一个麻烦。我对付这个麻烦的策略是，不去理会那些分类原则，而直接以问题导向来介绍相关的策略思想。这样做，其中的各问题之间也许没有很强的逻辑联系，但是每个问题无疑都刻画了谈判问题的某个重要方面。

简单的利益分割谈判

谈判之所以发生，是为了通过协调人们的行为来达成合作以便分享合作的利益。谈判成败的关键，则在于能否在利益分割上达成一致意见。许多合作不能达成，绝不是因为人们天性不愿合作，而是因为合作利益的分割比例不能被各方认同。

基于这样的认识，我们可以将谈判问题等同于利益分割问题。一种最简单的利益分割问题是，将一个蛋糕在两个人之间进行分配。如果两个人有同等的谈判能力，那么蛋糕将如何分配呢？

首先我们假设如果谈判不能达成，那么就不会有合作利益出现。在分蛋糕的例子中，可以假设，如果双方要求的分割比例之和超出1时（谈判将达不成一致意见），则他们任何人都不允许获得蛋糕，如果他们的分割比例之和小于或等于1（可以达成一致意见），那么他们都将得到自己所提议的比例。

这样的博弈中，显然两个人会发现任何使得双方要求的比例之和小于1的策略都是劣等的，不如使双方要求的比例总和刚好为1。所以，他们的最优分配方法是分给一个人x比例的蛋糕，分给另一个人$1-x$比例的蛋糕。由于x可以取0~1之间的任何数，因此此处的均衡分割比例将是无穷多的。用博弈论术语来说，那就是有无穷个纳什均衡。

但是，究竟哪一个均衡是最可能的结果呢？实验表明，$x = 0.5$，即大家平分蛋糕是经常的结果。这个均衡被看做是公平均衡结果，因为大家的谈判能力相同，那么一个人就没有理由比另一个人多得到一些。因此公平观念使得平分蛋糕成为了一个谢林曾指出的聚点均衡。

不过，聚点均衡并非只可以是平分蛋糕。如果附加上不同的信息，那么聚点均衡可能就会不一样。比如，姐弟两人分蛋糕，因为姐姐疼弟弟，而弟弟也知道姐姐疼他，则他们的分配中更可能出现的聚点均衡就是四六分或三七分。

因此，在简单的利益分割谈判中，双方都充分掌握对手的信息在谈判达成过程中有非常重要的作用。

非对称谈判能力与公平观念

公平分配，无疑是谈判中达成合作的重要保障。因为面对一个具有公平观念的谈判对手，不公平的条件常常会带来他的抗拒行为——即使他处于谈判的劣势。

独裁博弈和最后通牒博弈，常常被看做谈判能力非对称的典型情况。在这两类博弈中，都存在一个提议者和回应者。独裁博弈的规则是这样的：提议者拥有绝对的谈判优势，也就是说他可以单方面决定如何分配这块蛋糕，而回应者只能无条件接受。那么独裁博弈的均衡结果会是什么呢？一个简单的推理是，既然不管你决定怎么分配，对方都必须接受，那你干吗还要分给对方呢？所以，标准的博弈论分析结果将是提议者保留全部蛋糕，分给对方的蛋糕为0。

最后通牒博弈中的规则是提议者可以提议怎样分配，而方案能否实施则需要由回应者来决定：如果回应者同意该方案，则实施该方案；如果回应者不同意该方案，那么双方就什么也得不到。在最后通牒博弈中，均衡结果是什么？标准的博弈论分析是这样的：首先考虑回应者的选择，对于他来说如果同意可得到一个蛋糕比例，不同意则只能得到0，因此只要所能分得的蛋糕比例略微大于0，那么他都应该同意。既然如此，那么回溯到提议者提议的时候，他很清楚回应者的想法，于是他就只会给回应者一个略微大于0的分配比例（比如，假设0.1是最小的分配单位的话，那么他就只会分给回应者0.1）。

不过，正如我们在第5章中的“公平观念”中提到的一些证据，独裁博弈和最后通牒博弈的标准博弈论分析结果其实并不是普遍的，更普遍的情况是相对公平的分配结果。在100元分配的最后通牒博弈中，大多数提议人将分配给回应者40~50元之间；分配给回应者50~70元的情况极少见；分配回应者小于20元的方案被拒绝的概率很高（约40%~50%）。而且，最后通牒博弈的结果是相当稳健的，承受住了来自各方的质疑。比如，有人认为，这一结果可能跟不同国家和地区的文化传统、道德习俗等有关，而来自欧洲、美洲、亚洲许多国家的研究依然得到了大致相同的结果。而以分配100元来进行的独裁博弈实验则表明，分给回应者为0的极端分配结果仅占20%，分给回应者大于0元但小于50元的提议者占80%，没有提议者愿意分给回应者50元以上。这说明，与最后通牒博弈相比，独裁博弈中由于提议者不用担心回应者的回绝，他们倾向分配给回应者更少的份额，但他们并不是极端自利地一点也不给回应者——尽管他们可以这么做⊖。

上述这样的实验事实表明，即便人们处于谈判能力不对称的时候，恐怕也需要考虑相对公平的分配方案，否则谈判就会破裂，合作的利益就不能存在。

谈判的策略

合作的利己主义

谈判的最终目的，在于促进合作的达成。因此，一个优秀的谈判者应当把谈判看做是一个经营合作的事业，而不是当作一场争夺利益的斗争。正如前一小节讲到，即使谈判能力不对称，如果利益分配明显的不公平，常常也会遭到弱者一方的拒绝。这是很显然的道理：如果你想把我置于死

⊖ 关于上述标准博弈理论结果与实验结果的不一致，我想多做一点说明：这并不意味着标准的博弈理论结果是没有用的，或者是错误的。事实上，1994年得到诺贝尔经济学奖的塞尔顿和2005年得奖的罗伯特·奥曼两位博弈论大师早就指出，博弈理论在方法论上具有二重性：标准的博弈论是在个人完全经济理性的假设下分析人类行为的极端复杂的后果；而描述性的博弈理论则试图加入经济理性之外的因素以便更好地解释所观察的博弈行为及后果。从科学研究的角度来说，标准的博弈理论实际上是在于提供一个理论基准，而描述性博弈论则是在理论基准上怎么样做出调整以便更好地解释现象。这就好像物理学中，无摩擦平面或真空状态是一个理论基准的状态，而我们在应用理论的时候，却常常需要根据实际情况来考虑是否要把摩擦力或空气浮力加进去。

地或者从来不考虑我的利益，我干吗还要跟你合作呢⊖？因此，谈判虽然最终以利己为目的，但问题是不考虑对方利益的利己主义常常导致合作不能达成而无法真正实现利己。而适当考虑对方利益的合作性利己主义，反而更可能实现利己的目的。因此，在谈判中适当地做出让步，实际上对于谈判者来说常常是更好的策略，至少这使得谈判破裂的风险下降了不少。

中国加入世界贸易组织的漫长谈判历程，是通过让步最终达成合作的好例子，也是合作利己主义的很好体现。对于中国来说，加入世贸组织无疑是一件好事，因为成为世贸组织的一个成员后，就可以面临更少的外国出口配额限制，拥有成员国的最惠国待遇；但是我们也必须知道，如果不让世贸组织其他国家从我国的加入中得到好处，它们就不会投我们的赞成票，所以我们需要付出代价。事实上，中国加入世贸的谈判历程，正是一个逐渐让步的过程，但正是这样的让步使得合作得以达成，而谈判各方从合作中得到了其好处。

当然，现实中也不乏那些不让步而最终损害自己的例子。一个典型的例子是20世纪80年代美国纽约市报业的兴衰变化。

故事模型

当时，纽约报业工会领导人伯特伦·波厄斯早已作为一个“讨价还价不让步”的人而闻名全国。靠着两次使报业瘫痪的罢工，纽约的印刷工人赢得了一系列似乎是成果卓著的合同。他们不仅涨了工资，而且还禁止报社采用诸如商情版排字自动化之类的节支措施。印刷工人们坚持目标，毫不退让，在谈判桌可谓大获全胜。可是，报社却在经济上被穿上了“小鞋”。三家大报合并了。又经过一次长期的罢工，它们终于倒闭。纽约只剩下一家晚报和两家晨报，数千名报业工人无处谋生。谈判“成功”了，而“大获全胜”的一方却也因为对手的死亡而失去了饭碗。

⊖ 目前的行为博弈理论中已经引入这样的目的性动机。经济学家拉宾已建立起相应的博弈论和经济学理论。

不同意就拉倒

让步，是促成合作的一个方法。而谈判中有时也会使用到与让步相反的方法，那就是宣称不让步来威胁对方。比如有些情况下，谈判的一方会向对方宣称："要么你们在协议上签字，要么咱们宣布谈判破裂。我们已经不会再让步，也不想再奉陪了。"这实际上是一个最后通牒式的提议，因为对方现在只有做出同意或不同意的选择。有时这种宣称可能还附带更大的威胁："如果你不同意我的报价，我不仅要终止咱们的关系，而且还要对你采取报复行为。"

这样的强权恫吓当然有可能会影响到谈判结果。但是，它仍然存在两个不可忽视的问题，一个问题是若使用不当则可能强化对立情绪；另一个问题是我们在上一章所讲到的，这样的威胁有可能是不可置信的——尤其是当谈判破裂对于恫吓者本身不利的时候。比如，在100元分配的最后通牒博弈中，提议者当然可以提出分给自己99元，分给对方1元，并且说："你不同意就拉倒。"但如果回应者真的拉倒，那么他自己损失仅1元，而提议者将损失99元，那么他为什么要相信提议者会真的是想拉倒呢？他为什么不可以反过来要挟提议者呢——比如他可以对提议者说："你最好分给我不要少于30元，否则我就会拒绝，让你一分钱也得不到。"当然，回应者的威胁本身也面临可信性的质疑，但是如果他要求的数额并不高的时候，意味着他的威胁被付诸实践并不需要太大的代价，而提议者恐怕就不能对回应者的威胁置之不理。如果是这样，那么提议者的强权恫吓可能就不起作用。就好像你在小商店买物品时，商店的小贩会"恫吓"你，这个物品在其他处买不到，而低于多少钱他是绝对不卖的，请自便。但是当你作势要离开时，他又常常叫住你给你一个更大的折扣。这说明他的最后通牒式的价格提议其实并不管用。

那么，如何才可以使“不同意就拉倒”的威胁变得可信？一个办法是提议者应当长期累积较高的退出谈判的记录，这样他就可能形成一个强硬的声誉，而使得其“不同意就拉倒”的威胁是可信的。现实中确有这样的“提议者”，比如一些有声誉的商场，常常在其店壁上写上“一口价”、“不二价”、“本店商品概不讨价还价”。

序贯讨价还价和耐心

在价格谈判中最常见的谈判方式是序贯讨价还价。它的规则是由甲先提议分配方案；然后，乙若同意则实施该方案，否则由乙提议方案；然后再由甲表示是否同意，若不同意则由甲提方案；然后再由乙来表决同意否，若不同意则由乙提方案……如此往复，直到谈判结束(达成协议或谈判破裂)，如图9-1所示。

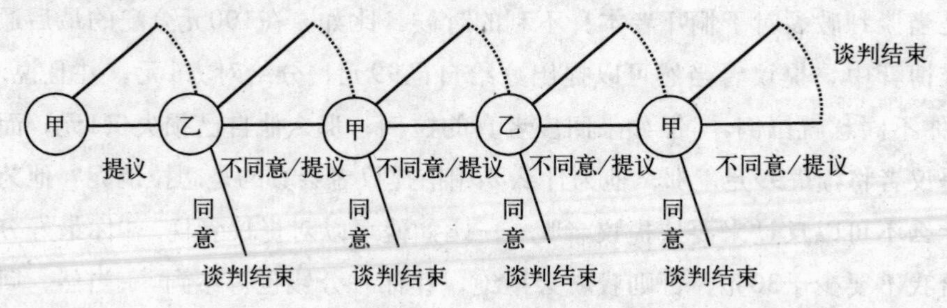

图9-1　序贯讨价还价

序贯讨价还价分有限回合和无限回合两种情况。对于有限回合的情况，不管多少次，都可以用逆向归纳方法来推导其均衡结果。由于序贯谈判中会耗费时间，面临机会成本，因此我们不妨假设分配的物品不是蛋糕，而是冰激凌——它会随着时间而融化，我们假设冰激凌重量为100克，每一个回合冰激凌都会融化掉10克（那么10个回合冰激凌就会融化完毕）。假设甲先提议，然后是乙，在两回合的谈判中，均衡结果是什么？

用逆向归纳法可以这样推导均衡结果（见表9-1）：在第二个回合，因为乙提议之后博弈将结束，因此相当于他在此时面临独裁博弈，他将把全部的冰激凌分给自己（比例为1），而由于冰激凌此时已经融化掉1/10，因此尽管乙得到了全部的冰激凌，但他实际得到的冰激凌数量为100－10＝90克，而甲在第二回合什么也没得到；再回溯到第一回合，甲享有提议权，此时为让乙不至于反对其提议，他必须使得乙所获得的冰激凌实额不低于乙在第二回合可获得数量，即90克——而此时冰激凌并未融化，因此甲应当分给乙0.9的比例（实额为90克），而剩下的0.1比例（10克）则分给自己。在这里，我们发现，甲自己所分得的部分，实际上正好是冰激凌将融化掉的部分，因为只有这样，才可以保证乙不反对（他如果反对，也不可能得到这一部分）。

表9-1　两回合讨价还价

回合	分给甲		分给乙	
	比例	实额	比例	实额
1	0.1	10克	0.9	90克
2	0	0	1	90克

如果谈判进行三个回合，情况将会怎样？此时提议顺序应当为“甲—乙—甲”，显然最后的主动权在甲手里面。相应的均衡结果仍可用逆向归纳法（见表9-2）来获得：在第三回合，冰激凌融化到只剩下80克，此时甲提议，他将80克全部分给自己（比例为1）；在第二回合，乙为了获得甲的同意，只好按照不低于80克（甲在第三回合所得）的标准分给甲，因为他并不想多给甲，所以他就分给甲刚好80克，由于此时融化后的冰激凌是90克，所以他分给甲的比例是8/9，自己得到1/9（即10克）；然后回到第一回合，甲分配时只需要给乙10克就可以得到乙的同意（此时冰激凌没有融化，因此他分给乙的是1/10个冰激凌），而他自己得到了90克（9/10个冰激凌）。

表9-2 三回合讨价还价

回合	分给甲		分给乙	
	比例	实额	比例	实额
1	9/10	90	1/10	10
2	8/9	80	1/9	10
3	1	80	0	0

同样的方法和道理，我们将可以推导出九、十谈判回合下的均衡分配结果（见表9-3）:

表9-3 九、十回合讨价还价

回合（提议人）	九回合		十回合		可分配克数
	甲	乙	甲	乙	
1 (甲)	60	40	50	50	100
2 (乙)	50	40	40	50	90
3 (甲)	50	30	40	40	80
4 (乙)	40	30	30	40	70
5 (甲)	40	20	30	30	60
6 (乙)	30	20	20	30	50
7 (甲)	30	10	20	20	40
8 (乙)	20	10	10	20	30
9 (甲)	20	0	10	10	20
10 (乙)	—	—	0	10	10

表9-3中，每逢单回合是甲提议，每逢双回合是乙提议，最后一列表示了可分配的冰激凌的总克数（逐渐从100克融化到10克，如果进入到第11回合则冰激凌将融化完，分配就没有意义了）。结合表9-1、表9-2和表9-3，读者朋友们能发现什么吗？

是的，我们至少可以得到以下几个结论：

• 谁掌握谈判的最后主动权，谁就可以得到更多的冰激凌。在例子中，除了十回合谈判以外，在其他的低于十回合的谈判中，谁是最后的提议者，那么在谈判中谁就会更有谈判优势（获得更多的冰激凌），如果是在单回合结束，则甲有优势；如果是双回合结束，则乙有优势。譬如，在二回合讨价还价中是乙得到更多，在三回合讨价还价中是甲得到更多。其他各回合下的讨价还价的情况大家也可以按照逆向归纳解来验证是不是这样。

- 谈判的回合数越多，则两个人的利益分享额就越接近平均分配。这一点容易验证，如果只能谈一个回合，那么就是最后通牒博弈，甲将独吞100克；两个回合的分配是10克/90克（表9-1）；三个回合是90克/10克……九个回合是60克/40克；十个回合是50克/50克。
- 如果谈判回合数足够长，一直可以到可分配的合作利益消耗殆尽，那么最终的讨价还价均衡结果就将是平均分配合作利益。

上述的结论也间接反映出谈判中耐心的重要。因为只有在足够耐心的前提下，讨价还价才可能重复进行很多回合——当然，这里不是说真的要使讨价还价进行那么多回合，而是如果双方都表现出耐心的话，那么双方就知道应当提早做出让步，不要一直耗下去。这当中或许会有几个回合的试探，不过对于双方来说的确没有必要真的要耗到那么多回合。但若一方显示出急于结束讨价还价，那么另一方就不大会做出让步。

关于耐心之重要，也可以从无限回合的讨价还价博弈之均衡结果看到。当然，为了使讨价还价可以无限重复下去，我们对于冰激凌的融化就不能假设每次融化10克（这样的话10次后就融化完了，谈判也就没有必要了），而有必要假设它每次融化一定的比例。或者，我们干脆说要分配的不是冰激凌，而是货币。由于每个人的耐心不一样，所以他们对将来货币的主观贴现率也不一样。为此可以假设他们分配1元钱，甲的主观贴现率为r_1，乙的主观贴现率为r_2，那么对于甲来说，将来的1元钱与现在的1元钱之兑换比率可用贴现因子$s_1 = 1/(1 + r_1)$表示；乙的贴现因子为$s_2 = 1/(1 + r_2)$。这里s_1、s_2越大，说明谈判者越有耐心，因为对他们来说将来的钱也很值钱；反之，s_1、s_2越小，说明他们越没有耐心。

给定上面这些信息，在无限回合的讨价还价博弈中，均衡结果是：第一个提议者（甲）将提议分给自己x^*的比例，分给乙（$1-x^*$）的比例，这里：

$$x^* = \frac{1-s_2}{1-s_1 s_2}$$

上述结果是博弈论学者鲁宾斯坦（1982）证明的一个定理（希望了解证明过程的读者可以参考相关博弈论教材）。如果读者朋友知道如何求导数的话，那么很容易发现x^*关于s_1的偏导数将大于0，而关于s_2的偏导数将小于0，其表达的意思是：甲的耐心（s_1）越高或乙的耐心越低，都会导致甲得到更高的分享比例。当然，甲得到更高的分享比例也就意味着乙在这样的情形下将得到更低的分享比例。这使得我们可以得到以下的在一般情况下都会成立的结论：

- 给定其他情况（比如出价次序），越有耐心的人将得到越大的份额；
- 如果两个人都有足够的耐心，且两个人耐心一样，那么均衡结果是两个人平分利益（因为$s_1 = s_2 = 1$，所以$x^* = 1/2$，$1 - x^* = 1/2$）。

当然，主观贴现因子s_1、s_2可以表示耐心，不过也可以做出其他的解释，比如用它表示固定资产的成本——一般来说，如果企业不能早日达成协议，那么它承担的成本包括三种：一是固定资产的维护费用在日益增加，二是推迟出售固定资产的利息损失在日益增加，三是不能按期交付产品的违约罚款（一般随时间段增加）。显然，这些成本越高则谈判者越处于不利地位，因为它不能长期耗下去，而希望可以迅速结束谈判，结果只好向对手做出较大幅度的让步。

在时间流逝中耐心等待

更好的耐心能够促成谈判成功，从而获得更大的利益份额。这在一些模拟实验中也得到了证实。

在模拟谈判中，谈判者似乎显示出一种近乎离奇的能力，即使能达成协议的范围很小，他们也能觉察到。不过，这个范围越小或者他们希望得到的补偿越多，则要达成协议通常需要更长的时间。那些愿意等待较长时间又有耐心不断进行探索且看起来并不急于解决问题的谈判者，总是能比较成功。

博弈论学者 R. 泽克豪森曾组织过一次模拟谈判，他让以色列人和美国人分别扮演谈判的双方。他发现，由于以色列人对于通过谈判取得一项解决方案比较有耐心，所以他们的谈判成绩比美国人好。

在生意谈判上，最糟糕的就是对手掌握着时间的主动权。许多缺乏经验的谈判者之所以成绩很差就是因为他们不会应付这种情况，掌握不住谈判进程的节奏。他们担心时间拖得过长，担心对方退出谈判。时间固然是有价值的，确实也有不少人愿意用金钱去换取时间，但是谈判中大多数人还是会因为太急躁而没能做成一笔很完美的交易。

懂得如何在时间中耐心等待，懂得该在什么时候争取利益、该在什么时候放弃利益，这是一个人生活中非常重要的知识。

放弃控制权

前一节关于序贯讨价还价中的耐心的结论，可以解释为什么一个教授去市场买菜的价格比一个退休老太太去市场买菜的价格要贵。其原因是退休老太太的时间成本很低，她有足够的耐心与小贩议价，而教授的时间成本很高，没有耐心跟小贩在几毛钱上计较。

除了退休老太太，保姆去买菜也会比教授出马要便宜。这当中除了时间成本因素外，还有一个重要的原因是，保姆有义务以比较合适的而不是太高的价格买菜，否则就可能遭到主人的责备。也就是说，她对于买菜交易的控制权是非常有限的，如果买回的菜价格过于高就会受到主人的质疑。而小贩也知道这一点，所以他们就不可能对保姆漫天要价。

实际上在第8章的“交出控制权”中我们曾讲到交出控制权的好处。事实上，威胁、承诺、积蓄报复力量都是为谈判增加筹码的重要手段。因此，这两章内容的策略行为可以说是紧密相关的。在日常的决策中，人们常常认为多一个选择总比少一个选择好，但在博弈论中，可供选择太多有时并不是好事。因为你的选择范围越大，对方的反应行动范围常常也会越大。限制自己的某些选择，实际上也就限制了对方的某些选择。譬如，如果你真的不想做出让步，那么你就应该把报价寄给对手并要求最后的答复期限，然后在对手答复期限到来之前清清静静地去度假。正是这样对自己响应对手价格的行动进行了限制，对手就难以还价，他只好要么接受要么拒绝。如果你确信你的报价足以让对手不放弃，但是又不想让对手占更大的便宜，那么这样做通常是可行的。就像我们曾提到性别战中夫妻两个人的廉价沟通，为了让丈夫去歌剧院，妻子的做法是在电话里告诉丈夫自己一定要选择去看歌剧，然后不容丈夫回应就挂掉电话、关掉手机，剩下的事情就是到歌剧院去等丈夫来了。

增加谈判的筹码

前面讲到的许多策略性行为，都是为了增加谈判的筹码。不过，更多的增加谈判筹码的工作，实际上应该在谈判之前就行动。

警察审讯嫌疑犯也如同一场谈判。警察希望嫌疑犯老实交代问题，而嫌疑犯总是含糊其词探询警方的底线。警方为了使嫌疑犯老实认罪以便获得这场谈判的胜利，常常需要事先掌握部分证据来增加自己的谈判能力，因为偶尔向嫌疑犯出示这些证据会使得嫌疑犯不知道究竟还有多少证据掌握在警察手里，那么警察就可以利用这些部分证据来诈出那些并未获得的证据。

在国家的和平会谈前夕，常常会发生军事攻击。就算双方希望和谈成功，他们也会想尽办法在会谈前先发制人，因为这样做可以增加谈判桌上的筹码。同时，也没有哪个国家会在和谈时放弃军事准备，因为他们同样需要为谈判破裂做好充分的准备。有意思的是，这种为谈判失败而做的充分准备，常常促进了谈判协议的达成。因为，一旦各方都为谈判失败做好了充分准备，那么各方都会意识到即便谈判失败自己也从对方捞不到多少好处，所以大家就更有动力推进和谈协议的达成。如果有一方不为和谈失败做事先的准备，那么他就会在和谈中处于不利的地位，因为有准备的对手会试图使谈判破裂而袭击没有准备的一方，此时要想真的达成协议，没有准备的一方势必要做出巨大让步。这正是人类博弈的奇趣之所在：有些事情（比如和谈失败），你不准备它到来，结果它就常常会到来；而当你为它做了充分准备之后，结果反而避免了它的到来。

如果你能够在谈判中向对方传达“你对我是不重要的”信息，这也会增加谈判的筹码。因为出于担心与你的谈判会破裂或合作会终止，对方极可能让步。员工为了让老板加薪，一个惯常的手段就是让老板在有意无意中发现，已经有其他公司对他虎视眈眈。谈判专家尼尔格曼曾讲过一个例子：

故事模型

曾有一位著名的职业运动员想要得到更高的年度合同酬金，接连几个赛季，他都试着自己去谈判，但都没能达成满意的协议。这位运动员虽然颇有几分家财，而且聪明伶俐，但他却很怕羞。他承认，自

己斗不过那个不讲情面的总经理。再说，那个总经理手中还有一张王牌：一项使运动员不能跳槽的“保留条款”。总经理一直迫使这位球员不得不签订低于应得报酬的合同。这位运动员对此已感到非常颓丧，以致只敢用通信的方式同那个总经理谈判。甚至谈判还没有开始，他就觉得已经被打败了。这时，有个经纪人找到了这位运动员，并提出了一个解决办法。诚然，那项“保留条款”使他不能以跳到别的球队相威胁，但这并不能阻制他退出体育界。这位运动员虽然腼腆，但却讨人喜欢，模样儿也长得很不错。在影视界，扮相比他差得远的人还能上镜头呢。于是，他同一个独资的制片商开始谈判，拟定一项为期5年的合同。这么一来，使那个总经理突然感到了压力。假如这位球星挂鞋而去，球迷们就会闹翻天，他的生意就告吹了。这位运动员的谈判终于使自己的报酬大为增加。

多方谈判和联盟

双方对立的谈判和多方卷入的谈判有很大的区别。一旦谈判的派别达到三方或以上，就可能会形成一些联盟，联合一致反对其他方。

联盟的分析非常复杂。即使只在双边谈判中增加一个新的谈判者，复杂性都会大大增加：其中的两个人有可能形成联盟。

先来看一个简单的三方谈判的例子。

故事模型

假设有一个卖主要出售一件物品，该物品对他本人而言价值为1 000元；但是有两位买主甲和乙，对于甲来说该物品价值1 500元，对于乙来说该物品价值也为1 500元。如果甲和乙之间不形成合作，而是竞相出价，那么惟一得到好处的就是卖主——竞价会使得价格上升到1 500元。因为任何出价低于1 500元的一方都将得不到物品，而超过1 500的出价即使得到物品也是不划算的，所以最后均衡的竞价是1 500元，而每人得到物品的概率为1/2。既然如此，甲和乙为什么不可以联合起来都只出价1 000，然后得到物品的对没有得到物品的补偿250元呢？当然可以！如果大家都出价1 000，每一方都要么得到物品但支付250元给对方，即便扣除1 000元价格成本也可净赚250元（1 500－250－1 000＝250）；要么未能得到物品，但却得到来自另一方的补偿250元。显然，这对甲和乙都是有利的。

上述甲乙之间的联盟在现实中也有存在。比如投标中的围标行为就是例子。

甲乙可以围标，而拍卖者当然也可以尝试去分化他们。不过，在甲乙对物品的评估具有等同价值的时候这种分化相对比较困难。因为，试图分化甲乙之间的联盟，最好是去收买得不到标的一方——但是，他们评价相同，竞价结果也一样，各自会有1/2的概率获得物品，那么拍卖者实际上难以确定去收买谁，如果两个人都收买那实际上已经没有意义。

但是，如果把例子中乙对于物品的评价改变一下，结果就不一样了。假设，现在乙对于物品的评价是1 250元。那么，如果乙去参与竞价，最高只能出1 250元的价格，那么甲需要付出1 251元才能确保得到物品（尽管如此，甲出这个价还是值得的，因为对他来说物品价值1 500元）。但问题是，乙既然知道来了也斗不过甲，得不到物品，那么他更好的

选择实际上就是呆在家里，放弃参与竞价。当乙呆在家里之后，那么甲实际上就不需要付出1 251元来购买物品，他只需要付出1 000元就可以了。

这样的情况，对于卖方来说，显然不是好消息。只要能鼓动乙参与竞价，那么卖方就可以得到1 251元，因此卖方有动力收买乙，拜托他前来竞价。不过，对于甲来说，其实他也应该想到卖方会拜托乙来竞价，于是甲就有动力收买乙，拜托乙不要来竞价。显然，卖主收买乙的最大支出不能超过251元（因为他从乙前来竞价的行为中能得到的净收益是1 251－1 000＝251元），而甲收买乙的最大支出也是不能超过251元（因为他从乙不来竞价的行为中节约的价格收益是1 251－1 000＝251元）。而乙是否前来竞价，也许就会取决于卖主和甲谁支付的收买价格更高。

这里看起来形成了一个有趣的现象：乙是否前来竞价很关键，所以卖主和甲都争相收买乙。这实际上又是一个新的竞价：卖主和甲之间为收买乙而进行竞价。关于竞价的理论告诉我们，双方的出价都会达到251元。看来，乙成了一个大赢家。

但是，且慢！既然卖主和甲为了收买乙需要付出如此之高的代价，那么为什么卖主不和甲联合起来，以一个相对较低的价格，比如1 125元成交，而不去收买乙呢？显然，竞相收买乙使得每个人需要付出的代价是251元，那么还不如在1 125元价格成交而不去理会乙，这样会使得卖主和甲会各自多得到125元的净收益。

这样一来，刚才还特别重要、等着坐地收钱的乙，一下子就变得无关紧要了。不过，这仍不是稳定的结果。因为此时乙可以主动去联系卖主说，如果你给我100元，我就去参加竞价。卖主会同意他这个提议，因为这样的话卖主将得到甲1 251元的出价，扣除给乙的贿金以及产品的成本1 251

−100−1 000＝151元，这比他与甲联盟而获得125元收益要好。

但问题是，如果真是这样，那么甲就会对乙说：你不要去竞价，我给你101元；而后卖主又会对乙说：你来，我给你102元；甲又会对乙说：不要来，给你103元；卖主又对乙说：来，给你104元……当这个赌金价格上升到125元以后，卖主和甲就会发现：其实还不如我们俩以1 125元成交。

上述三人谈判博弈中，联盟确实有可能形成，不过似乎没有哪一个联盟会是稳定的。当然，在现实生活中，一般来说乙不可能太善变、见利忘义，他可能答应其中一人收买后就不再改变主张。这样看来，乙虽然不能得到物品，但大多数时候可能还是会得到一些好处的。

联盟博弈实验

为了说明多方谈判中的结盟行为，我们来看一个用于实验的联盟博弈例子。

假设甲、乙、丙三个人进行谈判：每个人的目的是结成一个有正收益的联盟（参见表9-4），谈判磋商如何分摊共同的收益，以及设法尽量提高其自己的收益。

表9-4 联盟博弈的收益表

联 盟	收益（分数）
A单独	0
B单独	0
C单独	0
A、B结盟	118
A、C结盟	84
B、C结盟	50
A、B、C结盟	121

从表9-4中可以看出，如果谁不结盟，那他就只能得到0；与人结盟则可以得到正的收益。显然，每个人都应该巧施妙计，最终结成一个能使其获得最大收益的联盟。当然，每个人要求从联盟中得到的，取决于你能给这个联盟增加多少收益以及你从其他可能联盟中所能获得的收益。这是联盟博弈的基本指导思想。

故事模型

博弈论经济学家曾经对这一博弈进行过实验。实验要求三个角色扮演者A、B、C先根据收益表认真筹划开局策略。指定角色之后，在开始与其他两位局中人讨论之前，要求每一位局中人以书面形式写出他的开局策略。随着博弈的进行，他们要记录下谈判的结果和各种临时性协议。在谈判结束之前，三位局中人一起讨论以下博弈过程中真实发生的情况。

该谈判博弈很可能是这样进行：

- A先建议B与其联盟，由于A与C结盟的能力高于B与C结盟的能力，因此A要求自己得到78分而B得到40分；
- 但是B拒绝了A的提议，因为他认为自己可以与C结盟，自己得到46分而C得到4分；
- A于是威胁B，如果你给C只是4分，那我就用8分把C拉到我这边来；
- B生气了：如果你这么做，那么你也只能得到76分，所以你要与我结盟也没有道理要78分呀。

有了上面这样的谈判对话为基础，我们可以考察局中人如何才能提出“不易被拒绝”的建议（表9-5）。

表9-5 不容易被拒绝的建议

建议		收益			总和
建议人	受建议人	A	B	C	
A	B	76	42	—	118
A	C	76	—	8	84
B	A	76	42	—	118
B	C	—	42	8	50
C	A	76	—	8	84
C	B	—	42	8	50
A、B、C三方联盟	76	42	8		126*

* A、B、C三方联盟要求总利益为126，超过其实际的总利益121，因此是不可行的。

什么叫不易被拒绝的建议呢？举例来说，如果C建议给B42分，自己得8分，那么B就不可能再找到A，试图从A那儿得到比42分多而又不使A处于动摇地位。因为如果这样，C可以向A提出一个有效建议既可以引诱A放弃B的提议，又可以使C多于8分。

B的确也会认真分析C的提议，他将发现自己面临如下的境地：

- 若同意与C合作，自己只能得到42分；
- 若不同意与C合作，而要求跟A合作，那么至少自己要得到大于42分才是划得来的，因此自己与A合作分给A的必须小于76分，但是，如果给A小于76分，那么C就会对A说分给他76分收买A，此时C仍然可以得到8分，而自己却什么也得不到。

既然B发现自己无论如何其所得都不会超过42分，因此他会考虑接受C的提议。

那么，A就会被孤立。A当然不想自己被撇开，他很可能想到一条似乎可行的妙计：我们都可以提出不易被对方拒绝的提议，比如我(A)得76分B得42分、C得8分，这样我们三个人形成一个联盟。其实这个“妙计”

也被B、C想到过，但是大家都会发现，这其实并不可行，因为三个人形成的联盟总利益才121分，而76 + 42 + 8 = 126>121。

A现在开始担心了：千万不能把我撇开在一边，因此我有必要拉拢其中的一个人。于是他可能对C说：你若跟我合作，我就给你9分，超过你跟B合作的8分；当然他也可能对B说：你若跟我合作，我保证给你43分，而不是你跟C合作的42分——甚至，为了确保B不与C合作，A还可以许诺给B50分，这样C就永远不可能有机会与B合作，因为他不可能给予B更多。但是，B是不是就真的应接受这50分呢？如果他表示接受，那么他对于C的背叛就会让C生气，C就会找到A说，我太讨厌B的背叛了，现在你跟他合作最多得到的收益在68~76分之间，而我愿意跟你合作，而且我只要求得到5分，这样你就可以得到79分，怎么样？于是A和B的联盟就可能破裂。

各种情况的结果的确都是有可能发生的。相关的实验研究曾在两种条件下进行：最初的实验都是由被试者面对面地谈判；后来在E. Kolberg组织的几次实验中则要求谈判者通过计算机终端来进行，谈判者互相并不知道对方是谁，他们面临的信息也受到了更多的限制。

在面对面的谈判中，每个小组中的两位参与人偶尔也当着第三位参与人的面互谈问题；而有一些人则喜欢私下交流。90%以上的小组最终结成三方联盟，分享121分。然而在大约80%的这类博弈中，谈判进展过程中曾结成过双方联盟。在另外20%的结成三方联盟的对策中，参与人一开始就结成了三方联盟——而他们对这121分的分配方案平均来说是A得69分，B得40分，C得到10分。

当使用计算机终端对话的时候，结果就不一样了。在67个博弈结果中，有3个小组没有结成任何联盟，也只有3个小组结成了三方联盟。其余的61个小组结成了双方联盟，其中，20个小组结成AB联盟，22个小组结成AC

联盟，19个小组结成BC联盟。这67个博弈的平均收益值为：A得49分、B得27.8分，C得5.7分。这样的成绩显然不如面对面谈判那样理想。

对于这两种实验条件下的显著差异，一个比较恰当的解释也许就是：人们在面对面的谈判中更愿意采取合作的态度，而在互不见面的谈判中则更有可能采取不那么合作的态度。事实上，我们的生活直觉也告诉我们：如果谈判者彼此不见面——如果"其他人"是匿名的，他们就很容易采取强硬的态度；可是当某个人面对面和你坐在一起时，你很难将他挤出联盟。这似乎也可以解释，为什么在一个单位或机构中，即使是那些喜欢与能干的人共事的人，对待自己平庸的同事也比对待一个外来的有能力的人更有人情味。在更混合、更富于人情味的气氛中进行面对面的谈判，每一位参与人看起来都表现得更为出色。不过，这个结果也并非结论性的，可能还需要进一步的实验研究才能确认其是否受得住检验。

边缘政策

边缘政策，就是故意将危机引向灾难的边缘。由于人们常常对一些常规的"错误"或"罪过"并不太在意，所以在某些谈判或斗争关系中他们总是不以为然地选择了不合作态度。而对于灾难性的后果，人们就总是会给予充分的关注，并且竭力避免。既然如此，那么在某些时候奉行边缘政策，将可以提高局中人的谈判优势——尤其是对于那些长期处于谈判劣势的参与人。

以国家政治军事斗争为例，假如两国长期军事对抗，但其中一方在常规战争中有较强的优势（比如常常战胜），弱者的一方极力避免常规战争（因为自己在常规战争中经常失败）。但问题是，强者一方总希望挑起常规战争，因为这样可以欺负一下较弱的一方。假若双方都拥有核武器，那么较弱的一方为了避免常规战争就可以发射核武器相威胁。但是，这种威胁有可能被强者一方认为是不可置信的，因为他难以相信对手为了一场常规战争而动用核武器。一旦动用核武器引发核战争则意味着双方可能都会被摧毁。

那么，弱者的一方又如何可以使其威胁可以置信呢？也许该国领导人可以下放核武器的控制权——将核武器布置在边境，对准敌国，并由某个将军掌握核按钮。这看起来是更危险了，但实际上可能对强者产生了真正的威慑，因为一旦在边境爆发战事，尽管弱国的领导人不想启动核按钮，但那位面临生死关头的将军也可能启动核按钮。

在这里，弱势国家采取的就是边缘政策：不要来惹我，惹我冒火了就拿核武器伺候你！这种故意把危机带向灾难边缘的政策，往往使得对手为避免灾难性的后果而顾忌自己的行为。

边缘政策不仅用在政治军事斗争中，在社会的法律体系中也有所体现。有一句俗语叫“乱世当用重刑”。如果用博弈论来解释，那就正是边缘政策思想：因为世道乱了，违法乱纪蔚然成风，因此人人都不把违法乱纪当回事，这时起用重刑，无疑是使得人们知道其行为所带来的后果对其自身来说将是极为严重的，尽管使用重刑可能也导致更高的社会成本，但它的确可以更好地遏止违法乱纪行为。

在商业生活中也有这样的情况。为了维护就业和薪酬保障，工会有可能会故意制造恶性的罢工风险。因为，罢工对工会本身也是有害的，于是工会在争取权益的过程中声称的罢工威胁可能难以被雇主相信。但是，如果工会制造出有可能超出自己控制的罢工风险，那么其威胁就可信了，因为工会可以让企业相信，如果企业不答应，那么工会自己难以控制劳工的罢工行动。

使用边缘政策的危险在于，它的确有可能导致擦枪走火，灾难性的后果也真的有可能发生。毕竟，边缘政策之所以能对对手起到威慑作用，正

在于它的某些方面超越了局中人的控制能力，而这种对控制能力的超越的确有可能导致灾难发生。所以，边缘政策往往是谈判中万不得已的选择。比如，一个人偶尔受另一个人欺负，他可能也就忍了；但是如果这个人长期欺负他让他难以忍受，那么他就很可能采取边缘政策，比如警告对方他已经买通杀手，如果再欺负他，那么就会取其性命。

友情提示

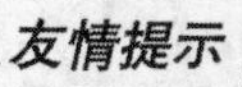

- 一切为达成合作而展开的协商都是谈判。
- 在利益分割谈判中，充分掌握对手的信息是重要的。
- 相对公平的分配方案对于达成合作很重要。
- 优秀的谈判者应将谈判看做是经营合作的事业，而不是一场争夺利益的斗争。
- 不同意就拉倒、概不讲价等，若恰当的加以使用则可促成合作的早日达成。
- 耐心对于谈判始终是重要的。
- 谈判中要善于等待时机。
- 适当地放弃控制权可以获得谈判中的主动权。
- 为谈判失败做好准备可以增加谈判筹码，促成合作的达成。
- 多方谈判中可能出现联盟行为。面对面的谈判更能诱导出合作行为。
- 处于谈判劣势的一方为了不至于输得太惨，可以实施边缘政策（故意将谈判引向灾难的边缘）来争取适当的利益。

10

重复博弈、长期关系与合作

合作行动是"合作的"局中人之间某种谈判过程的结果。

——J. 纳什（J. Nash，1994年诺贝尔经济学奖得主）

合作概念在博弈论中是重要的，然而又多少有点难以捉摸……我们需要那种不放弃博弈论的个人决策论基础的合作行为模型。

——R. B. 梅尔森（R. B. Myerson，著名的博弈论经济学家）

在肯尼亚有一种猴子，受到威胁时就会嚎叫，它的朋友也会跟着嚎叫助威。而助阵的猴子大都是上次互相抓痒的猴子，不互相抓痒的猴子很少相互助阵。在大海的珊瑚礁中，有一种小鱼可以为大鱼清除牙齿中的寄生虫，当然小鱼清除寄生虫时也获得了食物。但是，大鱼在小鱼为它清完牙齿后，完全可以一口把小鱼吃掉。如果它们见面机会少，那么吃掉小鱼是大鱼的最佳策略，由此可见，珊瑚礁地域小，双方必定可以相互认识。茫茫大海，萍水相逢，一生若只见一回，那么就不可能见到这些合作的鱼了。

来自生物界的这两个例子，深刻地说明了合作产生的根源。存在合作利益、保持有长期关系并且能够识别和惩罚欺骗者，对于生物界的合作必不可少。同样，对于人类社会的合作，这些因素似乎也是最根本的。至少通过博弈论，我们得到的结论是这样的。

重复博弈与合作

合作的模式

在某些情况下，合作看起来一点也不奇怪。比如图10-1的博弈中：

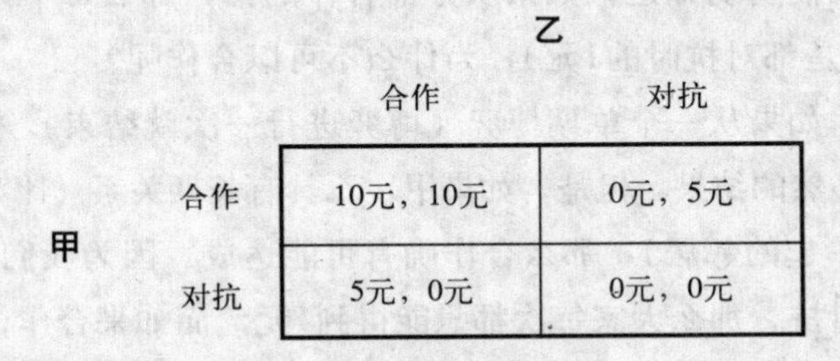

		乙	
		合作	对抗
甲	合作	10元，10元	0元，5元
	对抗	5元，0元	0元，0元

图10-1　简单的互惠合作

这个博弈中，大家都选择对抗则谁也得不到一点好处，一方合作而另一方对抗也不符合双方利益。只有双方都选择合作才是稳定的结果。显然，图10-1中出现的合作，并非甲、乙道德高尚，其原因仅仅因为合作对双方都是有明显好处的，所以合作就产生了。此类合作被称为简单的互惠合作，对于研究者并没有太大的吸引力。

相反，另外一些存在冲突的博弈中，是否能够达成合作呢？这是研究者们深感兴趣的话题。比如图10-2的博弈：图10-2的博弈实际上是一个囚徒困境博弈，因为它具有囚徒困境一样的博弈结构：不管对方选择对抗还是合作，甲选择对抗总是更有利；当然乙也是一样的想法。结果大家都选择对抗，（对抗，对抗）是惟一的纳什均衡。

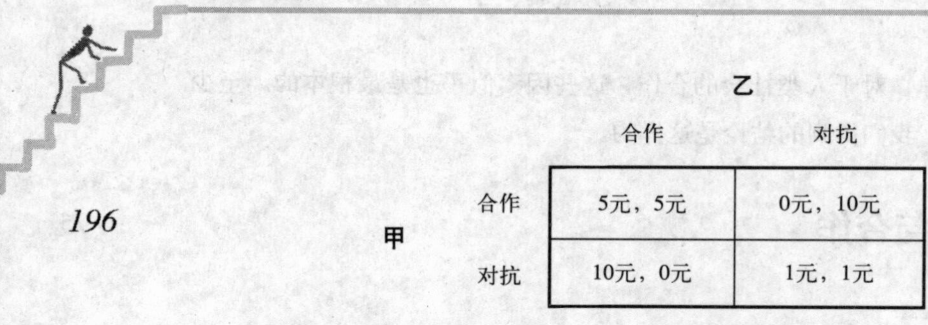

		乙	
		合作	对抗
甲	合作	5元，5元	0元，10元
	对抗	10元，0元	1元，1元

图10-2　对抗与合作博弈

但是我们明明知道，如果双方都合作的话，那么每个人都可以得到5元（而不是都对抗时的1元），为什么不可以合作呢？

的确，如果从一个单期博弈（博弈进行一次就结束）来看，（对抗，对抗）是必然的结果。但是，如果甲、乙具有长期关系（比如他们是要长期生活在一起的邻居），那么合作确有可能达成。因为我们可以这样想：如果一直对抗，那么大家每次都只能得到1元；而如果合作，则每次都可得到5元。更关键的是，如果给定乙合作，而甲现在选择对抗，那么甲虽然在这一次可以多得到5元（10－5＝5），但自此以后乙不再合作，甲就将会损失以后所有的得到5元的机会，因此从长远利益来看甲此时选择对抗可能并不聪明；对于乙也是同样的道理。结果，两个人可能就达成了合作，因为较为长远的利益诱导他们克服了贪取现在的一点蝇头小利的动机。

显然，图10-2中的合作，比图10-1的合作更为有趣，因为它反映出了人类合作行为中的复杂的策略动机：为了保证长远的利益，人们也可以牺牲当前的部分利益来达成合作。当然，图10-2博弈中的合作的关键，就是重复博弈和长期关系。为此，我们不妨继续做更深入的考察。

重复博弈中的合作

重复博弈，就是将一个博弈重复地进行。我们假设图10-2的博弈可以重复进行三次，那么最后的结果是什么？使用逆向归纳方法容易知道：在第三次博弈中，甲、乙两个人肯定都会选择对抗；给定第三次都会对抗，那么第二次的合作实际上也没有意义（因为将来没有合作机会了），因此两人也会选择对抗；给定第二次大家都选择对抗，那么从第一次大家就都会选择对抗。结果，重复三次的博弈中无法形成合作！

那么，不能合作的原因是不是因为重复三次这样的关系时间太短了呢？我们不妨假设博弈可以重复N次。使用逆向归纳方法可得：在第N次，两个人会选择对抗；从而在第N－1次，两个人也将选择对抗；从而在第N－2次，两个人还是会选择对抗……一直到……从而在第2次，两个人会选择对抗；从而在第1次，两个人选择对抗。既然N可以是任何数，那么我们就得到了一个有点“意外”的结论：无论博弈重复多长时期，只要是有限次数的重复，合作都不可能达成！事实上，这一结果在博弈论中已经成为一个定理：有限次的重复博弈，其均衡结果与一次性博弈的结果是完全一样的。

天哪，怎么会这样？我们不是明明说过长期关系中可以达成合作吗？而且我们在现实中不是也看到了不少的合作吗？这究竟是为什么？

实际上，合作的达成可能要求助于无限重复博弈。如果博弈重复进行无限次，没有结束的一天，那么逆向归纳法是不适用的，而只能使用前向推理来指导我们的策略选择。下面我们来看看无限重复博弈中合作究竟是如何达成的。为此我们需要做一些假设：

- 假设货币存在时间上的贴现，下一个时期的1元货币只能等于现在这一时期的s元货币，$0<s<1$（因此s被称做贴现因子）。
- 假设任何一个参与人甲或乙都采取如下策略：自己首先选择合作，如果观察到对方选择对抗，那么自己从下一个时期开始就永远选择

对抗。如果没有观察到对方选择对抗，那么自己就在第t个时期确定是否要选择对抗，注意，这里t是任意的。如果$t=1$，说明他们在第一个时期就开始盘算是否对抗，如果$t=10$则说明他们在第10个时期才开始盘算是否对抗。

有了这些假设，那么导致合作存在的惟一理由就只能是，对于任何一个参与人而言，他在时期t选择对抗所得到的全部好处将不如在第t个时期继续维持合作的好处——这是合作的充分必要条件，现在我们来求解这个条件（其中需要用到一点高中代数中等比数列求和的知识）。

对于任何一个参与人，他在时期t决定是否对抗，说明在第t个时期以前双方都是合作的，则每期他都得到了5元；现在假设对方在第t个时期仍然合作，而他选择了对抗，那么在第t个时期他将得到10元；但从第$t+1$个时期开始，对方一直选择对抗，使得他只能期许得到1元。因此，在第t个时期选择对抗的总收益为：

$$R_{对抗}=\underbrace{5\times(1+s+s^2+\cdots+s^{t-2})}_{前t-1期合作的收益}+\underbrace{10\times s^{t-1}}_{第t期对抗的收益}+\underbrace{1\times(s^t+s^{t+1}+\cdots+s^{\infty})}_{第t-1期开始永远对抗的收益}$$

$$=5\times\frac{1-s^{t-1}}{1-s}+10s^{t-1}+\frac{s^t}{1-s}$$

而如果他在第t个时期不选择对抗，而是继续维持合作，那么持续的合作给他带来的总收益就是：

$$R_{合作}=\underbrace{5\times(1+s+s^2+\cdots+s^{t-2})}_{前t-1期合作的收益}+\underbrace{5\times s^{t-1}}_{第t期合作的收益}+\underbrace{5\times(s^t+s^{t+1}+\cdots+s^{\infty})}_{第t-1期一直继续合作的收益}$$

$$=5\times\frac{1-s^{t-1}}{1-s}+5s^{t-1}+\frac{5s^t}{1-s}$$

如果$R_{合作}\geqslant R_{对抗}$，那么合作就可以得到维持，因此我们可以求出$R_{合作}-R_{对抗}>0$的解，就可以得到合作的条件。解这个不等式只需要初中的代数知识，读者朋友可以自己尝试一下，最后的解条件是：$s^*>5/9$，即是说，只要贴现因子s足够大（>5/9），那么合作就是可以达成的。大家可以回顾第9章，在那里贴现因子越大代表了谈判耐心越大，在这里也可以做同样的解释，即参与人对等待将来利益有足够的耐心（或者说眼光更长远、更看重将来利益），那么合作就越容易达成。相反，对于目光短浅、只注重眼前利益的人（此时$s<5/9$），那么合作是难以维继的。所以，这样的结果也告诉我们，如果要选择合作对象，有必要挑选那些注重未来、眼光长远的人；鼠目寸光的人永远不要被列为合作对象。

到现在为止，我们基本上得到了关于重复博弈与合作的两个重要结论：

- 如果博弈的重复是有限期的，那么囚徒困境式博弈中是不可能达成合作的；
- 如果博弈是无限期的，那么眼光长远的参与人在囚徒困境式的博弈中也可以达成合作；不过如果参与人目光短浅，那么合作仍然难以达成。

一般来说，大多数时候人们还是具有一定眼光的，至少不会急着为了今天的1元钱而放弃明天的5元钱，因此合作仍然是人类社会中广泛存在的现象。

但是，还是有一个疑问我们未曾解决：有限次的重复博弈中，不可能达成合作——可我们的生命是有限的，我们接触任何人的时间长度都是有限的，天下没有不散的筵席，每个人最终都会有与对手结束合作关系的时候（极端的情况，一个人生命有限，死亡会强制终止你同他人的合作），所以应该说我们经历的所有重复博弈次数都是相当有限的，那为什么我们仍观察到那么多的合作呢？对此，我们可以从好几个方面来做出解释：

- 虽然很多博弈是有限次数的，但是我们并不知道这个次数究竟是多

少，结果它就类似于一个无限次数的重复博弈。比如，虽然我们知道生命是有限的，但我们并不知道自己会在哪一天死去，所以我们也就不知道什么时候与别人解除合作关系。

- 即使我们知道准确的结束合作关系的时间，比如劳动合同常常明确规定了为雇主服务的期限，但我们并不从第一天上班开始就偷懒，是因为合同时期足够长，面对如此长期的收益，几乎相当于无限期重复博弈，偷懒被开除而损失如此长期的一笔工资收益是不划算的。所以，员工仍采取了合作的态度。但是的确也可发现，随着终止合同离开雇主的日期越来越近，员工的努力的确在打折扣——有限次博弈开始起作用了。
- 有些有限次博弈本身虽有限，但是在这个有限博弈中你的合作或对抗表现会给你进入另外一个博弈带来影响，因此你不得不顾及自己的表现。年轻的员工即使在离开当前企业的前夕，也并不会与当前企业对抗，其原因是他还要到其他企业工作。如果他在这里做出不恰当的举动，会影响到他到下一个企业就业的机会。

总之，无论哪一种解释，都强调了一个同样的思想，只有存在长期关系，人们才更可能合作。其实博弈论大师克莱珀斯（Kreps）等人早已经证明，即使是有限次博弈，只要次数足够多（关系维持足够长），那么人们就有动力通过合作行为树立起合作的声誉来获取长期的好处。这也许是人类社会合作的最大福音。

阿克谢罗德竞赛实验

囚徒困境博弈中人们如何选择合作的策略？为此阿克谢罗德（Axelrod）教授在1980年做过一次模拟实验。他的实验是请许多专家教授写下自己心中最佳的策略，一起放入计算机互相博弈，然后按类似图10-2

的博弈计分，他采用的具体分数是都合作则每方计2分，都对抗则每方计0分，一方合作而一方对抗则合作者计－1分而对抗者计4分。在甲、乙博弈200次后停止。

阿克谢罗德这样做的目的，是为了集天下高手于一室，相互较量，找出合作的最佳策略。而参与实验的人中不乏数学、物理、生物学、心理学、经济学、计算机科学等领域的教授，无论如何，个个都聪明绝顶。竞赛的胜出者（积分最高）是加拿大多伦多心理学教授阿纳托·拉帕波特（Anatol Rapoport），他使用的策略是“先做好人，以牙还牙”——具体地说，就是与对方第一次博弈时选择合作，如果对方上次合作则自己本次也选合作，如果对方上次出现不合作，则自己本次就选择不合作。

“先做好人，以牙还牙”这样的策略与我们在前一节提到的策略——若对方出现一次不合作则我永不合作，这显然是永不宽恕的策略——不太一样。博弈论中将这种永不宽恕的策略称为“冷酷策略”（的确是非常冷酷）。冷酷策略是试图通过毫不原谅地惩罚对手，迫使对手不敢偏离合作的轨道，看起来是一个好办法。但是这个策略有两个致命的问题：一是冷酷策略虽然严厉惩罚了对手，但实际上自己也会遭受到重创，对有一次背叛了合作的对手永不原谅，那么自己其实也就永远不可能再得到合作的收益；二是，如果对手只是偶然“失误”，并且失误之后很后悔，希望回到合作的轨道上来时，冷酷策略却拒绝给予对方重新合作的机会。

而“先做好人，以牙还牙”则宽容得多，允许背叛合作的人重新回到合作的轨道上来。现实中人们的确也经常使用这样的策略：如果你坚持错误，我们就会孤立你；而若你改正了错误，我们仍欢迎你的加入。

不过，为了检验“先做好人，以牙还牙”的策略是否可以经得住实践检验，以及是否还可以寻找到比这更好的策略，阿克谢罗德决定举行第二

次竞赛。作为第二次竞赛的前奏，阿克谢罗德把第一次竞赛的所有信息和结果都装在信封里寄给那些参赛者，要求他们提交修改后的策略。他还通过计算机杂志登广告向局外人公开这个竞赛，以吸引一些热衷于编程的人们能设计出真正足智多谋的策略。1984年，阿克谢罗德一共收到了来自全球各地的62份程序，其中一份来自著名的进化论生物学家约翰·梅纳德·史密斯（John Maynard Smith），他将博弈论用于生物学，发现了进化稳定策略（ESS）。究竟谁是优胜者呢？结果，拉帕波特教授的“先做好人，以牙还牙”策略仍是当然的赢家。从第二次竞赛中显露出来的一般经验是：不仅好斗和宽恕是很重要的，而且让对手知道你爱憎分明也很重要。也就是说，你应该对背叛合作的人立即予以惩罚，但并不是恶意的反击，而是试图把对方拉回合作的轨道，而且你的行动应该表现得明白无误，要避免给人以太复杂的印象。所以，在现实中，你踢我一脚我就回击你一拳，你投我以桃我就报你以李，并且明确地向对方显示出你是这样一个有恨必雪、有恩必报的人，这应是最佳的合作策略。

但是也有必要指出，“先做好人，以牙还牙”的策略只是在有很多次数（200次）博弈的时候才是好的策略。如果博弈只进行一次或者两次，甚至三次，它都不会是好的策略。当然，一般情况我们常常并不知道会和对方接触多少次，不过我们或许可以猜测到下次相遇的概率。假设这个概率为W，再令都合作时各方收益为R，令都不合作时的收益为P，如果一个合作、一个不合作则合作者收益为S，不合作者收益为T。那么，以牙还牙策略的预期赢利将是：$R + RW + RW^2 + \cdots = R/(1-W)$；但一个全不合作者遇到一个“先做好人，以牙还牙”者的预期赢利为$T + WP + W^2P + \cdots = T + WP/(T-P)$。因此，只有在$T + WP/(1-W) > R/(1-W)$ 即$W < (T-R)/(T-P)$时，不合作比以牙还牙有利。以图10-2为例，则两个人再见面的机会$W<5/9$时，

一个完全不合作者即可以在以牙还牙的人群中占到便宜；否则他也最好先从合作开始。这与我们的现实生活比较接近，对于那些我们预计今后要经常碰面的人，我们总是先从友善对待开始；而对于那些很可能是捞一票就走的人，我们也常常不会与他们合作——当然，对他们的惟一防范措施也只能是一次机会都不要给他。

生物界合作的例子

生物界合作的产生

在自然界，生物为了更好地生存，亦需要不断地争夺资源。同类生物之间的合作似乎并不多见。他们可能也合群，但在群体中仍然是各顾自己，谈不上合作。其原因可能是早期生物没有足够的神经组织可以互相认识，因此不合作成了最佳的生存之道。而在全不合作的群体中，第一个采取合作策略的个体可能会因为吃亏而被淘汰，但是也有可能在家族相互依赖的情形下而进化进行有限度的合作。不过生物任何一种可行的策略必须有其稳定性，也就是说在这种策略下，别的策略不可能占便宜而入侵。比如，群体全部采取合作策略对群体也许有好处，但它却不是稳定的策略，因为若有一个不合作的个体，它在全部合作的群体中生存状态会更佳。随着时间的流逝，它的那些继承了自私基因的后代就逐渐壮大并取代了合作的先辈。事实上，博弈论中证明，当博弈双方在见面的机会够大的时候，“以牙还牙”策略将是进化稳定策略，也就是说没有其他的策略可以入侵这种策略。

当然，“以牙还牙”策略并非惟一的进化稳定策略。在一个完全由不合作者开始的群体中，完全不合作也有可能成为进化稳定策略。问题是，合

作的出现说明“以牙还牙”策略可能曾成功地渗入完全不合作的群体。那么这种渗透是怎样发生的呢？如果要有合作的产生，则需要生物必须能够识别出跟自己合作的伙伴，否则合作就不可能达成。目前的研究主要指出了两条途径。第一条途径是亲族关系的选择，即帮助亲戚。家族的成员更容易互相识别㊀，因此在生活上更为相互依赖，帮助家族成员就是帮助自己，从而家族成员慢慢学会合作，并逐渐出现了合作的基因代代相传，促进了合作行为的产生。第二条途径是聚类机制，即可能有一个小群体偶尔出现合作行为并逐渐发展成该群体的一种特征，比如每个成员都有较高的概率需要与其他成员一起为生存而共同奋斗，这也可能诱发合作的产生。

生物合作的例子

生物界有很多合作的例子。一种简单的合作是互惠合作，因为每个个体可以从这种合作中得到比独自行动更大的利益。比如，研究者发现，在

㊀ 动物如何识别亲缘是生物学家们一直感兴趣的问题。目前提出的几种亲缘识别的机制包括：（1）依靠某种简单法则来识别。比如：把自己家里（窝里或巢里）的个体都看成是自己的亲属。根据这一法则，如果把雏鸟从巢内移到巢外，那它们的双亲就不会认为它们是自己的儿女；而如果把陌生的雏鸟从巢外移到巢内，它们很容易被巢的主人接受并把它们看做是自己的儿女。有趣的是，大苇莺（acrocephalus）常常极其愤怒地驱赶一只接近它的巢的杜鹃（cuculus canorous），但几分钟后又飞回巢中去喂养寄生在它巢中的杜鹃雏鸟。（2）动物有可能存在识别基因。（3）动物通过后天学习来识别。洛仑兹（Lorenz）发现，自然情况下，幼雁从蛋壳中孵出后，把第一个见到的物体就当作它们的妈妈。只要跟着妈妈就会得到温暖和保护。1982年福尔摩斯（Holmes）和谢尔曼（Sherman）用黄鼠狼做了实验：他们将幼鼠分为四组，第一组是亲兄弟姐妹，由母亲或养母喂养；第二组也是同胞关系，但分别被不同的母亲喂养；第三组不是同胞关系，但作为一窝幼鼠喂养；第四组也不是同胞关系，而且彼此分别喂养。当这四组幼鼠长大后，将其两两放在一起，观察他们之间的相互关系，结果发现，只要是从小在一起长大的黄鼠狼，不管是不是同胞都很少发生战斗；而在一起长大的非亲缘个体之间，彼此的攻击性并不比在一起长大的亲缘个体之间的攻击性强多少。这说明，他们是在发育早期的生活经历中学会如何识别谁是自己的亲属的。

冬天白鹡鸰（motacilla alba）会联合占有和保卫一个取食领域，因为这样做比它们各自占有一个领域更能增加他们的取食率，共同保卫领域所带来的好处超过了它们共同分享食物所带来的不利。又如，在狮群中，单独一只雌狮捕捉斑马的成功率很低，但是与另一只雌狮合作，则捕食成功率就会大大提高，这种成功足以弥补捕猎成功分享同一猎物所遭受的损失。

上述简单互惠合作并不太吸引人，因为这是比较容易理解的生存本能。更有意思的是，生物界同样存在大量的知恩图报式的合作。这样的合作对理性要求会更高一些，因为与他人协作的好处可能不是即时实现的。比如：今天A帮助了B，明天B又帮助A作为回报。显然，今天A在帮助B时会存在风险，因为明天B有可能避不见面或者拒绝回报。在这样的情况下生物界还能进化出合作行为，这实在是一个奇迹。以下是几个知恩图报式合作行为的例子。

故事模型

黑纹石斑鱼（hypopletrus nigricans）是一种雌雄同体的动物，它们总是在日落前的两小时内结成一对产卵。产卵分多次进行，而每次产卵时，每条鱼总是交替地充当雄鱼和雌鱼，因此，A鱼先排放一部分卵由B鱼来授精，然后B鱼再排放一部分卵由A鱼来授精。当然，读者朋友们可能认为这是一种低效率的授精方式，如果A鱼先排放完卵子由B鱼授精，然后在B鱼排放完卵子由A鱼授精，大家都一次性搞定不更好吗？但是生物学家Fischer却认为，黑纹石斑鱼产卵是自然选择和进化的产物，这种看上去似乎费神费时且效率低下的产卵授精方式，主要的意义在于能使其达到稳定，可以防止任何一方出现欺骗行为。因为生产卵子比生产精子需要耗费更多的能量（生殖投资比较大），在产卵的第一轮次中，A的贡献比较大，但双方的遗传收益却是等量的

合子，因此A在该轮是利他的，而B是受益的；在第二轮双方换了位置，于是生殖投资和收益就变得比较公平。当然，欺骗行为还是有可能发生的。因为黑纹石斑鱼并不是每天都可以排放成熟的卵子，但是却可以排放成熟的精子。如果那些不能产卵的鱼与另一条鱼配了对，那么它就会因不排卵子而得到好处。这样的情况下，A鱼如果一次就把卵排完，那么B鱼就可能欺骗得手且受不到惩罚。但如果A鱼一次只排放少量的卵，那么它就能够很容易认出B鱼是不是一个没有卵子予以回报的欺骗者。事实上，在自然界已经发现了一些配对的鱼，如果其中一条鱼不能给予产卵回报，另一条鱼就会拒绝再次产卵，并会很快与对方分手。

而在哥斯达黎加，有一种吸血蝙蝠，若连续两天吸不上血，维持生命就有困难。1984年，威尔金森（Wilkinson）做了一个实验，他把前一晚取食前被捕捉到的8只蝙蝠，在黎明前释放到一个白日栖息场所（那里有许多吸了血的蝙蝠），结果发现，有5只饥饿的蝙蝠从其他吸过血的蝙蝠那里获得了它们需要的食物。与此形成对照的是，把取食之后的6只吸血蝙蝠放到同一栖息场所，其中没有一只接受过其他蝙蝠提供的食物。同时威尔金森还发现，反吐食物现象只发生在彼此有密切联系的亲缘关系个体之间和虽无亲缘关系但经常同栖一处（即有长期关系）的配偶之间。他还通过实验证实了如下条件对于吸血蝙蝠之间的合作必不可少：（1）利他者必须有识别欺骗行为的能力，并拒绝给上次曾欺骗过它的那个个体提供食物。（2）互相回报的双方要有足够多的重复相遇次数，以便使双方在提供帮助和接受帮助时可以互换位置，最终使所有的提供帮助的个体都得到好处。一般来说个体之间会建立起伙伴关系，这种伙伴关系有时可以持续好几年的时间。（3）受益个体所得到的好处必须大于利他个体所付出的代价。

Packer在1977年通过对狒狒的研究也发现了它们的合作行为。当一只雌狒狒开始发情的时候，一只雄狒狒就会与它形成特殊的伴随关系，雌狒狒走到哪里，雄狒狒就会跟到哪里，以便等待交配的机会。有时，一只尚未得到雌狒狒的雄狒狒会向另一只与它没有亲缘关系的雄狒狒寻求支持。在通常情况下，后者会参与前者为争偶所进行的战斗。当战斗正在激烈进行时，寻求支持者往往就会脱身，随雌狒狒而去。但是在以后的经历中，支持者与被支持者往往会互换位置，曾接受过支持的雄狒狒会反过来去支持曾为它提供过帮助的雄狒狒。这是一种真正的互相回报的合作行为。

再看人类的合作

人类社会的合作现象实在太多，而且我们也的确可以举出很多的例子，来证实人们会为了达成长久的合作即使在短期有所牺牲也再所不惜。应该说，人类社会的合作范围与数量远远超出动物界、植物界的合作。这当中的原因，一方面是因为个人在自然界中势单力薄而需要集体协作，但更重要的是人类神经系统的发达使得人类能够识别出那些给自己带来好处的人以及给自己造成损害的人，从而使人们不容易在合作中上当受骗，合作行为才得以产生并扩展。而随着人类智慧的提升，一些社会、经济、法律制度的出现也使得合作更有保证——即使是向陌生人购买东西，我们并不会担心他一收了钱马上转身就跑。当然，正如我们所观察到的一样，制度更完善的国家，人类的合作情形也就更好。

当我们遇见一个陌生人，尽管我们以后不会见面，那么是不是我们就不必去帮助他了呢？其实未必。前面讲到的$W<(T-R)/(T-P)$是一个完全不合作者在“先做好人，以牙还牙”中占便宜的情形，但这不是合作的全貌。实际上也有很多人在初次见面时候采取“先做好人”的合作态度。一般来说，当我们向对方表示合作态度，对方可能会采取合作也可能采取不合作，姑且假设我合作则对方合作的概率为θ；而我不合作，对方也可能合作或不合作，为了简化分析不妨从较坏的角度考虑，那就是我不合作则对方也不合作。那么，如果$\theta R + S(1-\theta)>P$ 时，说明我选择合作的预期收益将会超过选择不合作的收益，此时我应该“先做好人”选择合作态度。可以计算出，只要$\theta > (P-S)/(R-S)$ 时，即使我遭遇的是一个陌生人，而且以后我们不会见面，我也应该选择合作态度。也就是说，在图10-2的博弈中，即使甲、乙是初次相遇，而且以后也难以见面，但是如果他们认为彼此合作的概率会超过20%时，其实大家就应当采取合作的态度。

当然，问题的麻烦在于如何判断对方是否具有内在的合作精神呢？实际上大自然为人类做出了一些安排。比如，微笑的人、长得更为“诚实”的人，常常会被别人更多地接受，而他们也就会获得更多的合作机会。曾经有学者专门做实验研究过微笑的价值，结果发现微笑的确有助于合作的达成。看来，其实人们传递合作信号的方式是相当廉价的，有时只需要一个微笑——即使对方不愿合作，损失一个微笑对你来说实在算不得什么，最多就算浪费表情吧；而更多的时候，一个微笑可能让对方也感到高兴，合作就有了一定的情感交流基础。也许，这些都正是大自然为人类合作行为早已做好的安排。

合作与合谋

人类存在大量的合作行为。在一个委托—代理关系中，如果代理人的合作行为是不利于委托人的行为的，那么这种合作行为就被称做合谋行为(collusive behavior)。比如，两个员工互相帮助提高产量，是有利于委托人的，这是委托人所愿意激发的“合作”行为；两个员工相互勾结协商均不努力来骗取委托人的奖金，那么这种合作行为对委托人是有害的，被称为合谋行为。也就是说，合谋行为本身也是一种合作行为，但却是委托人所不愿看到的合作行为。

现实中有很多潜在的合谋行为，或者潜在的合谋威胁。比如中低层员工可以联合起来蒙骗公司高层；大股东可以和管理层相互勾结掠夺中小投资者的利益；执法监察机构可以被收买而与违法企业沆瀣一气；警匪勾结、猫鼠共谋……等社会现象也非常普遍。

那么，委托人又如何可以防范合谋呢？首先必须承认，并不是每一种合谋我们都有办法解决，但是我们的确有一些防范合谋的基本思路。这些思路均可从我们现实的博弈中看到其影子。

一种防范合谋的方法是设置标杆。假设一个老板让两名员工展开工作竞赛，为此老板设置了一笔奖金。员工的业绩会受到随机因素和其努力两方面的影响。显然，两个员工都努力，则各自赢得奖金的概率为50%，但都付出了辛苦的劳动；如果他们都不努力，则仍各自有50%的概率得到奖金，却不必付出辛苦的劳动。因此，他们有可能合谋不努力。而此时为了防止员工的合谋，老板可以设置一个业绩标杆，即要求产量达到某一个标准并且是胜出者才能获得奖金。两个员工合谋不努力就不再是最优的策略。

防范合谋的另一个方法是虚拟竞争对手。这在帝王时代是皇帝控制外征将军的常用办法。当一个将军率军出征之后，皇帝怎么了解他的行动呢？怎么确保将军如实汇报军情呢？一个办法就是安排监军，对将军进行监督。但是，如果将军跟监军合谋起来蒙骗皇帝，那怎么对付？皇帝常常

会安排暗线对他们进行监督，但将军和监军等却不知道谁是暗线。

利用过去的业绩也可以防范合谋。这在体育比赛中是最常见的。既然比赛是依靠相对成绩排座次，那么运动员就可以串通付出较少的努力来平分奖金。但现实中几乎没见到这样的合谋。其原因在于，拿得第一名对于一个运动员也许并不是最值得骄傲的，而破纪录也许更令人激动。过去的纪录就成了现在运动员竞争的标准。这与标杆竞争类似。

在一个公司中，也可以以过去的业绩来制定竞争的标准。但是，如果生产技术发展较快，那么过去的业绩实际上也很难成为一个很好的标准。此时，为防范员工合谋可引入同行业相对比较来作为竞争标准。一般来说，企业内部员工容易合谋，但是本企业员工与其他企业员工合谋则相对困难得多，几乎不大可能。

关于组织中的合谋问题，目前仍处在学术研究的前沿。本书第2章提到的“分而治之”解释了组织中歧视的防合谋作用。事实上，自1986年，经济学家泰勒尔（Tirole）的论文《科层组织和官僚机构：合谋在组织中的角色》发表以来，在最近的20年中，尤其是自1996年以来的10年，组织合谋理论得到了实质性的进展。尤其是在一个“委托人—监督者—代理人”关系中的监督合谋行为，分析框架已基本成熟。目前，该领域的研究仍在不断的进展之中。

友情提示

- 即使存在利益冲突，但若有长期的合作利益，人们的合作仍是可以达成的。
- 有必要选择眼光长远、注重未来的人作为合作对象；对于目光短浅、只注重眼前利益的人，不可与其合作。
- 为了诱导对手的合作，则自己不仅需要好斗，也需要懂得宽恕，并且让对手知道你爱憎分明也很重要。

- 对于预计今后会经常碰面的人，我们应从友善对待开始；而对于那些捞一票就想走的人，对他们的防范措施就是一次机会也不要给。
- 从委托人的角度看，合作并不都是好的。委托人所不愿看到的合作被称为合谋。

11

集体行动和大规模协调博弈

一个和尚挑水吃，两个和尚抬水吃，三个和尚没水吃。

——中国寓言故事

起初他们追杀共产主义者，我没有说话，因为我不是共产主义者；
接着他们追杀犹太人，我没有说话，因为我不是犹太人；
后来他们追杀工会成员，我没有说话，因为我不是工会成员；
此后，他们追杀天主教徒，我没有说话，因为我不是新教教徒；
最后他们奔我而来，却再也没有人站起来为我说话了。

——马丁·尼莫拉

（德国新教教士，此诗铭刻于波士顿犹太人屠杀纪念碑）

自我实现的预言……是指，某种预期具有这样一种特征，它所导致的行为会促使这种期望实现。

——托马斯·谢林

（政治学教授，2005年诺贝尔经济学奖得主）

在生活中我们常常遇到这样的情景：当你希望组织同事或同学去做某

件于大家有益的事情时，结果大家反而都并不热心；在公交车或大街上遇上窃贼或劫匪，你心理盘算着只要有人先冲上去你就上去帮忙，结果没有人冲上去；当你认为某个陌生人会对你不友好的时候，结果他真的对你很不友好；或者当你希望去某个偏僻的地方寻求清静的时候，结果却发现有太多的人在这里寻求清静……我们发现，现实中很多博弈结果与我们的想像之间事与愿违，至少它们并不能满足全部(或大部分)的社会成员；同时我们也发现，现实中有太多的博弈结果，跟我们的预期完全一样。

这究竟是怎么回事？借用博弈理论可以对之做出分析。它们涉及的问题，被归结为集体行动问题和大群体协调问题。这是本章的主题，我们需要明白在这些事件中究竟发生了什么问题？又该怎么样寻找其解决之道？

集体行动的逻辑

集体行动问题

集体问题是指这样的一类问题：每个个体有动力采取与他们的共同利益不一致的行动，以促进其共同利益，就像人们预期个人会为了推进自己的利益而采取行动一样。

曾经在相当长的时间里，经济学家如同其他领域专家一样，往往把这样的情况视为理所当然：如果一群有理性且自私自利的个人意识到，他们会从一种特定的政治行动中获得好处，那么就可以料想他们会采取这样的行动；如果一群工人会从集体谈判中获得好处，那就可以料想他们会结成工会；如果厂商从价格勾结中可以得到好处，那么他们就会达成秘密的价格联盟；等等。

但是，自从奥尔森在1956年出版《集体行动的逻辑》和哈丁在1969年

发表《公共地悲剧》以来，经济学家开始形成了一种关于集体行动的与以前完全不同的观点。如果某个集团的成员可以分享某种共同利益，而无论他是否会为这种共同利益付出代价，那么这个人就没有动力为此付出代价。譬如，如果消费者可以联合起来要求政府降低关税，这样消费者就可以以更低的价格购买到进口的产品。但是，既然一个不参加这种联合行动的消费者也可以在关税下调之后获得好处，那么他就没有动力去参与这样的联合行动，他只需要等待其他消费者去行动就是了——当然，这可能并不是好方法，因为他应该可以意识到，其他人跟他有相同的想法，因此似乎他还是应该去参与行动的。但问题是，他个人的力量并不足以向政府施加压力，假如需要1万个消费者向政府施加压力才可能有效果，那么除非这个消费者相信已经有9 999个消费者要行动，他才会采取行动；多于9 999或少于9 999他都不会行动，原因很简单，多余9 999时（至少是1万人了）即使他不参加也可获得关税下调，因此他最好就不去了，而少于9 999时（最多才9 998人）即使他去也无济于事，因此最好也是不去。但是，在人数上如此规模巨大的行动，人们如何相信会有9 999人将采取行动？难以相信，最可能的结果是大家都没有行动。

这就是集体（不）行动的问题，也就是个人有动力采取与集体利益不一致的行动的问题。显然，囚徒困境将面临集体行动问题，因为它反映的正好是个人理性与集体理性的冲突。但是，千万不要误会囚徒困境是集体行动博弈的惟一版本——事实上确实有很多人这样误会了。集体行动可以是囚徒困境式博弈，也可以是懦夫博弈式，也可以是安全博弈式的。而且，在很多情况下，多人博弈都常常面临集体行动问题。

囚徒困境式集体行动

尽管集体行动问题经常涉及到众多的参与人，但是我们还是可以用两个局中人的模型来研究。读者在对一个问题进行博弈分析时，应当树立这样一种观念：确定一个潜在的问题是一回事，而寻找到最适合阐述这一问题的博弈模型是另外的一回事。在有些情况中，局中人的数量对于博弈结构之影响并不关键，那么我们就尽可能使用简单的两人对局博弈模型。只有在局中人数量也是问题之关键时，我们才会考虑局中人数量的问题。譬如，现在讨论的局中人采取纯策略的集体行动中，人数不是关键的。而在稍后要讨论的混合策略集体行动中，人数则会成为一个关键的考虑变量。

所以，至少在目前，我们还可以用两个人对局博弈模型来刻画集体行动。我们首先要看的一种集体行动版本是囚徒困境式博弈。

故事模型

某地区常发洪水，对沿岸居民构成一定的危害；而居住在上游和下游的村民们可以修一道防护大堤，减轻水害。但是，在某个地方修建大堤，会给其他地方造成更大的水害——上游建堤会加重下游水害，而下游建堤会加重上游的水害，如果都建堤则上下游水害都会增加。

我们可以图11-1表示上下游居民面临的博弈局势。

		下游居民	
		建堤	不建
上游居民	建堤	－5，－5	－2，－10
	不建	－10，－2	－4，－4

图11-1 囚徒困境式集体行动（版本1）

因为水害带来负的收益，所以图11-1的赢利是负数。其博弈结构是典型的囚徒困境：对于所有居民来说，不建大堤是最好的结果，但是建堤却是每一方居民的占优策略，结果大家都会选择建堤。当然，大家在（建堤，建堤）时的状况比（不建，不建）时的状况都变差了。

从社会的角度来说，都建堤的代价是多少？是 −5 + (−5) = −10。同样，我们也可以计算，一方建堤而另一方不建的代价是 −2 + (−10) = −12，两方都不建的代价是 −4 + (−4) = −8。因此，从社会的角度来说，如果通过法律禁止上下游的居民私筑大堤，将是一个有效率的改进——实际上这个改进是帕累托有效的，因为无论是上游居民、下游居民还是全社会居民，都从这样的改进中得到了好处。

但是，即便是囚徒困境式的集体行动问题，也不止一个版本。前面的例子是版本之一。如果改变一下赢利数字（读者应注意，赢利数字本身是多少并无关紧要，关键的是他们之间相对的大小改变，这会改变博弈的结构），那么我们将得到另一个版本的囚徒困境式集体行动问题（图11-2）。

		下游居民	
		建堤	不建
上游居民	建堤	−5，−5	−1，−6
	不建	−6，−1	−4，−4

图11-2　囚徒困境式集体行动(版本2)

图11-2的博弈中，我们将一方建堤另一方不建堤的收益改成了建堤方赢利 −1，而不建堤方得到 −6。改后的博弈仍是一个囚徒困境博弈，（建堤，建堤）也仍是惟一的纳什均衡，但是在这个博弈中，对社会而言最有

效的结果不是（建堤，建堤）时 $-5+(-5)=-10$，也不是（不建，不建）时 $-4+(-4)=-8$，而是一方建另一方不建时 $-1+(-6)=-7$。但是，对于这样的社会最优结果应如何达到呢？谁又该享受建堤的好处而使损害下降到 -1，谁又该不建堤承受更高的代价 -6 呢？从社会的角度而言，要实现最优的社会结果也许是从法律上只允许其中的一方建堤，但要求建堤的一方给予不建堤的一方给予补偿——法律的强制使得双方形成一个合作博弈，来达到社会最优结果。而只要建堤方给予对方的补偿在2~3之间，那么这种补偿机制是可以达成的，因为这样的补偿范围使得建堤一方的水害损失和对外补偿支付总共不会超过 -4，而也会使得不建堤的一方遭受的水害损失和接受补偿支付之后的总亏损不会超过 -4，这样的结果比（不建，不建）以及（建堤，建堤）都要好。

事实上，在防洪筑堤这样的问题上，为了克服其中的集体行动问题，法律的确已经有了很深入的干预。譬如美国为调整大堤建筑而调整了许多习惯法规则，其中一家法院针对这个问题还写道：“防止(集体行动)这一结局惟一而有效的方法是将河流两岸土地所有者个人对抗的努力统一为一个综合而相互协调的计划，该计划着眼于整个河流的洪水控制。”

懦夫博弈式集体行动

我们一直强调，囚徒困境问题绝不是集体行动问题的惟一版本。但是，正如法律博弈分析学者Baird等人指出，人们还是“常常过快地（把集体行动问题）确定为是囚徒困境。在有些情况中，策略相互作用被模型化为……其他博弈更好，而在其他许多情况中，分析者未能理解一组特定的交互作用所发生的来龙去脉”。

现在来看另外一种集体行动：懦夫博弈式集体行动。假设一方居民建堤，其实也会降低而不是增加另一方的水害，我们可将先前的构筑大堤的集体行动博弈重新刻画为如图11-3所示。

		下游居民	
		建堤	不建
上游居民	建堤	−5，−5	−1，−4.5
	不建	−4.5，−1	−4，−4

图11-3　懦夫博弈式集体行动（版本1）

图11-3之所以被称做懦夫博弈是因为它具有和懦夫博弈一样的结构：存在两个纯策略纳什均衡（建堤，不建）或（不建，建堤）。但是双方对不同均衡的偏好是不一样的，上游居民偏好（不建，建堤），而下游居民偏好（建堤，不建）。不过，两个均衡中的任何一个结果，对于全社会来说都是最有效率的，因为它们都可使全社会的水害代价下降到 $-1+(-4.5)=-5.5$，这是最小的社会水害代价。

由于双方的偏好不同，那么究竟会出现哪一个均衡？或者说双方应当如何协调行动？一种可能的情况是，双方轮流修堤，今年你修，明年我修，这样就相对公平一点；或者，由法律来要求建堤者对不建堤者给予补偿。大家可以计算，只要补偿在0.5~3之间，则双方应当可以接受。

同样，懦夫博弈的集体行动问题也有另外一个版本，如图11-4。

		下游居民	
		建堤	不建
上游居民	建堤	−5，−5	−1，−4.5
	不建	−4.5，−1	−2.5，−2.5

图11-4　懦夫博弈式集体行动（版本2）

图11-4在结构上仍是一个懦夫博弈，纳什均衡也仍是（建堤，不建）或（不建，建堤）。但是，这两个纳什均衡已经不是对全社会有效率的，因为如果双方都不建则社会的总损失才 $-2.5+(-2.5)=-5$，这是最小的，这也才是社会最优的结果。此时，通过法律强制不允许建堤对社会来说仍是最优的选择。

当然，懦夫博弈集体行动也可以有第三个版本，比如图11-5。其中均衡仍是（建堤，不建）或（不建，建堤），但是对社会有效率的是双方都应建堤。具体分析，就留给读者自己吧。

		下游居民	
		建堤	不建
上游居民	建堤	−5，−5	−7，−4.5
	不建	−4.5，−7	−8，−8

图11-5　懦夫博弈式集体行动（版本3）

安全博弈式集体行动

集体行动问题，有时也可以安全博弈的形式表现出来。比如，仍是修大堤的例子，我们对其中的赢利数字再做修改，得到图11-6的博弈。

		下游居民	
		建堤	不建
上游居民	建堤	−5，−5	−4，−6
	不建	−6，−4	−3，−3

图11-6　安全博弈式集体行动

图11-5的博弈与图11-3或图11-4的懦夫博弈一样，有两个均衡。这两个均衡是（建堤，建堤）或（不建，不建）。但是，他们又与懦夫博弈不同，在懦夫博弈中，双方偏好的均衡是不一样的，而在这里，双方对均衡的偏好是一样的：如果你建我也建，你不建我也不建；但大家都偏好不建。安全博弈中双方有相同的偏好，所以安全博弈比懦夫博弈更容易达成社会最优结果。

现实中的集体行动困境及其克服

三个和尚没水喝：人多的坏处

中国有句俗语："人多力量大。"但有些时候，人多反而会遭遇麻烦。

故事模型

"一个和尚挑水喝，两个和尚抬水喝，三个和尚没水喝。"这是我们在很小的时候大人给我们讲的一个故事：在庙里住着一个和尚，每天下山去挑水喝；后来又来了一个和尚，谁都想让别人下山挑水，自己捡便宜，最后谁也不去，只好两人去抬水；后来又来了一个和尚，抬水也不好分工了，于是都坚持不去挑水，结果大家都渴死了。

这个故事当然是编造的，但是它刻画了一个典型的集体行动困境。因为每个人的理性选择是等待他人去挑（抬）水，结果导致了对集体来说非理性的结果。

不过这个故事还有一个更深刻的地方，那就是集体行动问题的确会随着人数的增加而变得更严重。两个和尚的时候，大家至少还可以协同去抬水，有了三个和尚，抬水也不可能形成了。

团体大小对于集体行动的重要影响在一些研究中得到了证实[⊖]：格雷夫（Greif）对中世纪地中海沿岸国家的两个贸易团体进行了比较，揭示了小团体与大团体的差异。Maghribis(商队名称)是依赖家族延伸和关系网的犹太商人们。如果这个团体的某个成员欺骗其他成员，受害人就会写信通知其他所有成员，若罪责很容易查实，则团体中就再也没人跟骗子做生意。这一体制在贸易规模较小的时候运行良好。但是，随着贸易在地中海沿岸扩展，团体就无法继续获得足够亲密和可靠的内部人到存在新的贸易机会的国家去做生意。相反，热那亚商人建立了更正式的法律体制。交易合同必须在热那亚中央当局备案。任何欺骗或违约的受害人必须向当局申诉，当局会展开调查并对欺骗者课以适当的罚金。这一体制及其全部的侦察困难，随着贸易扩张而轻易地扩张。 随着经济的发展和世界贸易扩张，我们可发现一些类似的转变，比如从紧密联系的群体向更松散的贸易关系转变，以及从基于重复互动的执行向基于官方法律的执行转变。

小团体较能成功地解决集体行动问题的思想，是奥尔森的《集体行动的逻辑》一书中的主要议题，并且引发了政治学中的重要洞见。在民主社会中，选民具有同等的政治权利，而且主流民意应当取得优势。但是，我们看到太多的例子并非如此。政策对某些群体影响是好的，对其他团体影响是坏的，要让偏好的政策被采用，该团体必须游说、开记者会、营造声势等，而要这样做则该团体必须解决集体行动问题。因为该团体中每个成员可能都希望自己袖手一旁而享受他人努力的成果。如果小团体能解决这些问题，大团体因为成员多而没有集体行动，则政策就会偏向小团体一方。

最戏剧性的例子来自于贸易政策领域。一国的进口限制政策会帮助本国产品与进口产品竞争，但这对国内消费者不利，因为进口限制政策会让

⊖ 参见迪克西特和斯凯思所著《策略的博弈》。

产品价格更高。国内的生产者很少，而消费者却几乎占了所有的人口：消费者福利的损失总额远比生产者因此获得的福利总额要大，基于经济损益和选民的考量，进口限制政策应该被取消，但我们看到的并不是这个结果。生产者人数少且关系密切，比较容易促成政治行动；消费者人数多且分散，他们往往面临着集体行动的困境。

为什么政府要建立职业安全卫生法

法律从不是为个人设立的，它常常是为了调整人类集体行为而设立的。从集体行动的角度，我们可以理解有一些法律为什么是必要的，比如职业安全卫生法。

在最近的100多年时间中，各国的立法都加强了劳工保护。一个典型的证据就是许多国家都颁布了保护雇员的《职业安全卫生法》。

有一些人，包括早期的某些主张经济自由主义的经济学家，他们并不太主张职业安全卫生立法。其理由是劳工与雇主的自由谈判将会确定出有效率的工资水平和安全卫生保护水平，政府没有必要去干预他们的谈判。的确，如果一个企业不太注重保护劳动者，那么它就会在劳动力市场上形成一个不好的声誉——这将使得他的招聘成本更高，因为人们不愿意在他的企业工作，为了让这些不大愿意来的人前来工作，雇主就不得不为劳动者的不愉快心理进行补偿（支付额外的补偿性差别工资）。

但是，也有另外一些经济学家并不完全同意上述观点。他们指出，劳动者获得职业安全卫生的补偿性差别工资的前提是劳动者必须知道其面临的职业安全卫生问题。如果他们不知道，那么他们就可能根本不知道要求企业支付职业安全卫生的补偿性差别工资。一般来说，安全问题是容易被直接观察到的（比如建筑物是否危险、工厂一年发生了几起事故等），雇主很难欺骗员工，因此法律似乎没有必要进行干预；而卫生问题则不太容易被观察到（职业病往往有漫长的发病时间，当工人知道自己患病时可能劳动合同都已经结束了），那么雇主要欺骗工人就容易得多，因此政府有必要在职业卫生方面实行强制干预。

上述第二种观点可以解释为什么需要职业卫生立法，但是既然安全立法不重要，为什么各国的立法实践中并不仅仅是注重职业卫生立法，而同时还注重了职业安全立法呢？究竟是政府真的错了，还是上述理论仍然存在一些缺陷？

事实上，政府是没有错的。而现在的经济学家也发现前面的理论是有缺陷的。为什么呢？因为前面的两种理论都假定劳资双方的谈判力量是大致等同的，因此劳动者可以要挟雇主“你不改善工作条件我就不来工作”。但是，在大多数国家，尤其是发展中国家，劳动力相对于资本过剩是一个严峻的事实（看一看高失业率就知道这一点了），在失业的压力下，劳动者的谈判能力实际上是相对较弱的。尤其是，当我们考虑一种最简单的劳动力过剩的情形：两个人要争取一个岗位，那么博弈论告诉我们，为了获得这个岗位两个工人都将不断降低对工资和工作条件的要求，最终使得工资和工资条件降到非常低的水平——这正是很多劳动力过剩的发展中国家工资低、工作条件恶劣的重要原因。

上述理由可以解释劳动力过剩国家为什么应当设立职业安全卫生立法来保护劳动者，但还难以对那些劳动力看来并不过剩的国家之劳动安全卫生立法做出解释。这些国家的安全和卫生立法有价值吗？当然！因为，即使劳动力并不过剩，工人也确实可以跟老板要求改善劳动条件，但问题是劳动条件改善的好处，并不是由某个奋力要求改变工作条件的员工获得，所有在现场工作的员工都会从中得到好处。因此，工人之间存在集体行动问题，每个人都指望着有人去要求改善工作条件、提高劳动保护，而自己

来享受成果。但是，由于雇主的枪常常会瞄准出头鸟，结果并没有哪个员工愿意为此出头。

这样看来，由于雇主和劳动者关于安全和卫生的信息不对称，国家有必要干预企业职业安全卫生；即使信息对称，由于谈判能力不对称，国家有必要干预企业职业安全卫生；即使谈判能力基本对称，由于工人面临着集体行动问题，因此国家仍有必要干预企业职业安全卫生。

国家政治中制衡与集体行动难题㊀

在国家之间的政治斗争中，制衡一国的霸权图谋，维护体系的稳定，无疑有利于绝大多数国家的利益。因为国际政治是个无政府的领域，国家不可能把自己的安全和生存寄托在他国的善意之上，听任他国的称霸行为最终必然危及本国的安全与生存。然而，制衡一国的霸权图谋需要参与制衡的国家付出巨大的人力、物力牺牲，需要诸多国家协调一致、坚韧不拔的努力，在很多情况下甚至需要一个组织者或领导者。但是，一旦制衡的努力获得了成功，霸权觊觎者的霸权图谋被挫败，其成果却非竞争性、非排他性地为体系中几乎所有的国家所共享，即使那些没有参与制衡的国家也无法被排除在外。这必然给一些国家逃避制衡的责任和努力提供了刺激和动机，鼓励它们“搭便车”、坐享其成。显然，在制衡一国的霸权图谋时，也遇到了类似于公共物品提供上的集体行动的难题。

不仅如此，在信息不完备以及缺乏有效沟通的情况下，每个国家都担心在本国制衡时，他国会“搭便车”（不制衡），甚至采取背叛行为（追随霸权觊觎者），从而自己陷入孤军奋战的困境，成为霸权觊觎者集中打击报复的对象。此类担心和猜忌又进一步加剧了集体行动的难题，最终使制

㊀ 本部分材料取自韦宗友：《集体行动的难题与制衡霸权》，载自《国际观察》2004年04期。

衡行为难以发生，导致反霸努力失败或困难重重。

历史上，因集体行动的难题而导致制衡霸权努力的低效甚至失败的例子十分常见。中国战国时期六国抗秦失败就是一个明证。

故事模型

秦国本是一个地处西陲的弱国，地理位置偏僻，文化落后，中原国家“不与盟会”。经过秦献公、特别是秦孝公两代的变法图强、励精图治，国力逐渐强大，并积极参与中原的争霸斗争。到秦惠王时，秦国通过一系列的兼并战争，夺取了西部邻国义渠和东部邻国魏国的大片土地，占有了黄河天险，威震六国。公元前325年，秦惠王继魏、齐之后，自称为王。

秦国咄咄逼人的进攻势头及称霸图谋，使中原各国都感到了威胁。随着秦国权力的急剧增长，各国已无力单独抗衡秦国的侵略与称霸图谋，联合抗秦是六国摆脱被吞并命运的惟一选择。公元前287年，齐、韩、赵、魏、燕五国在著名说客、合纵的积极鼓吹者苏秦的谋划下，组织了第二次合纵攻秦行动。但五国之间已是貌合神离，其内部间的矛盾被秦国成功地加以利用，面对强秦的军事威胁，六国间非但未能精诚合作、共同抗秦，反而在秦国的恩威并施下，或割地求和，或委曲求全，最终，六国在强秦的分化瓦解和军事攻击下，被逐一消灭。

类似六国抗秦失败的例子并不鲜见，反对拿破仑的称霸战争就是一例。法国革命的胜利对欧洲大陆的君主秩序无疑是个致命的冲击。平等、自由、博爱的思想让欧洲的每一位君主不寒而栗。而拿破仑对外战争的胜利以及与战争相伴随的革命输出，使欧洲各国感到了迫在眉睫的安全威胁。反对法国革命以及拿破仑的称

霸图谋几乎符合所有欧洲国家的利益。然而，在组织反对法国革命以及拿破仑称霸战争的过程中，由于集体行动的难题，反霸努力多次遭受挫折。在整个反霸过程中，除了英国外，其他反法联盟中的成员国都不止一次脱离了联盟，或与法国单独媾和，或追随法国，或选择中立政策。许多成员国更感兴趣的是从反法联盟的组织者——英国那里获取更多的津贴而非反法本身，而普鲁士、奥地利和俄国则将主要精力集中于对波兰的争夺与瓜分上。即使是联盟的组织者、对反法最为热心的英国也不愿开展大规模的陆上军事行动，只满足于海上封锁、对法国沿海以及海外殖民地进行袭击等“英国式的作战方式”。到1795年时，普鲁士与法国签订和约，退出了战争；整个北德意志宣布中立；荷兰成为法国的附庸；西班牙则抛弃联盟，转而追随法国。第一次反法联盟分崩离析。在第二次反法联盟行动中（1798~1801年），集体行动的难题也处处可见，并再一次导致联盟的瓦解。普鲁士没有参加第二次反法战争，奥地利与俄国在战争中互不配合，俄国对英国迟迟不派重兵展开大陆攻势而只是对法国的海岸线进行袭击的做法深感不满和满腹狐疑，并因此而单独与拿破仑媾和，首先退出联盟，随后又与普鲁士、瑞典、丹麦等国组织武装定立同盟，抵制英国。奥地利步俄国后尘也向法国求和。到1801年时，反法联盟中只剩下英国还在单独苦撑，而且英国也多次考虑向法国求和，只因拿破仑的条件太过苛刻而作罢。虽然拿破仑的霸权企图最终被反法联盟的战火所摧毁，但这却是一个前后长达20余年的漫长时期。而且，若没有英国这样一个矢志不渝的组织者和出资者，这一过程无疑会更为漫长，结果也将更难以预料。

至于冷战以后的全球格局，苏联的分崩离析导致了美国霸权主导的单极世界。一些政治和军事观察家认为，这样的单极格局是不正常的，也是不可能长久的。尽管，以多长时间来定义“长久”尚无标准，但是冷战结束后20年来，美国霸权似乎并未受到挑战。这其中的原因，与反对美国霸权的行动中各国所面临的集体行动问题并非没有关系。自20世纪90年代海湾战争以来，美国打着“人权”、“民主”、“反恐”等幌子——实际上暗中想的是实现战略资源（石油）控制和称霸全球的政治野心——打击其他不太令他喜欢的国家。面对这样的局面，各个国家如果能够加强沟通和交流，真正地行动起来，对美国形成制衡其实也并非不可能。

其他例子

现实生活中还有许多集体行动难题的例子。

比如，在存在控股股东的公司并购中，控股股东可以利用其较大的控制权以牺牲外部中小股东利益为代价来完成对其私人有利的并购。即使中小股东可以联合起来对控股股东形成限制，但是由于集体行动困境，结果这些针对大股东的限制行动往往并没有发生。譬如有研究者曾经研究过我国上市公司第一百货和华联商厦之间的并购，对方提出的并购方案对华联商厦的流通股是不利的，不过在公司决策程序中，如果弱势的外部股东可以有效地联合起来，他们的股权就足以抵制并购方案。但是，结果是外部股东一方面抱怨自己的利益受到了损害，另一方面他们也没有联合起来抵制。这个例子，实际上只是金融和公司治理领域大投资者利用中小投资者的集体行动困境而谋取利益的成千上万的例子之一。从这样的例子中，也可以看出对中小投资者的立法保护究竟有多重要。

与公司治理的外部小股东面临利益被剥夺时的反应类似，在一个国家的统治中，即便是一个残暴的政体，也可能在人民的集体行动困境中长期

存在并延续。就封建社会的帝王统治而言，其实人民可以反对他，他身边的大臣也可以找机会杀掉他。但是，他依然安全地活着，一方面是因为有一些人试图保护他，因为保护力量足够大，想杀害他的一方因担心行动后被保皇派报复而不敢行动。但另一方面，即使他已经众叛亲离，人人都希望杀掉他，他可能也会生活得很好，因为率先出面试图杀他的人，往往会受到最严厉的反击，因此每个人都宁愿等待别人去杀他。但结果，在众人的集体行动困境中，暴政得以传承并不断锁定。有时，公司里的政治也正是如此，一个人人都很讨厌的领导人，他的位置反而坐得稳稳的——每个人都知道其他人对领导不满，因此希望他们出来反对。相比之下，如果只有一个人对领导不满，这个人有可能反而不愿忍耐下去，因为他对别人的反对行动不报任何希望。

在村庄、城镇的公共品建设中，同样存在集体行动的困境。比如一个村庄要修建道路，那么每个村民就可能等待别人来修而自己享用，当每个人都这样想的时候就没有人愿意来修路。也许，村委会将强行摊派修路的经费和工作，那么距离道路稍远的村民会说这条路对他没什么价值而拒绝，实际上每个人都有动力说这条路对他没什么价值而拒绝掏钱出力。最终可能使一项修路工程没办法实施。

读者朋友们，如果细心发现，你们一定还可以在生活中见到不少的集体行动难题。

如何克服集体行动问题

博弈论学者迪克西特和斯凯思在他们的《策略的博弈》一书中，分析了如何克服集体行动难题。下面是他们的主要观点。

若集体行动问题是安全博弈式的，则解决方案比较简单。此时若预期他人采取社会最优的行动，则自己采取社会最优行动是符合个人利益的。

换句话说，社会最优结果是纳什均衡：惟一的问题同样的博弈也有其他比较糟糕的纳什均衡。所以，惟一要做的是把最优纳什均衡变成一个聚点(focal point)，也就是确保参与者的期望会收敛到聚点。这样的收敛可以来自社会习俗或惯例——也就是自动接纳的行为，因为这么做符合每个人的利益，只要其他人也这么做。例如，如果某一地区的农夫、牧民、织工(weavers)以及其他生产者想要聚在一起交换他们的器具，他们惟一要做的是确保找到要交易的人。慢慢地，每周在村子X日期Y开放市集的习俗成立之后，则在市集日聚在一起进行交易就成为每个人的最优选择。

但是，正如前面的分析，大团体的集体行动问题通常也可以囚徒困境形式出现，在这样的博弈中要达成合作有三个方法：重复博弈、惩罚（或奖励)、领导。事实上，在本书第10章，我们就基于重复博弈和长期关系解释了囚徒困境中合作的达成机理。一般来说，维持合作要求每个人都有如下想法：欺骗的暂时利益很快会被比合作行为下低得多的赢利所取代。由于每个人都认为，从长期的角度看来，欺骗毫无益处，因此欺骗行为很快可以被遏制，而(减少未来赢利的)惩罚则应当是足够迅速、毫不留情且会让欺骗者痛彻肌肤的。

在一个团体中，常有对子优势。两个成员也许没有机会跟所有人频繁互动，但是他们很可能自始至终都与某个人在进行互动。因此，B也许有欺骗A的念头，但出于对将来遭遇其他人（比如C和D）惩罚的担心，其念头就打消了。但在重复博弈中维持良好行为的方面，群体较之直接的二人互动具有补偿劣势。维持合作所要求的对欺骗行为的侦察速度和确定性以及惩罚力度都随成员数量的增加而增加。

先从侦察欺骗行为开始，其实这并非易事。在很多现实情形中，参与人的赢利并不完全取决于参与人的行动，而是受到某些随机波动的影响。

即便是两个参与人的情况，若一方得到较少的赢利，他也并不能因此确信对方在欺骗他——这也可能是随机冲击的结果。若人数增加，则会出现另外的问题：如果有人欺骗，他是谁？惩罚一个无法确认其罪责的人不仅在道德上是为人们所排斥的，而且也是不利于生产的——对合作的激励将变得钝化，若合作行为对错误的惩罚比较敏感的话。

其次，在大量参与人的情况下，即便欺骗被侦察到，并确认出欺骗者，这一消息必须非常迅速和准确地传达给团队其他成员。因此，团队必须很小，或者有非常良好的沟通或传言网络。而且，成员也不能错误地指控他人。

最后，即使欺骗被侦察到，并且该消息迅速传遍整个团体，也必须安排对欺骗者的惩罚。而第三方成员实施惩罚常常需要付出个人的成本——比如，若让C去惩罚先前欺骗过A的B，则C和B之间有利可图的生意就只好做罢——从而实施惩罚本身就是一个集体行动博弈，一样会承受卸责(shirk)之痛，也就是，没有人去参与惩罚。一个社会可以构建一个惩罚卸责的第二圈体制（second-round system），但是那有可能产生新的集体行动问题。然而，人类似乎获得了一种本能，即某些人可以从惩罚骗子中得到快乐，即便他们并不是特定欺骗行为的受害人。

当然，人类社会的确也发展出了可用以对背叛者(卸责者)进行惩罚的一些具体方法。一种是由团体中其他成员施加的制裁（sanctions），制裁的方式通常是取消其未来参赛的资格。社会也可以创造行为的规范(norms)，来改变参赛者的赢利以促使合作。规范改变赢利的方式包括羞耻、罪恶感或其他成员的厌恶与反对等额外代价，并以教育和文化的过程来建立。规范跟习俗不同之处在于，个人遵守规范不仅因为他知道其他人也遵守，而是有实质的额外代价。规范跟制裁也不同，若违反规范，其他人无需采取明显的行动惩罚你，额外的代价会内化个人赢利。

社会可以惩罚错误行动，同样也可以奖励正确行动：赠予金钱或其他物品（类似制裁），以及改变个人赢利令其乐于采取正确行动（规范）。这两种奖励方式可以互动，例如授予英国慈善家贵族及骑士的地位，以表彰其行为，这是外部奖励，但人们尊敬贵族及骑士只因为这是英国的社会规范。

社会大众遵守规范则会使规范更有约束力，常常违反规范则会使规范丧失其效力。在福利国家出现之前，当经济处于困难时，人们只好依赖其家庭朋友或社会团体的帮助，这种社会救助规范会让人产生惰性，成为依赖他人生活的“搭便车”者。而当政府发放失业补助时，社会救济规范就会减弱。

不同社会或文化团体会发展出不同的习俗及规范来达到相同的目的。在一般层面上，每种文化都有自己的一套礼节——跟陌生人打招呼、表达食物可口等。当不同文化背景的两个人碰到一起，误会就可能因此产生。更重要的是，每个公司或机构各有其处理问题的方式，差异微妙且难以达成一致，正是这些“公司文化”冲突导致很多兼并失败。

要成功解决集体行动问题，明显取决于对欺骗行为的察觉和惩罚是否成功。一般而言，小团体中成员与成员间的信息获取较便利，因而察觉欺骗比较容易，惩罚欺骗者也比较容易，所以我们常常看到小社区有成功合作的例子，这在大城市则很难想像。

至于懦夫博弈式集体行动问题，我们已经分析过：如果社会最优结果是一个建堤而另一个不建，那么两个人可以轮流选择建或不建，或者由一方建但是给予另一方适当的补偿；如果社会最优是都建堤或都不建堤，那么政府的强制也许是比较好的手段。事实上，很多时候，赢利差异问题不是由平均赢利来解决的，而是以压迫（oppression）或强制（coercion）的手段来解决的。

最后，考虑如何用领导来解决集体行动问题。若参与人的“规格”(size）相差悬殊，则囚徒困境会自动消失，因为对大规格的参与人来说，允许小规格参与者欺骗并继续合作符合其利益。这里，我们还应承认另一种“大”的可能——即“大爱”之人。团体中不同的人有不同的偏好，有些人乐于将自己的力量贡献给社会，如果社会上有足够多这样的人，则集体行动问题会消失，大部分学校、教堂及医院需要这样博爱的人。而这同样在小团体中比较有效，因为慈善家会比较容易看到施惠的果实，这样才能鼓励他们继续做下去。

大规模群体的协调

网络外部性

当成千上万的人一起行动的时候，人际相互影响往往具有网络外部性。所谓**网络外部性**，是指拥有一种产品的人越多，那么这种产品对于每个人的价值就会变得越高或越低。如果价值变得越高，那么网络外部性就是正的；如果价值变得越低，那么网络外部性就是负的。

正的网络外部性典型的例子是字处理软件。现在全球最为流行的字处理软件是Microsoft Word。但是，它并不是惟一的字处理软件。我相信读者朋友中的任何一个人，当你们决定在你的电脑上装什么字处理软件的时候，你一定会考虑别人的电脑上装的是什么字处理软件。是的，如果你周围的电脑全都用WPS或者Lotus Notes，那么你大概就不会装Word，因为不这样的话会给你带来很多不便。而你之所以安装Word软件，并非Word

有多么好，更可能的原因是因为你办公室的同事都用Word，而你办公室的同事之所以用Word也主要是因为他所接触的客户们都用Word，而那些客户们之所以用Word也许只是因为你们公司和很多其他公司都在用Word而已。事实上，网络外部性在你选择软件的时候是比较重要的，譬如，许多的数学期刊都要求论文必须用Tex系列的软件来编写，否则就拒绝接受，结果许多数学教授以及经常会写数学符号、公式的物理学教授、经济学教授等，他们就更多地选用Tex来写文章，而当你也属于这个群体的时候，你发觉与他们保持一致使用Tex对你来说的确是最好的选择。

电话以及其他的通讯手段也是网络外部性的典型例子。如果世界上只有一部电话，大概没有人会去买它。是啊，你买了它打电话给谁呢？但是，如果成千上万的人都使用电话的时候，你会发现自己也是多么急迫地需要一部电话啊。

负的网络外部性的例子也很多。比如某些炫耀性商品，如果拥有它的人越少，那么它就越有炫耀的价值；而拥有它的人越多，那么它就没有什么炫耀的价值了。当然，更多的物品也许是需要在消费者达到一定数量后才出现负的网络外部性，比如高速公路的使用，如果用户量在一定的范围内，并不会影响每个人的行使速度。但是，如果过多的车辆驶入高速公路，结果每辆车的速度实际上都会受到影响。此外，有些行为对单个人来说其代价可能微不足道，但是一旦通过网络效应扩大，其影响可能就非常巨大，比如谢林曾经讲过一个例子：路上发生了一起车祸，每个司机因为好奇而停车观看10秒钟，那么最终会造成一场严重的交通堵塞，每个司机最终所付出的代价实际上远远超过了10秒钟。

大群体协调博弈中的集体行动

大群体的协调博弈，主要是由于网络外部性所引起的。

我们考虑如下一个协调博弈（图11-7）：

		乙	
		上	下
甲	上	350，350	500，0
	下	0，500	600，600

图11-7　协调博弈

这个协调博弈中有两个均衡：（上，上）和（下，下），当然，（下，下）是对双方来说最好的一个均衡。但是，这个最好的均衡并不一定是一个聚点，实验研究反而表明确实在更多时候人们偏向于选择（上，上）这个均衡。当然，这可能与人们的心理有关，因为甲发现选择“上”，至少可得350，而多则可得500，如果选“下”则最多虽可得到600而最少却只得到0，从比较稳妥的角度考虑（因为他不知道乙会选择哪个策略），他选“上”可能是更好的。同样，乙也是这么想的，结果大家都选择了相对较差一点的均衡（上，上）。

不管如何，这个例子说明了人们的行为并不总会协调到较高的那个均衡上去，陷入一个低劣均衡是完全可能的。就好像，Lotus比Microsoft在性能上更好，但是结果Microsoft反而成了主流一样。这样的故事也发生在经济学界，那些不断被媒体追捧、牵动大众眼睛的经济学家，其实大多是二流经济学家，但是一流经济学家因为不关心大众的反应也无意取悦大众，结果反而使得二流经济学家成了经济学家的主流。

如果，我们对图11-7的博弈稍做扩展，从甲、乙两个人的协调博弈扩展为N个人的协调博弈——当然，由于网络外部性的存在，对赢利函数也需要做出一些假定，姑且假设：任何一个局中人的收益，都是与他选择相同的人数的倍数——对于n个选择“上”的人中的任意一人，他可获得收益$350n$；而对于$N-n$个选择“下”的人中的任意一人，则他可获得收益$600(N-n)$。

那么，对于任意一个局中人他将怎样选择呢？显然，他需要看看除了他自己以外的其他$N-1$个人是怎么选择的，假设其他$N-1$个人中有x个人选择了“上”，那么也就意味着有$N-1-x$个人选择了“下”，从而：这个任意的局中人选择上的预期收益为$350 \times (x+1)$，而选择“下”的预期收益为$600 \times (N-1-x+1) = 600 \times (N-x)$。如果考虑混合策略均衡状态，意味着他选择“上”或“下”的收益是无差异的，那么有：$350 \times (x+1) = 600 \times (N-x)$，可解出：$x^* = (600N-350)/950$。当然，要定义混合策略均衡那就是：每个人都以概率$x^*/(N-1)$选择“上”，以$[1-x^*/(N-1)]$的概率选择“下”。这样就得到了策略博弈的混合策略均衡。

不过，该协调博弈更可能最终固定于两个纯策略均衡——因为那个混合策略均衡很容易受到冲击，在混合策略均衡状态下，只要有一个人从一个策略转向另一个策略，都可能导致均衡被打破，而逐渐向某一个纯策略均衡收敛——这两个纯策略均衡是：（1）每个人都选择“上”，这要求任何一个局中人面临的选“上”的人超过x^*；（2）每个人都选择“下”，这要求任何一个局中人面临的选“上”的人少于x^*。

x^*会是多少呢？只要知道总人数N，就可以知道x^*的值。表11-1计算出了不同的N所对应的x^*值。

表11-1　不同群体规模的均衡混合策略

$N=$	10人	50人	100人	500人
x^*	6	31	63	315
均衡混合策略	0.67	0.63	0.63	0.63

随便抽取其中一种情况来分析，比如$N = 100$的情况，则图11-8可表示任何一个局中人面临的局势。

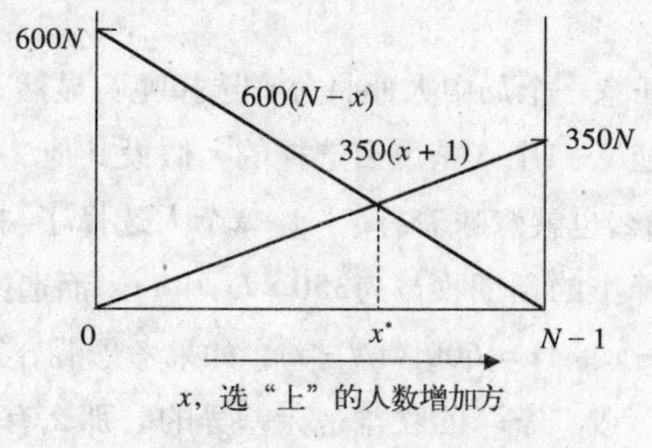

图11-8　N人协调博弈

从图中可以看出，对于任何一个局中人，随着选“上”的人数增加，当人数超过x^*的时候，他就应该选“上”，因为此时选“上”的收益大于选“下”的收益；如果选“上”的人数低于x^*的时候，那么他就应该选“下”，因为选“下”的收益高于选“上”的收益。都选“上”或都选“下”都可以成为纯策略均衡，但是都选“下”比都选“上”更有效率，因为都选“下”每人得到$600N$，而都选“上”每人才得到$350N$。

通常，在这样的协调博弈中，并不是N个局中人同时进行的。更常见的情况是已经有一些人做了选择，而后来的人是观察到他们的选择来做自己的选择的。比如，选用Word软件并不是一夜之间完成的，有不少人选用了Word，但也还不断地有新用户在决定选用什么字处理软件。在这样的博弈中，前人某一选择所占的比例，将对后来的进入者产生重要的影响。从而，最终的博弈结果可能会收敛到某一个纯策略均衡（当然，不一定是最好的那个纯策略均衡）。这是具有网络外部性产品的一个最为重要的特征——它们通常意味着，如果一家公司的产品（比如Microsoft Word）成为纯策略均衡下的选择，那么就不可能有其他的产品挑战其地位，这就是我们常说的典型的赢家通吃（winner-take-all）。随着现代社会市场网络的无限扩展，各种分割的狭小的市场也将被一个更大的市场统一起来，赢家通吃的现象似乎已经越来越突出了。

英语的优势

接下来我们再看几个具有网络外部性的协调博弈的例子。

第一个例子是语言。如果你自己懂得一种只有你自己才能理解的语言，那么这种语言是毫无意义的，因为语言最根本重要的功能是交流。如果懂得一种语言的人越多，那么你掌握这种语言所获得的好处就应该越多（因为他降低了你与更多人交流的障碍）。

目前全球应用最广泛的语言就是英语。由于母语是一个人可以轻易掌握的，而非母语则需要花很多时间去学习才能掌握。因此，讲英语的国家无疑在这一方面占有很大的优势。一个简单的事实是，一个美国研究人员一上大学就可以开始关注于研究的前沿，在阅读最先进的文献、写文章发表等方面也并无障碍；而一个非英语国家的研究人员，往往需要花费漫长的时间来学习英语，然后才能跟进其研究领域的成果，即便是写文章也不那么地道。许多华人经济学家，其实还包括许多非英语母语的经济学家，他们在经济学领域取得的成就大多是靠数学取胜的，这与他们的非英语母语不能说没有关系。因为数学能力并不需要太高的语言技巧，而如果是他们想写思想论辩性质的论文，则这显然不是他们的强项。

不仅在学术领域，在商业领域甚至在日常生活领域，英语都在侵蚀各个国家的语言。在许多的国家，人们不得不为学习英语而努力，这也造就了诸如中国“新东方”之类的学校的奇迹；但是，那些英语国家的人们，

似乎对他们没有学习其他的非英语国家语言并感到不着急。

在哪里生活

人们喜欢群居，具有相同类型的人总是喜欢住在一起。比如，在我国的民族居住分布中，少数民族是“大杂居、小聚居”，其他国家的民族分布也是同样的状态。很多人不喜欢居住在不属于自己的民族的地方，所以一个地方居住的同构性很高。而追究现象背后的根本原因，大概仍在于与同类的人聚居会给自己的生活带来方便（比如同样的文化和兴趣更易于沟通和交流、更容易交朋友，信任程度更高而更容易得到帮助等）。

谢林在他的《微观动机与宏观行为》一书中也讲到了居住地的分类与融合。他举了大学教授的例子。有些教授比较偏爱学术化的居住环境，教授密度的差别会使他们趋向集中，并增加当地的密度，使这些地方的学术气氛更为浓厚，并吸引更多的教授。那些寻找心仪住所的教授们从同事及其配偶那里了解不同类别的住房，而他们想了解的住房自然也是教授们密集居住的地方。

移动电话网内通话为何便宜

所有使用手机的读者朋友都知道，不管你使用什么卡或者何种套餐，在不同的网络（移动或联通）之间通话比网络内部通话价格更贵。这是技术原因造成的吗？不是。在技术上这不应是一个难题。那么是什么原因导致网内外的花费不一样呢？

答案是两家公司有意在创造网络外部性。移动通信服务是可以竞争的，既包括价格因素，也包括非价格因素。但是，经济学原理告诉我们，价格竞争——哪怕只有两家企业——将使得双方将价格调整到边际成本。但是，价格竞争对于公司来说肯定不是一个好办法，因为它只会削减每一家公司的利润。从而，非价格竞争就很重要。创造网络外部性，就是一种非价格竞争手段。

具体地说，由于网内通话比网外通话更便宜，那么你在选择入网的时候就需要考虑你的朋友们，或者是经常有业务联系的同事和客户们都使用什么网络，如果他们都使用或大多数使用中国移动，那么你选择中国移动就是更有利的；反之，如果他们都使用联通，那么你也应该使用联通。而你选择其中一种网络的时候，实际上也会对你那些尚没有买手机的朋友在选择网络时产生影响。

当你认识到这一点的时候，你大概就很容易理解，为什么有时候移动通信网络的服务商会进行办理入网即赠送手机的活动了。他们以赠送手机为代价，换取你的入网。当更多的人加入其网络，那么网内外的差别话费价格所造成的网络外部性就会使得更多人选择该网络。

同样的道理，也让我们很容易理解，为什么很多网站都实行会员制度。因为人们访问网站的习惯通常是喜欢访问人气旺盛的网站，所以一个网站要得到好的经营业绩必须要保证人气。因此，如果一个网站的会员越多，那么就会有更多的人愿意在上面注册为会员。而一个会员量极少的网站，就没有人有兴趣去注册成为其会员了。

信念的力量和自我证实的均衡

在协调博弈中，信念的作用极其巨大。一个显然成立的结论是，在多个均衡中，如果局中人都相信某个特定的均衡会发生，并且他们也都相信对方相信某个特定的均衡会发生，那么这个特定的均衡就真的会发生。相反，如果每个人信念不同，对别人的信念的信念预期也不同，则博弈的结果可能会比较复杂。

读者朋友们大概都有这样的经历：当你觉得某个事情会发生的时候，结果它真的就发生了。我们的问题是，这个事件的发生，是跟你的感觉有关吗？可能每个人的回答不一样，大多数读者会说这是一种唯心主义的观点。但是，在人类社会，尤其是面临着互动行为协调的情况下，事件的发生的确可以跟你的预期联系在一起。只要人们能够预期到某个结果会实现，那么这个结果就真的实现了。这正是2005年刚刚获得诺贝尔经济学奖的托马斯·谢林教授所提出的“自我证实的均衡”模型的基本思想。

为什么人们预期的结果会出现呢？在大规模协调中，信念的汇聚是形成特定均衡的重要条件。其实，即便在很小的范围（比如两个人）的协调博弈中，信念也很重要，这不仅是因为信念一致才能达成均衡，更重要的是为了达成均衡，人们会彼此对他人的信念形成信念。一般来说，如果对方有不同的信念，那么你就会表现出不同的行为方式（这会向对方传递出一些信息从而影响到对方对你的信念做出判断）。面对一个陌生人，如果我认为他可能会对我不友好，那么我就可能表现出防卫或不友好的举动，而这样的行为方式会使对方认为我不友好而真的采取了不友好的态度。结果，彼此不友好成为一个自我证实的均衡。

信念通过影响行为而影响结果，这是自我证实均衡产生的重要原因。譬如，公司的员工可能不赞同某项改革计划——尽管一些专家都认为这样的改革计划是很完美的，姑且假设事实上它也很完美，但是员工不是专家，也不具有专家的判断力，他们的知识结构使他们难以理解这是一个好的改革计划——他们认为这是一个糟糕透顶的改革计划，那么这个完美的计划真的会变得糟糕透顶。因为员工不认为它好就不会用心去实施，甚至可能会悄悄抵制，最后这项改革政策的结果与初衷相去甚远，然后员工们会讲：我们早就说了这个改革行不通的，怎么样，现在应验了吧？

谢林本人也举过一些自我证实结果的例子。我们通常认为德国牧羊犬是“警犬”，很凶猛，所以我们都很害怕它。但是，这种狗之所以很凶猛，肯定有一部分原因是因为我们害怕它们，并且对它们也不友好。主人在驯养这些狗的时候，往往希望它们变得凶狠，让别人害怕，这样就可以更好地保护他的财产，因此他也总是挑选最凶猛的狗来养。如果我们固执地认为“警犬”是很温驯的、友善的，那么我们就完全误解了狗主人的意思，颠倒了整个体系。

同样的道理，还可以举出很多的例子。如果人们认为咖啡会短缺，那么他们就会抢购咖啡，然后真的导致了咖啡的短缺；如果人们认为股票价格会下跌，就会纷纷抛售股票，结果导致股票价格真的下跌；如果人们认为某家银行会破产，就会纷纷提款造成挤兑，银行就真的可能破产；如果每个人认为某政治家的选票会很少，那么就不大会把自己的一票押在他身上，结果他得票就真的很少；如果别人都认为你会很早去占报告厅的好座位，结果你就必须早去才能占到好座位。谢林甚至还讲到，如果社会主流群体越多，弱势群体的劣势就越大；如果某个候选人成功的可能性越大，那么及早支持该候选人就越重要；如果预期银行要倒闭，那么及早提出存款就更为重要。当然，如果每个人都持有这样的预期，并因此付诸相应的行动，那么就会对未来产生比较极端的判断并导致极端的后果。当年古巴巴提斯塔政权的突然倒塌，1960年法国从阿尔及利亚撤出后法国殖民者的随之撤出，居住在非洲其他国家的一些白人因为相信其他白人都要离开而抛弃了自己的财产和房屋离开了非洲，这些都是生动的例子。

自我证实的均衡有一种情况可以称之为“自我肯定信号”。如果抽烟的人认为含有薄荷成分的烟都是绿色或蓝绿色的包装盒，竞争性厂商就会发现以这种颜色来专门包装薄荷香烟就会有利可图；如果人们普遍认为去

某个特定的单身酒吧意味着要寻找伴侣，那么到这个酒吧去本身就是一种信号，而且这个信号也为酒吧的其他人所接受。同样，面对一些颜色，人们常常认为红色代表热情、绿色代表生命、蓝色代表深邃……其实这在最初可能只是有人这样将颜色和情感联系在一起，但是这样的联系最终为更多的人所接受，那么艺术家们在创作的时候就会尝试用红色表示热情，用绿色表示生命，用蓝色表示深邃。

在更多的时候，日常生活中即便不是博弈的情况，自我证实的结果也是经常会产生的。有些人，在台下背诵一首诗可以倒背如流，但是他总是担心自己上台后会因紧张而忘掉内容，结果他上台的时候就真的会紧张得忘掉内容——当然，这样的结果证实了他最初对自己的看法（证实了自我否定的预言），所以在下一次上台前他就更相信自己会忘掉，结果他真的更紧张，一次比一次糟糕。我们一直强调人应当有自信心。为什么呢？因为你的信心会影响到你的发挥和成绩。这是最简单的道理。从这个意义上说，大家也许应该适当改变对唯心主义的看法。

当然，现实中也可能会遭遇与预期相反的情况，谢林称之为“自我否定的预言”。比如说，如果每个人都认为参加活动的人很多，场面会很拥挤，因此不去参加，结果反而是参加活动的人太少，场面一点也不挤；如果某政党的人认为他们的选举是必胜的，缺少自己一张票没有什么影响，结果却可能因投票的党员太少而导致该政党并没有在选举中得到绝对优势；如果交通广播说某条路比较拥挤而另外一条路比较宽松，结果可能很快就会造成某条道路并不拥挤而另一条路太拥挤；如果出游的时候大家都认为别人会带水，于是自己带干粮，结果可能大家都没带水。不过，谢林也指出，这样的“自我否定预言”并不会成为稳定的结果，因为人们有“自我平衡期望”。如果这个周末出游大家都带了干粮而没带水，那么下个周末会不会出现都带水而不带干粮的情况？即使没有人协调，这种极端情况可能也很难发生。没有协调的情况下更可能的情况是大家都为了预防别人只带某种东西而自己把两种东西都带上，结果可能是大家带了过多的水，也带了过多的干粮。但是，在接下来的周末出游中，大家会逐渐出现平衡调整的趋势。因此，我们可以得到一系列“自我修正预期”。当然，长期在极端情况之间摆来摆去也有可能，但如果这样的过程是经常性的和连续的，就总会有人不断做出修正和调整，从而使得状况扭转而不是大幅度跳跃成为经常趋势，进而使行为和预期实现均衡。

嵌入博弈与均衡效率

嵌入协调博弈中均衡的精炼

从更广的含义来说，所有经济思想的中心，都在于如何协调人类行为的协调。协调博弈的协调是相当狭义的一个词语。

在一个协调博弈中，我们常常很难判断究竟会出现哪一个均衡。因此，要精炼其均衡常常也很困难。但是有时候，这种困难的产生完全有可能是因为我们割裂与该博弈相联系的背景——这个协调博弈，有可能只是一个更大的博弈中的一个小博弈，或称为嵌入博弈。一旦考虑到大博弈本身，那么嵌入博弈（即这个协调博弈）的均衡就有可能很容易推测出来。

以图11-7的协调博弈为例子。虽然我们说（下，下）是一个更好的均衡，但是在实验中（上，上）也是经常出现的结果。因此，实际上究竟哪个均衡会出现是并不确定的，并且也可以存在一个混合策略均衡。但是，如果这个博弈只是另外一个大博弈的嵌入博弈——比如，先由甲选择“左”或“右”，甲选择“左”则甲和乙将各自得到400，若甲选择“右”则进行

图11-7的协调博弈（修改后的大博弈见图11-9）——那么，协调博弈的均衡其实是很容易判断的。

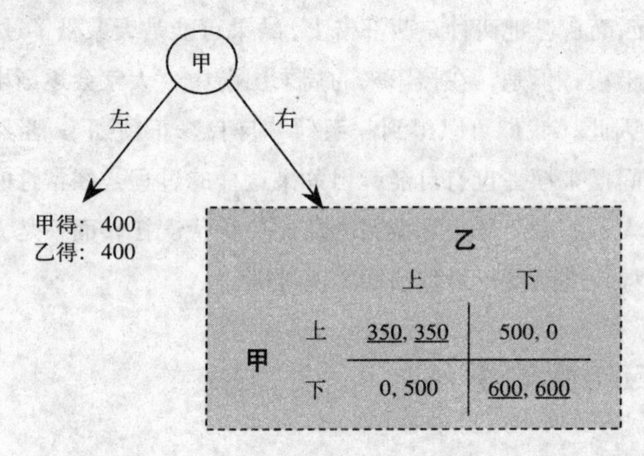

图11-9　嵌入协调博弈

图11-9的嵌入博弈中，当甲选择了“右”，那么他就不会试图接下来选“上”——因为如果选“上”将落入均衡（上，上）得到350，还不如选“左”直接结束博弈得到400好。当然，读者可能说，甲会不会出于侥幸心理，比如甲选“上”而恰好乙选了“下”而导致甲得到500元呢？答案是不会，因为这种侥幸心理不符合他的利益，如果他自己没有侥幸心理而乙也认为他没有侥幸心理时，他们可以达到（下，下）的均衡而获得600。因此，甲选择“右”，意味着他将在接下来选择“下”，而乙观察到甲选择“右”后也会推导出甲将选“下”，于是乙自己也选“下”，结果（下，下）就成为协调博弈的惟一均衡。

所以，现实中有些博弈虽然的确呈现协调博弈的特征，但是实际上它的均衡非常好预测——只要考虑到它所嵌入其中的更大的博弈。最简单的例子是，政治选举中的等额选举——虽然也允许你在票上填上其他你认为合适的人选，但是你知道等额提出的候选人实际上是在更大的博弈中已经提醒你“应当”选这些人，虽然你还有选其他人的权利，但是你深深知道即便自己写上一个喜欢的人，那也是不可能被选上的，所以你只好表示同意。所以，等额的选举实际上是真正的政治操纵。

嵌入博弈与均衡效率

在本章的最后，我们还可以稍微讨论一下有些看似无效率均衡的效率问题。这可能跟本章的集体行动和群体协调主题没什么大的关系，但是既然已经提到了嵌入博弈，就有必要讲这几句。

过去，本书的所有分析都是建立在一个个单独的博弈上。但是，现实中诸多的博弈之间可能存在相互的联系。因此，在我们考察一个博弈问题时，是否要把它孤立地分析，需要根据情况而定——取决于这个博弈与其他博弈联系紧密的程度，以及我们在多大的程度上可以把它从其他的博弈中分离出来。如果是一系列相互联系的博弈，那么我们孤立地考察其中的一个，就会使我们难以理解博弈的运行过程，也有可能得到错误的结论。

举个例子来说，当我们分析公共地悲剧的时候，囚徒困境的确可以独立地被使用，也极其富有解释力。若我们从两个囚徒的角度考察他们的福利，那么囚徒困境的确是糟糕的，也可以很好地解释囚徒的行为。但是，如果我们站在警察的立场上来考察囚徒困境，那么我们就不能单独考察囚徒困境，而应该把它置于社会福利这个背景下。显然，在社会福利背景下，囚徒的困境对于社会来说是一种福音，因为它可以让我们迅速地获得其犯罪的证据并给予其及时有效的惩罚（别忘了，在第10章我们曾讲过，要人们保持合作的态度就是要对那些破坏合作的人给予及时的、明确的、足够严厉的惩罚）。

事实上，嵌入的囚徒困境博弈所导致的结果，通常不但不是无效率，反而是更有效率。譬如，我们在第3章“委托—代理关系中被设计的囚徒困境”一节，曾提到利用囚徒困境来降低供应商价格、阻止审计合谋等，在那里，囚徒困境可以被视为更大的博弈（委托—代理博弈）中的嵌入博弈，而那里的囚徒困境结果是有效率的。

笔者讲述上述道理的目的非常简单，那就是对于现实中某些看起来无效率的博弈结果，在确认其是否无效率时应该认真地考虑它有否必要放入一个更大的博弈背景去思考，这样可以避免我们犯一些重大的错误。比如我们在第2章提到赤壁一战，诸葛亮放走曹操——如果单纯从一场战役的博弈来讲，这就是诸葛亮的失误，但是，如果把它放置在维护三足鼎立的大博弈下，就发现它其实是最合理的选择。又如，我国的劳动法并不要求劳动合同的强制鉴证，这样的体制下承认事实劳动合同的存在，看起来是对劳动者缺乏保护——但是结合我国劳动力过剩条件下劳资博弈的大背景，其实就发现这种不太保护劳动力的做法实际上恰恰是为了更好地保护劳动力。因为，如果实施强制鉴证体系，看起来保护更强了，但实际上是:我国在劳动力过剩压力下很多企业可以迫使劳动者不签署劳动合同，强制鉴证体系不承认事实合同关系，那么实际上就会有更多的劳动者得不到保护。又比如，许多国家对债权人干预公司治理有一些限制，这降低了债权人监督公司的动机，这看起来是不太合理的法律——但是把它置于一个更大的博弈背景就会发现，正因为债权人往往关注于能否完全得到债务上的补偿而不管公司的前景，有可能使一个有潜力的公司因临时的财务困难遭遇逼债而丧生，那么为了保护这样的企业对债权人进行适当的限制就是合理的。企业常常有有担保的债权人和无担保的债权人，还有的企业没有担保的债务但是有高级的和次级的无担保债权人，这种优先权的初始安排决定了企业失败时债权人之间的博弈结构。换句话说，企业失败时债权人之间的博弈结构实际上是镶嵌于一个关于企业资本结构的更大的决策博弈之中。如果孤立地看待债权人之间的博弈结构，我们就有可能得到不太正确的结论。

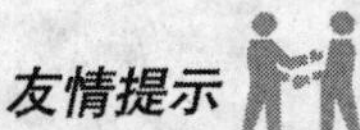
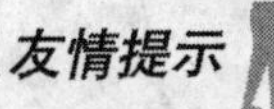

友情提示

- 人们的自利动机有可能导致他们采取与集体利益不符的行动。
- 大群体比小群体更容易面临集体行动问题。
- 克服集体行动问题的办法通常有重复博弈、奖惩、领导以及法律调整等。
- 有些市场具有网络外部性。这样的市场上很容易出现赢家通吃的局面。
- 人们的信念常常带来自我证实的均衡。
- 考察一个博弈的时候常常需要看在多大程度上可以把这个博弈从其他博弈中孤立出来。

12

投票和选举

群体只知道简单而极端的感情；提供给他们的各种意见、想法和信念，他们或者全盘接受，或者一概拒绝，将其视为绝对真理或绝对谬误。

——勒庞（法国著名群体心理学家）

在一个共和国里，保护社会成员不受统治者的压迫固然重要，保护某一部分社会成员不受其他成员的不正当对待，同样重要。在不同的社会成员之间一定存在不同的利益，如果大部分成员联合起来，那么少数群体的权利就会得不到保障。

——麦迪逊（美国政治学者）

没有一种制度可以保证没有恶行。所有的选举规则都是糟糕的，相比之下，多数原则的民主选举规则可能是最不糟糕的。

——本书作者

国家的立法委员会常常会就立法问题进行投票。“民主集中制”常常是确定最终立法方案的基本原则。不可否认，在绝大多数的情况下，这是一个好的原则。但是，它有没有产生糟糕结果的可能性呢——比如，民主集中最终破坏了民主集中呢？这个问题的答案几乎是肯定的，因为在某些时候，授予委员会主席在民主基础上进行集中的权利，这本来是为了增加委员会主席在确定立法方案中的重要作用，但是也正是他的这种权利导致委员会的其他委员去投在主席看来最糟糕的结果的票。这就是投票谬论。在这里，委员们的行为并不是出于对主席的嫉妒或憎恨，而是完全出于自我关注的理性。

投票、选举，是与我们生活如此贴近的博弈。我们身处其中就更有必要了解这其中究竟出了什么问题，并学会如何更聪明地投票以达成自己的意愿。考察投票和民主选举中的一些策略行为和后果是本章的主题。

投票中的策略

幼稚的投票

为了说明投票谬论所发生的机理，就需要深刻地考察投票者之间的策略行为。为此，我们可以构建一个最简单的投票博弈模型：

故事模型

有一个国家有三个立法委员，分别称呼为高委员、钟委员、狄委员。有三种立法方案面临投票决策，一种是严厉的刑罚方案（高惩罚方案），另一种是中等严厉的刑罚方案（中等惩罚方案），还有一种是宽松的刑罚方案（低惩罚方案）。

高、钟、狄三位委员对各立法方案的偏好都不一致。高委员认为，为了杜绝人们的违法行为，应当用重刑，因此他最喜欢高惩罚方案，其次是中等惩罚方案，最次是低惩罚方案；而钟委员则认为太严厉或

太宽松的刑罚都不好，最好是中等惩罚方案，而如果中等方案不能选取，那么低惩罚方案比高惩罚方案好；狄委员是一个喜欢走极端的委员，他认为刑罚要么就应该宽松，要么就应该严厉，不痛不痒的中等惩罚方案是最差的，不过在低惩罚和高惩罚之间，他是倾向于低惩罚方案的。

当然，读者在这里也可以发现我们的委员为什么叫高、钟、狄了，因为这正是他们各自最喜欢的方案——"高、中、低"惩罚程度的谐音（为了帮助读者记忆他们的偏好而这样给他们取名字的）。现在，我们可以更清晰地将三个委员偏好方案的顺序列在表12-1中。

表12-1　各立法委员对方案的偏好顺序

偏好顺序	高委员	钟委员	狄委员
最喜欢	高	中	低
其次喜欢	中	低	高
最不喜欢	低	高	中

在这样的情况下，如果没有民主集中，那么立法会将不能达成一个投票结果，因为每种方案将各得到一票。为了达成投票结果，适当的民主集中就是必要的。所以，通常的投票程序会授予委员会主席进行集中的权利——比如说，当各方案票数相等的时候，那么就由主席来决定选择哪个方案。

在这里，我们假设高委员担任了立法会的主席。那么，在幼稚的投票方案下——即每个人直接投自己最喜欢的方案的话，那么最后的结果就会是正中高委员的下怀。因为幼稚投票产生了势均力敌的结果，于是高委员可以动用他"集中"意见的一票，使自己最喜欢的高惩罚方案被通过。

然而，能够担任立法委员的人，一般来说都并不是脑袋里全是糨糊的人——虽然有时确有这样的立法委员。不过，我们可以假设模型中的三个委员都很聪明，他们一个个老谋深算，绝不会做出如此幼稚的投票。

策略性投票

那么三位委员会如何投票？虽然在一些教科书上会用看起来比较繁杂的（不完美信息下的）投票博弈树来进行分析，但即便不那么麻烦我们也可以推导出最可能的结果。假设三人同时投票，而钟、狄委员知道高委员有额外的集中权利，所以他们会意识到，如果自己都选择自己最喜欢的方案，那么最后的结果一定是高委员最喜欢的方案——高惩罚方案。因此，他们很可能进行策略性的投票，即只关注投票结果，而不关心自己投的方案是否是自己最喜欢的。

首先，我们需要考虑到，对于每个人来说，无论别人怎么选择，自己选择自己最不喜欢的方案显然是一个劣策略（至少是弱劣策略）——因为选这个策略无疑会加大对自己最糟糕的结果发生的概率，而不选它则会降低对自己最糟糕的结果之发生概率。因此，在每个人的策略中，都应当将他们最不喜欢的方案在投票策略中删除掉，即：高委员绝不会选“低”，钟委员绝不会选“高”，狄委员绝不会选“中”。

三人剔除劣策略后的博弈中，各种可能策略组合结果被写在表12-2中。

表12-2 钟委员选“中”或“低”的可能结果

钟委员选择	狄委员选择	高委员	结 果
中	低	高	高（高委员使用集中权得到）
		中	中
	高	高	高
		中	中
低	低	高	低
		中	低
	高	高	高
		中	高（高委员使用集中权得到）

而从表12-2中又可以发现，无论在什么样的情况下，狄委员选择“低”都是占优的（至少是弱占优的），因此狄委员将把“高”作为劣策略剔除，则博弈的策略组合和结果将去除表12-2中的阴影部分。而剩下的博弈中，我们会发现，对于高委员来说，“高”是一个弱占优的策略——因为给定钟委员选“中”，高委员选“高”将得到高，而选“中”只能得到“中”；给定钟委员选“低”，高委员选“高”或“中”没有差异，都只能得到“低”——因此“中”将作为一个劣策略被高委员剔除。而给定高委员选“高”，那么钟委员与其选择自己喜欢的“中”而最终得到自己最不喜欢的结果“高”，还不如选择自己其次喜欢的“低”而最终得到自己其次喜欢的“低”。

因此，选举博弈的结果，出现了作为主席的高委员最不愿看到的结果：尽管他自己选了喜欢的“高”，但是钟委员策略性地选择了“低”，而狄委员也选择自己喜欢的“低”。低惩罚方案胜出，而主席的集中权利也无法使用。

这样的结果固然让高委员叹息，但是老谋深算的高委员又岂能不知这其中的厉害。所以，当委员会提出由他做主席时，他千方百计地推辞，并且他力主由钟委员来担任主席，一会儿说钟委员年轻有为，一会儿又说钟委员富于创新，等等。而钟委员呢，他力主狄委员来任主席，当然也是说了一大堆好话来表彰狄委员。可是狄委员呢，也不傻，他说我何德何能啊，还是高委员德高望重，理应由他来出任主席。读者莫要以为他们是彼此谦让，如果运用前面的分析思路分析一下，你就会发现，原来钟委员任主席，通过的将是高委员最喜欢的方案；狄委员任主席，通过的将是钟委员最喜欢的方案；而高委员任主席，正是前面讨论过的，通过的是狄委员最喜欢的方案。总之不管谁任主席，通过的方案一定是自己不喜欢的方案。

所以，在投票博弈开始之前，也必先有一番由谁来出任主席的博弈。谁出任主席的博弈可以被称为投票博弈前的博弈，或者叫赛前赛（pre-game）。现实中，很多博弈的胜负，其实并不是在博弈本身见分晓，而是在赛前赛的时候就已经分出高下了。

其他的均衡

尽管投票有可能存在谬论，但是这不是说投票谬论一定会发生。事实上，如果三个委员有相同的偏好，或者三个委员的偏好并不是向前面例子中那样两两全不相同，投票谬论其实也是可以避免的。更何况，如果存在着大量的投票主体的时候，要想了解每个人的偏好顺序可能是根本不可能的，那么一些复杂的策略计算也就难以实施。最后人们也许还是简单行事，选择自己喜欢的那个方案——毕竟，好歹为自己所喜欢的方案支持了一把。

不过，在小委员会中，了解各方的偏好确有可能，策略性投票可能就会比较常见。即便不知道各方偏好，我们还可计算出投票谬论发生的概率：如果知道任何三个委员有三个可能的选择对象，那么就会有6 × 6 × 6 = 216种偏好顺序，而其中有48个顺序会存在某种形式的主席谬论。因此在小委员会中运用主席来打破僵局的民主集中制中，谬论发生的概率高于20%。这不是一个小概率。

主席的反策略

如果，高委员“不幸”被委派为主席，他就会发现自己面临着即将到来的灾难。他当然不会坐视不管。

高委员的反策略之一是，他利用主席的特权事先宣布，如果投票出现平局，那么就以“中”作为最后结果。这看起来对钟委员比较有利，但实际上是害了钟委员——大家还应记得，主席之所以面临选举谬论，正因为他有集中的权利导致了跟他在最喜和最恨方面完全相左的委员的策略性投票，现在他宣布这个规则，实际上就相当于先前分析中把主席让给钟委员来当一样。此时，最担心出现“中”的狄委员最有动力破坏出现平局，于是他将策略性地投“高”的票而导致“高”胜出——毕竟这是他的次优选择，总比出现最差的结果好。而高委员显然是最大的赢家，他用这种不光彩的行动获得了胜利。如果钟委员老谋深算，此时心中只有暗骂高委员这只老狐狸太狡猾；如果他是经验不足的新政客，那么他可能还以为高委员在照顾他呢，等到结果才发现原来背后被踢了一脚。

高委员当然还有其他的办法来避免自己获得最糟糕的结果。比如他在投票前先表明自己的态度是选“中”，这一定会导致钟委员选“中”。结果就是“中”获得通过，这是对高委员的次优结果。

当然，主席也可以利用自己的职权来安排表决程序，从而操纵投票结果。比如，他可以先在“低”惩罚方案和“中”惩罚方案进行表决，“中”方案将通过，这样首先就把自己最不喜欢的方案给排挤掉了；然后安排“中”惩罚方案和“高”惩罚方案进行表决，结果自然是“高”方案被通过——主席得到了自己所希望的结果。正因为表决程序对投票结果也影响甚大，因此我们也可以在现实中为了安排大会程序（孰先表决，孰后表决）各方力量也会展开角逐。因为大家都知道，打好会议表决程序这场赛前赛，实际上就会决定在随后的投票博弈中的胜负。

民主选举中的策略行为

简单多数原则及其问题

所谓民主选举，一个最常见的定义就是一人一票制下的多数决定规则。

更简单通俗地说，就是少数服从多数。最简单的民主选举问题，是从多个候选人或候选方案中选择其一或其几。简单多数规则给人的印象是公正和合理的，因为他代表了大多数人的意愿。

但是多数投票规则的弊端也是显而易见的。一方面，拥有多数人的联盟必然取胜。比如，要在1万个选民中选出5名代表，那么一个拥有5 001人的联盟就总是可以从自己的联盟中推举出5名代表并且使每位代表获得5 001票而获胜。另一方面，“冷漠的”多数（对方案一仅微弱偏爱）压制了“强烈的”少数（对方案二强烈偏爱）。

“冷漠的”的多数还可能表现出这样的状况：由于对一项方案投下赞成票和反对票对其自身没有什么影响，结果就不负责任地投票，反而使得少数人深受其害。关于这一点，我正好在新闻中看到过一个例子。

故事模型

那是2005年底，南方某城市调高了夜班公交车的价格。一般来说，公用事业服务的价格调整如果对人们影响较大，那么就将举行价格听证会。而此次价格调整并未召开价格听证会，其主要原因是公交部门声称经过调查，80%的人对此次夜班车价格从3元上涨到4元表示无所谓或可以接受。电视台的街头新闻采访似乎证实了这个数字：的确很多人表示无所谓。但问题是，在他们的调查中，实际上正好遭遇了“冷漠多数的问题”。调查是白天在大街上随机进行的采访，这些人对夜班车票价上调自然是“无所谓”，因为他们又“不需要经常坐夜班车”。80%的民众不反对票价上调的后果是，那些少数的（也许是20%的）夜班工人为此要承受更高的代价。

当然，笔者在此并非想表达该不该涨价的意思，我想说的意思是公交

部门和新闻媒体其实应当意识到他们的调查实际上面临着“冷漠的”多数的问题，并不足以作为回避价格听证的理由。

甚至在某些情况下，少数服从多数的民主有可能导致“多数人对少数人的暴政”。因为人本身的知识和信息是有局限的，这使得一定数量聚合的人群并不能总是确保意志的合法性与正义性。在《乌合之众》一书中，法国著名群体心理学家勒庞就说道：“群体只知道简单而极端的感情；提供给他们的各种意见、想法和信念，他们或者全盘接受，或者一概拒绝，将其视为绝对真理或绝对谬误。”诸多史实也表明，群体的道德在大部分情况下比个人要低。在这样的情况下，多数决定原则往往使与多数人利益不一致的少数人由于无法获得多数票，而遭到利益忽视、损失甚至故意侵害。纳粹德国的立法机关通过歧视、驱逐、屠杀犹太人的法律，就是多数人暴政的例子。即便在国人的日常生活中，多数人暴政的例子也并鲜见，比如将小偷疑犯捆绑示众等。最为荒唐的是，居然还有通过民主选举小偷的事件仍在发生：《人民日报》2004年5月14日有报道，安徽亳州市帅威特服装技校由于不止一次发生失窃事件，学校在查无结果的情况下，举行了这样一场选举：投票选小偷！结果6位同学榜上有名，受到了处罚。这使得某些学生遭受冤枉而不得不成为这种民主的“多数人暴政”下的牺牲品！

多备选方案中的多数人暴政

在针对一个方案表决上的少数服从多数，可能造成冷漠的多数人对少数人的侵害。不仅如此，当参与人面临众多选择的时候，也完全可以通过“投票交易”来实现对少数人的侵害。这样的情形可能更能够反映出多数规则的民主投票行动中的策略性质。

故事模型

假设三个大学生甲、乙、丙，他们同住一室，而且一直用多数决定规则来处理宿舍的公共事务。现在，甲提议寝室买一个电视，乙提议寝室装一部电话。而三个人对此两方案的偏好是这样的：甲喜欢看电视，他从长期看电视中可得到效用3 000元，但是很少打电话，从装电话中得到长期效用为100元；乙喜欢打电话，从装电话中得到效用2 000元，但是很少看电视，从买电视中得到的效用为500元；丙很少看电视，也很少打电话，他从买电视中得到效用为200元，从装电话中得到效用200元。买一台电视的费用是3 000元，人均分摊1 000元；装一部电话的费用是2 400元，人均分摊800元。

每项方案对于三个人的成本收益可计算在表12-3中：

表12-3 各方案对每个人的成本—收益和净收益

	买电视			装电话			两方案加总净赚
	成本	效用	净赚	成本	效用	净赚	
甲	1 000	3 000	2 000	800	100	−700	1 300
乙	1 000	500	−500	800	2 000	1 200	700
丙	1 000	200	−800	800	200	−600	−1 400

从表中容易看出，甲单独提买电视，则乙、丙不会同意；乙单独提装电话，甲、丙不会同意。但是，如果将两个方案一起提（或一起通过），则对甲、乙来说将是很有好处的，因为他们分别可净赚1 300和700。因此，这个投票博弈的均衡结果极可能是甲、乙相互勾结，互投赞成票，然后各自得到好处，而让丙牺牲了1 400元的福利。甲、乙在多数决定规则下通过投票交易，使得多数人成功地实现了对少数人利益的侵害。

不要认为这个故事只是一个假想的例子，现实中这样的投票交易并不鲜见。大到国家政治，小到公司内部的争斗，投票交易随处可见。比如，在国家的政治体系中，假设共有25个地区，每个地区有一名议员。现在，有10名议员提议动用国库在10个地区修高等级公路；另外有8名议员提议在8个城市修新机场。如果两派议员分别提出他们的议案，那么谁都不能过半数获得通过。但是，如果他们联手，就可以使两个方案各获得18票而通过。议案通过的结果是，只有10个地区、8个城市获得了好处，而全国其他地方并未受惠。又如，在公司的晋升体系中，目前有三个人可晋升为某部门的两个高级职位。按照公司的规定，晋升高级职位的人，必须在部门员工中经过民主投票并票数过半方有资格。该部门的员工一共10名，现在的力量对比是，甲的追随者有4个，乙的追随者3个，丙的追随者3个。如果三人不相互勾结，那么最后的投票结果将是谁都过不了半票。但是，他们其中任何两个人的力量联合起来，就都可以过半数票而取得两个晋升资格。当然，究竟谁与谁联合，那就是另外的一个联盟博弈了。

少数人可否获胜

人们可能有一种习惯的看法，那就是在少数服从多数的规则下一定是多数方获胜。

其实未必。大家需要知道，选举的结果不仅依赖于选举中的少数服从多数规则，而且还与表决的程序有关系。

我们假想了这样一个故事。有这样一个国家，它有5个地区，每个地区有5个选民，全国一共有25个选民。现在选举总统，每个地区可以从甲和乙中推举出一名总统，如果甲或乙其中一人得到了半数以上（≥3）地区的推举，那么他就是总统。目前，民意调查表明有16个人支持甲当选，只有9个人支持乙当选，那么乙还有可能胜出吗？

看起来，乙毫无希望。但是实际上，乙仍然有可能当选，只需要满足这样的条件：有3个区的多数人同意乙当选，即每个区有3个人同意即可。那么，如果支持乙的9个选民的确平均分布在3个区的话，乙当选完全是肯定的。

上述这个假想的故事，它的原版来自布坎南教授的《同意的计算》。布坎南教授曾因公共选择研究而获得诺贝尔经济学奖。他指出，在一个25人的社会里，一项议案有可能在“大多数”的原则下通过，尽管有16人不同意。如果是在36 961（199 × 199）人的社会里，有时只需要10 000人就可以使一项议案通过，只比总人数的1/4多一点而已。

直接选举及其策略

前面少数人可以获胜的原因，关键在于选举程序是间接选举。如果是直接选举，则少数派要获得胜利就会比较困难。获胜的可能性不是没有，但是这需要多个少数派之间的联合行动。而联合行动也正是多个少数派之间的困难。

举例来说，假如一个国家有3个政党，其民众支持率是甲政党占40%，乙政党占35%，丙政党占25%。显然，在直选中，如果3个政党独自为阵，那么将是甲政党胜出。乙、丙两个少数派政党如何才可以胜出，答案是除非他们联合一致对付甲政党。

上述这个例子有非常现实的版本。2000年和2004年，中国台湾“总统”选举（台湾实施的是直选）都是以陈水扁以微弱的票数胜出。如果宋楚瑜、连战能够合作推举一人参加选举，则必可挫败陈水扁。但遗憾的是他们没有这样做。

在政治选举的斗争中，少数派的分裂正是相对多数派所求之不得的结

果。同样，反过来给少数派的教训则是，与其维持在少数派而无法获得实质性的政治前途，还不如彼此进行结盟以谋求更光明的未来。当然，这一点也许仅局限于我们的博弈论分析，毕竟政治派别（哪怕是少数派）之所以形成，正是因为人们没有共同的政治价值观的结果，合作又谈何容易。不过，在台湾的政局中，国民党和亲民党应有共同利益所在，因此合作倒也可能。而且，通过合作以便在2008年的选举中胜出，似乎也正是两党在连续两次选举失利后所考虑的道路。

故事模型

中国1992年申办2000年奥运会失利也是直选的一个看似意料之外、实则情理之中的结果。申奥的规则是逐步淘汰，经过两轮投票之后，最后剩下北京、柏林和悉尼三个城市。在第三轮投票中，北京票数第一，悉尼第二，柏林第三（被淘汰）。看起来，大家以为北京胜券在握，但是结果却是悉尼胜出。原因是，那些支持柏林的人，在柏林被淘汰之后转而支持悉尼。或者可以说，第三轮北京获得高票，正是因为悉尼的支持者被分化了（一部分支持柏林去了）。

政治选举中，其实也是同样的道理，一个政治家在选举中落马，那么对于那些幸存的与落马者有相对接近的政治观念的政治家来说，其实也是一件好事，因为落马者的支持者会转而投他的赞成票——毕竟只有他跟落马者及其追随者的政治观念比较接近。

一致的困难

我们虽然讨论了民主选举的不少缺陷，不过这并不意味着就应该取消民主。在我本人看来，没有一种制度可以保证没有恶行，所有的选举规则都是糟糕的，相比之下，多数原则的民主选举规则可能是最不糟糕的。两害相权，宁要民主，不要独裁。

当然，人们也会关心，我们为什么不采取“一致同意”的选举规则呢？那样岂不更好？这个问题也是大师们关注的问题。从理论上讲，“一致同意”规则可以避免多数人对少数人的侵害，但是真要实施“一致同意”规则可能是相当困难的。少数服从多数原则虽然的确可能产生多数人的暴政，但是它也具有两个方面的优点：一是方法简单，分摊在每个选择者身上的决策成本（包括所费的时间）相对于其他游戏规则来说比较低廉；二是一般情况下，可以防止“最坏的”备选方案当选。反过来，“一致同意”规则则有两个很大的局限：一是决策的成本很高——任何一项议案，不论它给全社会人中多么巨大数量的人带来好处，只要它损害了一个人的毫末利益，就会因这个人的反对而使巨大利益无法实现；二是当选举者人数众多时，要弄明白每个人的选择立场，是一件根本不可能的事情，或者即便可能也是代价高昂的事情。正因为如此，不少的理论家认为少数服从多数原则是所有糟糕的选举规则中最不糟糕的一个。也正因为如此，这个规则至今仍是人们关于选举规则的主流思想。

广泛的投票

在很多时候，其实投票行为并不应被看做是选举总统、通过议案这样的一些具体的投票和选举行为，而可以作更为宽泛的理解——生活中诸多的情形，都是一种投票行为。

市场的竞争交易体制，显然是一个巨大的投票机制和选举系统。捏在人们手中的选票就是——money。影视市场选举出了很多影星，足球运动市场选举出了很多球星，产业市场选举出了很多明星企业……对于那些有负股东的公司，股东还可以“用脚投票”。

暴力改革是另一种投票。对于现存体制的不认同，导致人们要暴力推翻它，这是一种以生命押注的极端的投票方式。

友情提示

- 投票中有大量的策略性行为。
- 少数服从多数的民主原则也有很多缺点，并非完美无缺。不过，相对而言它还算是最不糟糕的原则。
- 一致同意的投票原则是不可行的。
- 投票有很多种方式。市场交易、暴力革命都是投票行为。

13 结束语

博弈论常受质疑的几个问题

读者朋友看完本书的时候，可能还会有一些对博弈论本身的疑问。实际上，我自己经常会遇到学生或一些朋友想向我提出这样的一些问题。下面是几个典型的问题以及我思考的答案。

赢利数字的问题

读者容易产生的一个质疑问题是，在双人博弈的赢利表中，赢利数据都是假想“安装”上去的。那么，你凭什么安装上那样的数字而不是这样的数字呢？数字一改变，博弈结果就会改变，这岂不是说明我想要得到什么博弈结果只需要通过改变赢利数字就可以达到了？

如果有人问这样的问题，那是因为他还没有真正理解博弈论分析问题的基本思想。在分析一个问题时，我们会关注于什么？是关注于问题中各个变量之间的绝对数量关系？还是关心那些变量之间的相互结构？就理论研究而言，我们关注的是后者，我们关注的是变量之间的相互结构，或者

说他们的定性关系。而绝对量等定量方面的研究，不应该是博弈论和经济理论研究的问题，那应该是经济计量学和统计学等关注的问题。

同样的道理，在分析博弈问题时，应该关心的是博弈的结构，而不是具体的赢利数字。因为赢利数字本身并不重要，赢利数字所体现出的结构才是重要的。比如，我们用图13-1(a)、(b)、(c)中所表示的博弈，它们的赢利数字根本不同，但是赢利数字的结构却是一样，并且反映的是同一类型的博弈——囚徒困境。

$\underline{-5}$, $\underline{-5}$	$\underline{-1}$, −10
−10, $\underline{-1}$	−2, −2

(a)

$\underline{-10}$, $\underline{-10}$	$\underline{-4}$, −15
−15, $\underline{-4}$	−7, −7

(b)

$\underline{a}$, $\underline{a}$	$\underline{b}$, c
c, $\underline{b}$	d, d

其中：$c<a<d<b$

(c)

图13-1　囚徒困境博弈结构

显然，只要问题是囚徒困境博弈式的，那么你把它表示成图13-1(a)或（b），甚至更一般的（c），在本质上并无不同。因为只要知道问题是囚徒困境式的，我们理解可以导致现象所产生的机理和结构，而赢利的数字本身并不重要。

有读者说，数字怎么会不关键呢，应该很关键啊，因为我把图13-1(a)的左上格、右下格的数字都改成0，那么博弈就会变成一个协调博弈而不是囚徒困境了。是的，这样的变化的确导致博弈结构发生了变化，而且这样的改动也并非不可以。但如果你的问题是囚徒困境式的，你就不应该将赢利数字结构改成协调博弈式的。也就是说，我们不关心赢利的数字本身是什么（用a、b、c、d字母来代替数字也可以），但是我们很关心赢利数字的结构，因为不同结构就会对应不同的博弈模型——囚徒困境模型、协调博弈模型或者其他的模型。其实选择赢利数字的结构，就如同假设效用函数一样。当你在研究一个主体的行为时，你通常会试图找到最合适的效用函数来刻画他行动的目标。选择赢利数字的结构，也就是在寻找最合适的效用函数（离散型的效用函数），如果你非要用协调博弈结构的赢利结构（或效用函数）来研究囚徒困境式的问题，那是不适合的。

所以，我想强调的是，博弈有不同的结构，这些不同结构的博弈——囚徒困境、智猪博弈、懦夫博弈等——都是一个一个的模型。而把这些不同结构模型区分开的，不是赢利数字的大小，而是赢利数字的结构。当遇到不同问题的时候，我们为了迅速理解问题背后的产生机理，就会立即套用现有的模型去分析，并很快可以了解到其内在机理，预测其可能的结果。此时，如果是一个囚徒困境问题，你就不应当套用智猪博弈模型，自然你的赢利假设中——数字本身可以是任意的——必须保证其赢利结构是囚徒困境式的。当然，也有可能你套用所有的现有模型发现都无法解释现象，那么恭喜你，你发现了现有模型以外的现象，你可以尝试建立新的模型来解释它，这样你对理论就有了贡献。不过，这样的机会好像已经不多了，而且也不是每个人都能幸运地碰上的。

以猪、鹿、鸡喻人的伦理问题

这个问题之所以被有些人当作一个专门的问题提出来，可能应当归因于中国人民大学教授顾海兵曾在一篇文章[⊖]中指摘博弈论“不应以猪喻人”（指智猪博弈），一是因为以猪喻人有违伦理，二是由猪事类推人事容易出现伪问题。

我想，第一个问题其实根本不需要辩解。如果以猪喻人有违伦理，那

⊖ 顾海兵．经济博弈论研究要去伪存真[J]．经济理论与经济管理．2004(10)

么所有以动物为主角的寓言故事书都应当被禁止出版、发行和传播。

至于第二个问题，一是什么是伪问题需要界定，二是理论导向的研究和问题导向的研究是不一样的。纯粹经济理论研究，是通过模型来理解经济现象。既然是模型，就可以是不真实的。智猪博弈是一个模型，并不能因为天下不存在这样聪明的猪就说这个模型不成立。道理很简单，比如解剖学中通常用塑料人体模型，但是从来没有人指责因为塑料模型没有生命、没有毛细血管就说这个模型是错误的——当然，也没有人错误地把塑料模型当作真人。但是，为什么到了智猪博弈模型中，顾教授就非要把智猪当作真的猪，还非要博弈论专家在世界找出这样一头智猪来呢？如果非要博弈论专家在现实世界找出囚徒困境中的囚徒、智猪博弈中的猪、斗鸡博弈中的鸡（美国俗语中“chicken”是“懦夫”之意，斗鸡实际上更恰当的翻译是懦夫博弈）、猎鹿博弈中的鹿，这简直是荒谬之极。

另外，顾教授的文章还指责其他几个版本的博弈模型（如囚徒困境、价格战等）亦是伪问题。首先对其文的牵强附会、望文生义按下不表，单说经济现象与博弈模型的道理。经济学家使用博弈论的目的是试图完成一种可解释不同经济现象的一般理论或机制体系的建构，通过博弈模型抓住诸多现象的本质机理。他们往往试图将现象纳入已有的模型——事实上，一些很简单的博弈模型，如囚徒困境、智猪博弈、懦夫博弈、协调博弈等，都是现实中诸多经济现象和问题的模型版本，这些模型的功用与生物学家的人体模型功用一样。囚徒困境模型刻画了个体理性和集体理性冲突的一类现象；智猪博弈刻画了“搭便车”行为一类现象，懦夫博弈刻画了互有进退的一类现象；协调博弈刻画了双赢或双亏的一类现象。至于更复杂的模型，也是为着某类现象而建立的。如同前面指出，既然从来没有人把塑料模型当作真的人体，为什么要把智猪博弈看作是真实的呢？因此，认为那些基本的博弈问题因为以物喻人、太过简单、纯粹虚构等而指责其为伪问题的观点，实际上源出于他们根本没有理解到经济科学的研究方法。

博弈论是否无助于解释现象

有些学者（比如张五常）坚持认为，博弈论无法解释现象。他认为“博弈分析，无从观察的变量实在多。无从观察是经济解释的主要困难：真实世界不能鉴定的变量，误以为可以鉴定，容易推出无从验证的假说。”㊀

对这个问题的回答，我们姑且不讲已经有大量的证据表明博弈论可以有力地解释经济现象，单单反问这样一个问题：是不是我们不使用博弈论就会获得更多的可观察变量或避免更多的不可观察变量呢？如果不是，那么以此批评博弈论的解释功能就是没有道理的。事实上，正如我们一再强调的，科学的研究总是模型化的思维，因为模型是现实的隐喻，可以通过简单的方式抓住复杂现实的本质，无论自然科学还是社会科学都是如此。而在模型化的思维中，对于不可观察的变量总是通过假设来进行。即使不使用博弈论，仍需要对不可观察的变量做出假设才可以研究。我们的研究并不总是完全客观的，因为我们研究的世界始终只是反映在我们观念里的世界。正如博弈论的领军人物鲁宾斯坦所说：“一个模型是我们关于现实的观念的近似，而不是现实的客观描述的近似。”事实上，从经济学在上半个世纪取得的诸多成就来看，与其说博弈论无助于解释现实，倒不如说博弈论更好地解释了现实。

其实，张五常教授对博弈论的质疑大概只是一种多年来的成见。在老一辈的经济学家中，曾经质疑博弈解释能力的人不在少数。在1985年的世界计量经济学会大会上，就曾爆发过争论。研究者们不相信博弈论可以解

㊀ 张五常. 博弈论大势去矣！东亚经济评论网站，www.e-economic.com, 2005年11月。

释许多拍卖行为，质疑博弈论改进拍卖设计方案的可行性。但此后20年的实践却表明，博弈论不但可以很好地解释拍卖行为，而且已经被广泛运用于拍卖机制设计中，并取得了不少成功。

博弈论是否对理性要求太高且不现实

另一种批评博弈论的观点认为，理论上的博弈需要太高的计算理性，这几乎是一个不近现实的要求。的确，博弈论所要求的完美计算能力是绝大多数人所不具备的，这一点从许多人学习博弈论所面临的困难就可知道。但由此而认为博弈毫无用武之地那就错了。一方面，我们已可以通过电脑来处理复杂的计算；更重要的是，在长期的演进过程中，即便是计算能力很糟糕的人也会因其利益而磨砺其策略技巧，并从自己和他人的经验中逐步学习。长期演进的结果是，只有那些较好的策略才会在博弈中加以考虑，这会使得人们的策略行动就像精心算计过的一样。从长期的策略竞争中存活下来的人，他的策略行动一定是符合完美计算理性的——尽管他本人可能从来没有学过博弈论，也不知道什么叫博弈，但他的经验告诉了他该如何行动。这就如同鸟儿不懂得空气动力学，但这并不会妨碍鸟儿的飞行；乒乓球手可以不懂得力学定律，但这并不会妨碍他打出精确的符合力学定律的球。

博弈论是否需要高深的数学

如果有良好的数学基础，对于学习博弈论来说的确是一个很大的优势。但是，数学基础不是学习博弈论的必要条件，甚至也不是充分条件——否则数学家都早成为博弈论和经济学家了。

博弈论中有一个分支被称为非数理博弈论，其代表人物是托马斯·谢林。谢林教授的论文，只有在早年的时候用到一些公式和图表，在后来的绝大部分论著中都不用数学。他的《冲突的策略》一书中没有数学符号、没有希腊字母，这并没有妨碍该书成为博弈论的经典之作。

不懂数学，虽然不大可能掌握一些技术性的概念和方法，但是要了解博弈论的思想却并不是不可能的。毕竟，博弈论的思想，并不是一开始就是用数学表达的。博弈论大家鲁宾斯坦也承认，从博弈论的原理上讲，不使用数学，也一样可以写出一本与数学化博弈论教材相同的著作。只不过用了数学，进行精确的概念定义就会更容易。

2005年的诺贝尔经济学奖，同时承认了使用数学和不使用数学的博弈论以及博弈理论家。奥曼，使用非常艰深的数学来研究博弈论；谢林不使用数学也研究博弈论。这两个人因为数学而相互隔离，从未往来过，没想到他们却殊途同归，一起走上了领奖台。

博弈论的应用与滥用

近10年来，博弈论在国内逐渐变得炙手可热。博弈论的应用越来越多，但是滥用也越来越多，我们一直强调，博弈论主要适用于存在较强互动的情况。个人独自决策的问题，虽然也可以转化为自然（nature）与个人博弈的问题研究，但个体无须与他人互动时，这样的转化其实并无必要；简单的身体技能的竞争当然也可看做博弈问题，但它需要的策略性技巧非常少，因此一般也没有必要冠之以博弈分析。另外，许多的现实问题，应该仔细分析它对应于什么样的博弈模型版本，而不是仓促下结论，随便套用模型。

此外，还有许多的书籍，大概因为“博弈”一词太热，因而在书名中也加上了“博弈”一词。但是，不少著作名字上虽然加上了“博弈”二字，

但实际上跟博弈论并无什么关系，或者关系非常之小。这种情况有点像王则柯教授批评过的信息经济学一样。信息经济学本是博弈论的应用，是研究信息与策略行为的经济理论。但是国内有些著作把信息产业经济学亦名曰信息经济学——这尚可容忍，不可容忍的是，有些人干脆把博弈论信息经济学和信息产业经济学等糅合在一起写出《信息经济学》来。所以，读者朋友在看到博弈、信息经济学等冠名的著作时，尤需仔细辨认，以免被误导。

最后交代一句，本书的内容主要局限于完全信息静态和动态博弈理论及其应用，是一本初级博弈论的科普书籍。而不完全信息的静态或动态博弈及其应用，笔者将另写一本高级博弈论科普书籍《信息与策略：有限信息下的生存博弈和智慧较量》。那本书的出版日期不会太远，请读者朋友稍加等待。

主要参考文献

（书中特别标注的未再列入）

[1] 拜尔（D.G. Baird），格特纳（R.H.Gertner），皮克（R.C.Picker）. 法律的博弈分析[M]. 北京：法律出版社，2004.

[2] 詹姆斯 M. 布坎南（James M.Bchanan），戈登 · 塔洛克（Gordon Tullock）. 同意的计算——立宪民主的逻辑基础[M]. 北京：中国社会科学出版社，2000.

[3] 阿维纳什K. 迪克西特（A.K.Dixit），巴里 J. 奈尔伯夫（B.J.Nalbuff）. 策略思维——商界、政界及日常生活中的策略竞争[M]. 北京：中国人民大学出版社，2002.

[4] 霍华德 · 雷法. 谈判的艺术与科学——怎样解决争端怎样从讨价还价中得到最佳结果[M]. 北京：北京航空学院出版社，1987.

[5] 约翰 L. 卡斯蒂. 20世纪数学的五大指导理论[M]. 上海：上海教育出版社，2000.

[6] 卢卡斯（W. F. Lucas）. 政治及有关模型[M]. 长沙：国防科技大学出版社，1996.

[7] 詹姆斯 · 米勒. 活学活用博弈论：如何利用博弈论在竞争中获胜[M]. 北京：中国财政经济出版社，2006.

[8] 迈尔森（Myerson, R. B.）. 博弈论：矛盾冲突分析[M]. 北京：中国经济出版社，2001.

[9] 杰勒德 I. 尼尔伦伯格. 谈判的艺术[M]. 上海：上海翻译出版公司，1986.

[10] 马丁 J. 奥斯本（Martin J.Osborne），阿里尔 · 鲁宾斯坦（Ariel Rubinstein）. 博弈论教程[M]. 北京：中国社会科学出版社，2000.

[11] 潘天群. 博弈生存——社会现象的博弈论解读[M]. 北京：中央编译出版社，2002.

[12] 尚玉昌. 行为生态学[M]. 北京：北京大学出版社，1998.

[13] 谢林（T. Schelling）. 微观动机与宏观行为[M]. 北京：中国人民大学出版社，2005.

[14] 谢林（T. Schelling）. 冲突的战略[M]. 北京：华夏出版社，2005.

[15] 张理智. 人本主义经济学——诺贝尔经济学奖得主人生三味[M]. 北京：中国经济出版社，1998.

[16] 张维迎. 博弈论与信息经济学[M]. 上海：上海人民出版社，上海三联书店，1996.

[17] Avinash K. Dixit, Susan Skeath. Games of Strategy[M], 2nd ed. New York: Norton & Company, New York, 2004.

[18] Morton D. Davis. Game Theory: A Nontechnical Introduction[M]. New York: Dover Publications, 1997.

[19] John McMillan. Games, Strategies, and Managers: How Managers Can Use Game Theory to Make Better Business Decisions[M].Oxford: Oxford University Press, USA,1996.

后记

本书的最初写作计划是两年多以前。写作的缘起是因为我的太太——她那时上研究生一年级，念的是教育经济管理，多少与经济学靠了点边，于是就开始要我给她讲一些博弈论的东西。

给太太讲博弈论的麻烦在于，她大学念的是中文，数学不好，高等数学知识根本就没修过。要对一个只懂初等数学的人讲博弈论，是一场足够的挑战。在讲解的过程中，我突然产生了一个想法：不是还有很多和我太太一样数学不好而希望了解博弈论的人吗？为什么不写一本没有数学门槛的博弈论科普书呢？

这个想法诞生了本书前4章的雏形，也就是不少朋友在网上看到的《策略对抗》的前3章。不过，由于多方面的原因，这项写作计划被搁浅了。直到又过了一年多，2005年12月，在厦门的第五届中国经济学年会上，我与机械工业出版社华章分社夏伟编辑相识，而后他将我这本书的信息带回了出版社，然后才有了本书的面世。只不过原计划的《策略对抗》一书写作计划可能太大，因此最后我决定将它分为两部分来写。一部分介绍完全信息博弈的基本原理和应用，就是现在的这本初级博弈论读物。另一部分

是高级博弈论的通俗读物，写不完全信息博弈的基本原理及应用，暂名《信息与策略——有限信息下的生存博弈和智慧较量》，不过该书还在计划中，读者还需要耐心等待。

最后，感谢机械工业出版社华章分社对本书写作和出版所提供的支持和帮助。感谢我的恩师蒲勇健老师为本书作序。

希望读者能够喜欢本书。如果本书有什么问题或缺陷，欢迎指正，我的邮箱地址是dongzhq@scnu.edu.cn。

董志强

2006年5月7日于广州

2008年商业必读第一书

30年观中国看世界

柳传志、张瑞敏、牛根生、梁信军
张维迎、项兵、忻榕、牛文文　等

倾情推荐

中国企业如何参与市场竞争？

获取利润的机会在哪里？

可以预见，下一个十年，未来的IBM、未来的Sony、未来的GM、，甚至是未来的Google……一批世界级的企业将在中国诞生。

ISBN 978-7-111-23019-9
作者：曾 鸣 彼得 J. 威廉姆斯
定价：30.00元

没有中国制造，世界将会怎样？

全球瞩目的焦点话题　中国制造的超级效应

外国人眼中的"中国制造"，绝对超乎想象。
当你不能买中国制造的商品时，你还能买什么？

ISBN 978-7-111-23018-2
作者：（美）萨拉·邦焦尔尼
定价：28.00元

ISBN 7-111-22797
作者：马克·莱文森
定价：48.00元

ISBN 7-111-22594
作者：徐滇庆
定价：28.00元

ISBN 7-111-19720
作者：徐滇庆
定价：48.00元

ISBN 7-111-暂无
作者：韩秀云
估价：28.00元

ISBN 7-111-22267
作者：戴维 M. 莱文
定价：36.00元

ISBN 7-111-19585
作者：董志强
定价：28.00元

ISBN 7-111-19683
作者：奚恺元
定价：28.00元

ISBN 7-111-22736
作者：马歇尔·杰文斯
定价：25.00元

ISBN 7-111-18666
作者：马歇尔·杰文斯
定价：25.00元

ISBN 7-111-22736
作者：马歇尔·杰文斯
定价：25.00元

ISBN 7-111-20676
作者：赵延忱
定价：32.00元

ISBN 7-111-19380
作者：拉菲·巴特拉
定价：34.00元

ISBN 7-111-19263
作者：得内拉·梅多斯
定价：39.80元

ISBN 7-111-21388
作者：约瑟夫·埃利斯
定价：38.00元

华章经管 HZ BOOKS

专业管理 制胜必读

ISBN 7-111-22594
作者：孔翰宁 张维迎 奥赫贝
定价：38.00 元

ISBN 7-111-22873
作者：史蒂夫 · 卡普兰
定价：29.80 元

ISBN 7-111-21426
作者：杰弗里 · 摩尔
定价：38.00 元

ISBN 7-111-21399
作者：西奥多 · 莱维特
定价：38.00 元

ISBN 7-111-21937
作者：伦纳德 M.富尔德
定价：32.00 元

ISBN 7-111-22189
作者：陈中武
定价：35.00 元

ISBN 7-111-20039
作者：徐少春
定价：32.00 元

ISBN 7-111-21913
作者：陈春花
定价：32.00 元

ISBN 7-111-17431
作者：莉莎 · 汉尼伯格
定价：28.00 元

ISBN 7-111-18984
作者：劳伦斯 · 霍顿
定价：29.00 元

ISBN 7-111-19925
作者：查克 · 马丁
定价：28.00 元

ISBN 7-111-19534
作者：杨清亮
定价：29.80 元

ISBN 7-111-20796
作者：周建波
定价：48.00 元

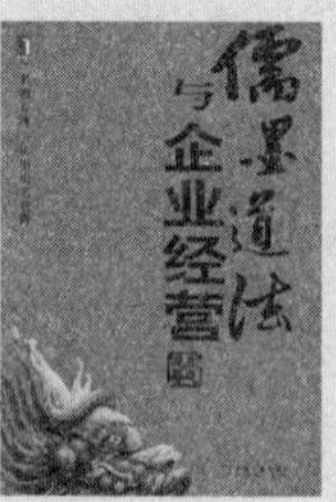

ISBN 7-111-18016
作者：周建波
定价：35.00 元

ISBN 7-111-20300
作者：乔治 A. 瓦斯康赛洛斯
定价：36.00 元

ISBN 7-111-18894
作者：王颖
定价：32.00 元

HZ BOOKS
华章经管

读华章书友俱乐部反馈卡

每月10位幸运读者，

可免费获得最新出版德鲁克经典作品一本。

每月1位获奖读者，

可赢得“当月新书免费读”

欢迎登陆***www.hzbook.com***了解更多信息，

本网站会每月公布获奖信息。

◎反馈方式◎

网络登记：

登陆 ***www.hzbook.com***，在网站上进行反馈卡登记。

传　　真：

将此表填好后，传真到 010-68311602

电话登记：

致电 010-68995261，将表中信息告知我们的客户人员，在线填写反馈卡

邮　　寄：

将填好的表邮寄到：100037 北京市西城区百万庄南街1号309室郑琳琳　收

个人资料（请用正楷完整填写，或附上名片）

姓名：＿＿＿＿＿＿＿＿ □**先生** □**女士**　**出生年月：**＿＿＿＿＿＿ **学历：**＿＿＿＿

工作单位：＿＿＿＿＿＿＿＿＿＿＿＿＿＿＿＿ **职 务：**＿＿＿＿＿＿＿＿

联系电话：＿＿＿＿＿＿＿＿＿＿＿＿＿＿＿＿ **手 机：**＿＿＿＿＿＿＿＿

E-mail：＿＿＿＿＿＿＿＿＿＿＿＿＿＿＿＿

通讯地址：＿＿＿＿＿＿＿＿＿＿＿＿＿＿＿＿＿＿＿＿＿＿＿＿＿＿

邮 编：＿＿＿＿＿＿＿＿ **所购书籍书名：**＿＿＿＿＿＿＿＿＿＿＿＿＿＿

现在就填写读者反馈卡，成为读华章俱乐部会员，
将有机会参加读者俱乐部活动！

1. 本书购买地点？
□新华书店 □普通书店 □书亭（摊） □ 网上书店 □赠阅 □其他

2. 您通过何种渠道最早了解本书？
□偶然场合 □经人介绍 □书店广告 □报刊 □电视

3. 您手上的作品大致传阅人数为：
□1－2个人 □3－5人 □5－10人 □10人以上

4. 您愿意向别人推荐本书吗？
□非常愿意 □如有机会、愿意 □没考虑过 □不值得推荐

5. 您对本书的整体评价
内文水平 □很好 □较好 □一般 □较差 □很差
封面设计 □非常出色 □平凡普通 □毫不起眼
编　排 □利于阅读 □一般 □较差
印　刷 □质量好 □质量一般 □质量较差

6. 您一般通过什么渠道了解最新的管理思想？
□专业培训 □专业会议 □期刊 □书籍 □电视 □广播 □业内朋友

7. 如何通过网络或传真给您提供相关领域书籍的出版信息，您是否愿意接受？
□愿意 □不愿意

8. 如果在您所在的城市举办相应专题研讨会，您是否愿意参加？
□愿意 □不愿意

9. 您是否愿意获得相应管理培训课程的信息？
□愿意 □不愿意

10. 您是否愿意支付费用成为读华章书友俱乐部收费会员，享有VIP会员专享权力？
□愿意 □不愿意

读华章俱乐部反馈卡